JN058153

WRITING WITHOUT TEACHERS,

SECOND EDITION

PETER ELBOW

ピーター・エルボウ

岩谷聡徳 | 監訳　月谷真紀 | 訳

自分の「声」で

自己検閲をはずし、
響く言葉を
仲間と見つける

書く技術

英治出版

本書を
ただ読むだけでなく
実践するあなたに捧ぐ

監訳者まえがき

　自分の気持ちや考えが、自分でもつかめない。言葉にならない。
　でも伝えたい、何よりも自分で触って、知ってみたい。

　そんなあなたに届いてほしい本書は、万人から100点をもらうための
文章を目指すものではありません。あなたが届けたいメッセージをともに
探し当て、届けたい相手に届く文章を書くための、力強くあたたかい支え
となる本です。
　英語圏における古典的名著でありながら、現在においてもラディカルな
本書の目次をご覧ください。ぱらぱらとめくってみるだけでも「実際に使
えそう」「わくわくする」と感じられはしないでしょうか。その感覚のと
おりの本であることは、長年本書が海外の幅広い読者によって支持され、
時の試練を越えてきたことが証明しています。

　本書の適用範囲は、狭い意味での作文にとどまりません。学生のレポー
ト、ビジネスパーソンの企画書、趣味の文章や日記、プロの書き手を目指
す方まで、文章にまつわる広大な範囲に及びます。
　メソッド面においても、自分の文章を減点思考で削除する考え方をゆる
める方法「フリーライティング」から、出てきた文章をどう育て、どう
美味しく料理するかにいたるまで、豊富な例とともに示されます。その

プロセスの後押しとなるフィードバックの場「ティーチャーレス・ライティング・クラス（以降、適宜ティーチャーレス・クラスと表記）」も、教師のような立場から採点される「垂直」の関係ではなく、同じ立場の仲間たちとの「水平」な関係ならではの喜びと楽しみに満ちたもの。また、「ビリービング（信じる）・ゲーム」と「ダウティング（疑う）・ゲーム」をプレイすることで、あなたの文章の個性が見出され、洗練されていくことでしょう。

　本書は全体として、言葉を書くことや、自身の内なる声がどういうものなのか、そしてそれが他者へどう響くのかに興味を持つ人に向けて開かれています。本書の実践が、言葉を書くことを通じて起こる成長や、新たな感覚への気づきをサポートしてくれるでしょう。

＊　＊　＊

　原書『*Writing Without Teachers*』は 1973 年に初版、1998 年に「25周年記念版」として第 2 版がオックスフォード大学出版局から刊行されました。本書は後者の邦訳であり、著者ピーター・エルボウ氏の著作としては本邦初訳となります。

　50 年前に初版が世に出て以来、教育業界や創作を志す方を含めた幅広い層から支持を得てきました。その後の第 2 版は、初版へ寄せられた批判や疑問に応えることで、さらに理論的精度を増した内容となっています。これまで英語圏の名門大学のテキストとして採用され、本書の内容を取り入れたさまざまな流派の作文教育の発展に貢献してきました。

　そんな本書には、著者が長年かけて構築してきた理論（第 5 章～補遺）と、それを実践するための具体的なプロセス（第 1 章～第 4 章）があますことなく書かれており、いま読んでもおおいに通じる普遍的な内容になっています。

　著者のピーター・エルボウ氏は、マサチューセッツ大学アマースト校などで教鞭を執った教育学者（現在は同校の英語名誉教授）。大学での研究や心理学の知見のみならず、ニューヨークのハーレムでの教育から遠い環境にある人びとと接した経験などを総動員し、本書を書き上げました。

　何より、エルボウ氏自身、40歳になるまで博士論文を書き上げることができずに苦労した個人的な背景を持っていました。そんな著者によって、文章が書けない状態にいる人の心理への深い理解と共感を持って生み出された受容的なアプローチが、本書が広く支持されてきた魅力のひとつといえるでしょう。

　そして私自身も、本書に助けられ、本書をもっと広めていきたいと思っているひとりです。

＊　＊　＊

　私と本書との出合いは、大学院のクリエイティブ・ライティング系コースに在学中のことでした。修士論文と小説の執筆に困り果て、文章を書けるようになる処方箋を求めて日本語の類書にあたり尽くした末に、本書の原語版にめぐりあったころにさかのぼります。

　書きたい気持ちはある。なのに書けない。書きたい気持ちがあるのに、まず良い書き出しが思いつかない。気分転換もたくさん試して、頑張って少し書けても、「もっと良い言葉があるはず」とすぐ訂正し、手が止まる。言葉が続かない。自分で自分を責め、期待したぶん失望を味わいました。

　何を書いたらいいのかわからず、いま書いている文章がどこに向かっていくのかもつかめずに心細くなる。自分でもよくわからないのに、他者に

伝わるだろうか。ましてや、きちんと評価されるだろうか。

　しまいには書くことが恐怖に変わりました。自分には何も書けないのではないか。何を書きたかったのかすらわからなくなってしまう。書きたい、と思っていた自分の気持ちはどこにいってしまったんだろう。でも書きたい気持ちは、まだある。だから今度こそは。いや、いつかは書けるようになりたい。

　ありありと思い出せます。私や、私の出会った多くの人の気持ちはこういったものでした。ひとりで／会社で／家庭で／学校で、創作を／日記を／レポートを書く際に、自分で自分の言葉を「検閲」してしまう——誰かに見せるのは恥ずかしい、空気を読んでいない文章だと思われないか、こんなことを書いたら非常識だと思われないか。

　私はなんとか書けるようになりたいと、書くために役立ちそうな情報には片っ端から飛びつきました。それでも書けず、日本語で読める主だった参考文献も尽きたころに、本書の原書に出合いました。

　はじめは象徴的なタイトル（『Writing Without Teachers』）に惹かれて手に取り、目次に躍る楽しげなメタファーに期待を抱くと同時に、実践的な内容なのかどうか信じきれない思いが浮かびました。それでもすぐに「藁をもつかむ」気持ちで読み進めて一気に読了すると、「ただ読むだけでなく、実践するあなたに捧ぐ」という扉の献辞が胸に迫ってきました。だから私は、本書のライティング・プロセスを実際に試してみることにしました。そうしてついに創作と論文を提出することができ、大学院の文学研究科を修了することになります。

　院を修了して以降は、不登校状態の方の寺子屋の運営や芸術文化財団に携わりながら、記録映像制作や翻訳、福祉とアートの創造的なプロジェクトのリサーチなどによって、社会と文化の幸福な関係を考察してきました。現在は、本書に学んだ「ライティング＝自己表現の民主化」というビジョ

ンを活かし、対話やアートをはじめとする多領域を横断した先端知を持ち寄ることで、複雑化した社会課題を解きほぐして新たな選択肢を創造する活動を国内外で実践しています。集合的な対話の持つ肯定的な力や、常識を創造的に疑うアートの知恵を活用して、教育や場作り、福祉や医療や芸術などの複数領域を舞台として、オーダーメイドの処方箋を提案しているのです。その際に、本書に学んだフリーライティングによって自分のビジョンや感情を自己検閲をゆるめて可視化し、ティーチャーレス・クラスを援用しながらチームの有機的な協働を果たせています。

* * *

　以下に各章の簡単な構成と、それぞれのパートの活用方法を提案していきます。

　大まかな構成として、本書の多くは具体的な実践方法の紹介にあてられています。理論的な内容を扱ったパート（補遺）は最後に置かれており、他よりも文字が小さくなっています。その理由は、実践パートよりも控えめな印象を読者に与えることで、理論によって拘束され、実践が妨げられないようにしたいという著者からの気づかいです。

・ 序章（第2版に向けて）

　本書が生まれた経緯や、参考にした先人の考察、そして本書の2つのメッセージ「コントロールからの独立宣言」と「教師による教えからの独立宣言」が述べられています。評判を呼んだ初版へ寄せられた批判に対する応答も見どころです。著者が本書を世に問うことになった必然性や、書けないあなたへの共感的な態度の背景が垣間見えます。すぐに実践に触れたいと感じた方は後から読んでも

差し支えないパートではあります。ですが、この章を読むことで補遺の抽象的な議論の理解も深まるでしょう。

・第1章：フリーライティングを練習しよう

→書くスタートラインに立ちたいあなたへ

書く作業を内側から妨害する「自己検閲」をやり過ごし、言葉が言葉を呼ぶ書き方の方法とコツが語られます。失敗に寛容な著者ならではの、書くことに困難を抱えた読者の怖れに対する共感にあふれており、豊富なメタファーや実例を参考に実践できます。

・第2章：ライティングのプロセス①──グローイング

→書いた素材の育て方や素材の核を見つけたいあなたへ

書いた素材を育てて磨く4段階のステップが提案されます。ユニークなのは、「編集」には最後まで手を付けず、「混沌や脱線」を積極的に受け入れる点。それによって、素材とあなたの成長のポイントが見えてくるでしょう。

・第3章：ライティングのプロセス②──クッキング

→育てた素材どうしを反応させ、有機的に活かしたいあなたへ

育てた素材を美味しく料理するステップ。「アイデアどうし」「あなたと言葉」を組み合わせたり、「散文を詩へ」「一人称を三人称」へとジャンルやモードを変えることで、要素どうしを反応させる方法が語られます。反応がうまく起きない場合の考え方についても丁寧に説明されています。

- 第4章：言葉の響きを確かめよう
  ――ティーチャーレス・ライティング・クラス

→自分の文章が現実の読み手にどう受け取られるのかを知りたいあなたへ

素材や料理を対等な立場のメンバーが持ち寄り、互いに虚飾を排したフィードバックを贈り合うクラスの概要が説明されます。それは、採点が存在しない心理的に安全で民主的な場です。さらに、自分の文章が実際に目の前の他者にどう届いたのかを伝え合うフィードバックの贈り方と受け取り方が豊富な例とともに示されます。

- 第5章：ティーチャーレス・ライティング・クラスをもっと理解する

→ティーチャーレス・クラスをもっと理解したいあなたへ

→書くことについて指導・監督する立場のあなたへ

ティーチャーレス・クラスによって書くことが楽になる／上達する理由と、フィードバックの心構えが説明されます。ライティングにまつわる既存の教育システムでは、「評価すること」を目的化した結果、公正さと客観性が重視され、「読み手の実感」が置き去りにされてきました。しかしティーチャーレス・クラスは逆に、読んだときの主観と書くときの実感を持ち寄るものです。そんなクラスがライティングにもたらす恩恵と気をつけるべき罠について、現場で起こりがちな状況を踏まえて考察されます。

- 補遺：ダウティング・ゲームとビリービング・ゲーム

→執筆や表現を後押しする普遍的なメカニズムを考えたいあなたへ

初版以降に寄せられた批評や疑問への回答も含めて、本書の方法論の根底に流れる理論が語られます。なかでも、目の前の表現物に対して論理的に疑う姿勢を持つ「ダウティング・ゲーム」と、表現物に没入して肯定しようとする「ビリービング・ゲーム」を併用する意義について、つまり、減点方式と加点方式それぞれの強みを

相補的に動員することが読むことと書くことに与える影響を考察しています。

以降、著者による補足や、本書のより詳しい情報や応用的な活用法を記した「監訳者解説」へと続いていきます。

本書の特徴として、３つの点が挙げられます。

1. ミスや失敗を受容する点
   筆者自身が失敗から学んで開発したメソッドであり、書けない人の心理を熟知しているからでしょう。肯定的な姿勢が読者の背中を押してくれます。
2. プロセスを重視する点
   何のために書くかという目的自体が、書いていくプロセスによって変容していくという視点です。書き手は書くことで成長していくもの、という思想を反映しています。
3. 文章の読み手ではなく「書き手」に主導権を委ねる点
   ティーチャーレス・クラスでもらったフィードバックでも、受け入れるかどうかは受け手（＝書き手）が決定します。自分が書く文章の目的が明らかになるにつれ、受けたフィードバックが有用か否かは、書き手自身で判断できるようになっていくという視点です。筆者の書き手への信頼が垣間見えます。

以上３つの要素が互いをサポートし合い、全体として有機的な構成となっています。

従来の「書き方本」との最も大きな違いは、個人ワークとグループワークの相補的な組み合わせにあります。

　ひとりでおこなうライティングの盲点として、「自分の本当の声は自分では聞こえない」ということがあります。自分に聞こえる自分の声は、頭蓋骨に反響して変化したものだからです。目の前の他者に自分の声がどう聞こえたのか、その率直なフィードバックを受けることでこそ、実際の自分の声に気づけるのです。本書のメソッドに沿って具体的に見てみましょう。

　まずはひとりで、自己検閲をゆるめる「フリーライティング」を使って、あなたの内側に流れるものを止めずに言葉に出してみます。そしてその素材を「グローイング」「クッキング」で育てて磨いてみます。

　それを「ティーチャーレス・クラス」に持ち寄り、水平で安全な場だからこそ生まれる「虚飾のない」フィードバックを、他者から贈りものとして受け取ります。

　その贈りものをひとりになってからじっくり確かめるなかで、あなたの声が他者にどう聞こえたか／狙った声が実際にはどう届いたのかを知ることができます。

　それをもとにふたたび個人ワークで磨き、またクラスでフィードバックを受け取る——こうして「自分と言葉」という垂直な関係と、「自分と他者」という水平な関係の往復を繰り返すことで、自分の実際の声／自分が本当に届けたい声がどんどん明確になっていくのです。このプロセスを通じて、書く目的や意義が進化し、満足度の高い言葉を手繰り寄せられるようになっていくでしょう。

　本編の中で紹介されるティーチャーレス・クラスの方法論はかなり厳格に感じるかもしれません。ですが巻末の「付録②　ティーチャーレス・ライティング・クラスの際に覚えておくべきこと」にあるように、著者はもう少し柔軟に開催する形式も勧めています。あまり身構えず、ぜひ気軽に取り組んでみてください。

　　　　　　＊　　＊　　＊

　本書は、人間の本性であり（他者とつながる）バトンともなる「言葉を
書くこと／表現すること」の根源的な喜びを読者から引き出して、他者と
共有しようではないかと誘います。ですが言葉の届け方を誤れば、対面・
オンライン問わずに他者と傷つけ合う状況が訪れます。正解主義の教育の
みを頼りとして、怖れずに自分の言葉を他者に届けることはできるでしょ
うか。そんな現代の私たちにとって、「書くことの喜び」を交換し合うこ
とによって生きやすい共同体を形作っていくための、強力であたたかな支
えとなる本でしょう。

　本書の内容を実践し始めて以降、文章を書くことに関わる対処法を血肉
化することができ、思いやアイデアの言語化に対するバリアーはなくなり
ました。そして本書は、私に多くの新たな選択肢へとつながる扉を開けて
くれました。
　恩送りのように、この10年間はかつての私と同じ悩みを持ったさまざ
まな属性の方たちと本書に基づいた実践をおこなっています。そのなかで、
日本語や英語のみならず、非言語でのアウトプットへも応用することで多
様な化学反応が起こるさまも目のあたりにし、個人やチームでの活動の幅
を広げることができました（詳細は「監訳者解説」にて）。
　その対象も、学校教育はもちろんのこと、非言語を含む創作やセーフ
ティネットを志向する場作り、芸術の要素を含んだ福祉分野から、探究学
習、国内外の先進的かつ領域横断の協働プロジェクトにまで広がっている
のです。単一の正解や先例のない現代社会において、互いの納得感をベー
スとする協働による新たな選択肢の創出は、分野をまたいだ脚光を浴びて
います。
　監訳者としての願いは、本書が教育や表現にとどまらない多分野にわた

る日本の読者に開かれていくことにあります。

　そうした分野も背景も多様な現場に立ち会うなかで私が再確認できたこと——それは、本書で提示される「言葉を書くこと＝自己の思いや考えを表現／伝達すること」は、自己および他者に対する理解と分かちがたく結びついているという確信でした。

　私は、本書の原題である「Writing Without Teachers」とは、教師を含めた誰かから受動的に教えられて書くのではなく、「他者とお互いに学び合いながら、自分の『声』を書いていくこと」という意味に受け取っています。

　こうして本書を手に取ったあなたが、本書が導く「ライティング・プロセス」の実践を通じてご自身の声と出合い直し、新たな世界の扉をご自身や他者とともに開いていかれますように。本書はそんな「ただ読むだけでなく、実践するあなた」に捧げられたバトンでもあるのです。

2023 年 12 月

岩谷聡徳（Aki Iwaya）

第5章 ティーチャーレス・ライティング・クラスをもっと理解する 175

補遺 ダウティング・ゲームと ビリービング・ゲーム ──知的な営みを分析する 205

自分の「声」で
書く技術

自己検閲をはずし、
響く言葉を
仲間と見つける

まえがき

　多くの人がいま、個人的にも政治的にも無力な状態から脱け出そうとしている。みな、自分の人生をもっと思いどおりに動かそうとしている。人生で最も思いどおりにならないもののひとつが、言葉を操ることである。特に書き言葉だ。紙に書かれた言葉と向き合ったあなたは、手も足も出ないと感じることが多いだろう。自分の言葉を紙に記そうとするとなると、ますます手も足も出ない。この本では言葉の手綱を握る方法を語るが、それには努力と、努力をともにする仲間探しが必要だ。書くことに取り組みたいすべての人に向けて話そうと思うが、幅広く、多くの読者を想定し、学校で学んでいる若者や大人はもちろんだが、学校で学んでいない若者と大人を特に意識している。

　ほとんどの文章術の本は、良文と悪文の特徴をそれぞれ語り、読者が良い文章を書き悪文を避けられるようにしようとする。だがこの本は違う。本書には、構成の良し悪し、力のある文と弱い文、言葉の正しい使い方と間違った使い方の説明は何も出てこない。人から良文と悪文を教わっても、私の文章はたいがいまったく良くならなかったし、私が他の人に教えようとしても、相手の文章が良くなったことはまずない。もしあなたが良文と悪文の特徴を教えてくれる本を求めているなら、これはそのような本ではない。

　代わりに、私は次の2つを目指している。

1. あなたが実際にもっとうまく —— もっと自由に、明快に、力強く言葉を生み出す、つまり言葉の良し悪しの判断ではなく、言葉の創出が上手になる手助けをすること。

2. あなたが自分の文章のどの部分を残し、どれを捨てるかをみずから判断する力を伸ばすこと。

　前半の3つの章では、あなたがうまく言葉を生み出せるようになるのを助ける。まず、言葉が浮かぶプロセスそのものを改善する万能のエクササイズをお伝えする。次に、文章を書くという五里霧中のプロセスが理解できるようになる方法を提案する。そして、書くのが楽になる具体的な策を示す。

　第4章と第5章では、自分の言葉が現実の読者にどのような影響を及ぼすのかを知るための、ティーチャーレス・ライティング・クラス（教師のいない文章教室）の実践方法を伝え、自分の目的に沿った良い文章とそうでない悪い文章を判別する力を上げる手助けをする。

　巻末の補遺はあなたの文章を上達させるためのものではない。文章力を上げ言葉の真実を探求する本書のアプローチの前提と、その含意をできる限り克明に解き明かしたい —— そんな私自身の願いを形にし、関心のある読者に共有するエッセイだ。

　書くことについての本を書く、その際に拠りどころとしたのは、長年書くのが苦手だった私の実体験だ。四苦八苦せずにものを書く人たちが、いつも私にはまったく別世界の住人に見えていた。ところが書くことに関するアドバイスをしてくれるのは、いつもそういう人たちばかりのようだ。だから、書こうと努力してもたいてい書けずに終わる私のような者には関係ない気がしていた。しかしこの数年で努力が実を結び、少なくとも一部の読者には伝わる文章が書けるようになり、そんな自分を観察しているう

ちに、書く苦しみにもっと寄り添ったアドバイスができるのではないかという確信を深めた。また、書くことに特に苦労しているからといって、必ずしもその人が楽々と書いている人に比べて書く力がないわけではない、という確信に至った。

　先生方へ。この本はライティングの授業をとっていない学生や、そもそも学校に在籍していない人々の役に立てればと特に願って書いたが、とはいえ、本書の大部分はライティングの講座で学んでいる学生にも有益だろうと思っている。どのような種類のライティング講座で学ぶ学生だろうと、どの年齢層だろうと、フリーライティング・エクササイズ、ライティング・プロセスのモデル、そのモデルに基づいた自己管理のアドバイス、実際の読者に言葉がどのように作用するかを知るテクニックは役に立つはずだ。

　しかしティーチャーレス・クラスについてはどうだろうか。そこに教師はいてもいいのか。答えはイエスでありノーでもある。私が教える授業でも、ティーチャーレス・クラスを実践することはできる。ただし、私も他のみんなと同じ手順に従うのが条件だ。つまり、私も毎週作品を提出しなければならない。私も自分が書いた作品に対して、みんなから感想や反応をもらわなければならない。私も他の人の作品に対して、自分の反応を伝えなければならない。まだ自信のない作品を提出する際（毎週何か書かなければならない場合、これはほぼ避けられない）、他の人の作品に私自身の反応——言葉についての一般的な、あるいは正しい概念を示そうとするのでなく、まぎれもなく私の、個人的で私らしいと学生たちが感じられる反応を見せるときに、私は学生たちに最も役に立てるという実感がある。そんな反応ができると、私が呼び水となって学生たちは背中を押され、自信がなくても反応や感想を口にし始める。要するに、教師としての役割よりも学習者としての役割を引き受けてはじめて、自分の授業でティーチャーレス・クラスを実践できるのだ。

　ティーチャーレス・クラスを提案するといっても、優れたライティング

の教師がいることを否定したいのではない。私は何人か良い教師を知っているし、そのような存在は見逃すわけにはいかない。彼ら／彼女らは学生のほとんどを、いままでより上手で、満足のいく文章を書けるようにできる。ただしそのような教師はきわめて少ない。そうした教師がいたらぜひ続けていただきたいし、他の先生方にも教え方を手ほどきしてほしい。このような教師についた学生も、学びに励むとともに、ありがたみをわかってほしい。

　ティーチャーレス・クラスを提案する私が否定したいのは、それとは別のこと――生徒の学びは教師が教えることと切り離せないというよくある決めつけである。ティーチャーレス・クラスは、学びはあっても教えのない場だ。教わらなくても学びはできる。教師がいなくても学生にはなれる。学生の役目が学ぶことで教師の役目が教えることだとすれば、学生であることは教師がいなくても成り立つが、教師は学生がいなくては成り立たない。学生を20年、教師を8年やってきて、いままでこのあたりまえの真実に気づかなかったことには、我ながらあきれ、悔しかった。教師は自分が必要ではないと自覚したほうが学生の役に立てるようになると思う。ティーチャーレス・クラスは教師としての私を助けてくれた。なぜならそれは、学生とともに学び、ともに学ぶことで学生たちの役に立つための理想の実験室だからだ。ティーチャーレス・クラスは同じように他の先生方を助けられると、私は信じている。

　この本の執筆を支えてくださった方々全員にここで感謝を述べることはできない。特に、ティーチャーレス・クラスという実験で志をともにし、自分のクラスの録音テープを聞かせてくれ、私の学びを助けてくれた方々は、ここでお名前を挙げるにはあまりにも多い。私のクラスの学生たちにも、学ばせてもらったことを感謝している。以下の方々には本書の執筆中、さまざまな形で特にお世話になり、ご教授いただいた。マックス・デイ、サリー・ドゥフェック、A・R・ガーニー、クリス・ジョーンズ、フランク・

ピアース・ジョーンズ、マーク・レヴェンスキー、ジェーン・マーティン、フィリス・スティーヴンス、テリー・ウォルシュ、マイナー・ホワイト、ジョン・ライト。手本を示し支えてくださったケン・マクローリーがいなければ本書は書けなかった。感想と提案をくれ、原稿に目を通し、何より愛の込もったサポートをしてくれた妻のキャミーに最大の感謝を捧げる。

ワシントン州オリンピアにて

1973 年 2 月

ピーター・エルボウ

序章（第2版に向けて）

　世界中の誰もがものを書きたいと願っている。この驚くべき発見をしたのは、初版の『*Writing Without Teachers*』を書いてからだった。私の本のタイトルを聞いた実に多くの人から「私も昔から本を書きたかったんですよ」「いつか自伝を書くつもりです」「自分らしさを表せる言葉を見つけて紙に残したい」と話しかけられ、私はびっくりした。なかには、面識がなくたまたま出会った、執筆とはまるで無縁の人々もいた。それまで私は、誰もが学校でやらされるから書くだけで、好きで書くのはひと握りの特別な人だと思っていた。書きたいという願いを誰もが心に秘めているらしいと知ったのは思いがけない喜びだった。

　もちろん、ほとんどの人は書くことに関して苦い経験をしているから、自分の夢をめったに口にしない。そういう人たちはたいてい、自分の願いは認められない、あるいは叶わないと思わされる経験をしている。しかし私が自分のアプローチについて話すと、みな胸に秘めていた思いを打ち明けてくれる——ときにはきまり悪そうに。ものを書きたいという願いを自覚することすらはばかる人たちもいる。だが、人と話していてふとした拍子に、その願いが意識に浮上するのだ。

　長年のあいだに、純然たる事実として次のような事情が見えてくるようになった。

・ 4〜6歳の子どもは、書きましょうと単純に促され、大人の助けで綴_{つづ}りや言葉の正しい使い方の問題をクリアできれば、夢中で喜んで書く(Calkins, Graves 参照)。子どもは書くのが好きだし、楽々と書く。

・ ほとんど誰もが、高校を卒業するころには書くことを嫌いになるか怖がるようになり、できるだけ避けようとする。

・ しかしそれでも、書きたいという欲求はほぼ誰の心にもまだひっそりと息づいている。『*Writing Without Teachers*(教師なしで書く)』というタイトルは、我ながら的を射ていたのではないだろうか。書くことが難しくなってしまう大きな原因は教師にあるように思う。だが教師にも、書くことへの欲求を完全に消せはしない。

＊　　＊　　＊

本書は若くて、世間知らずで、初々しい本に思える──実際にそう評されてきた。だがいま振り返ると、書いたときの自分はそれほど若くも初々しくもなかったと思い出す。そんなに世間知らずでさえなかった。当時私は38歳で、これは2冊目の著書だった。思い出せばすでにずいぶんいろいろな経験をしていたと感慨深い。だからこの本は個人的な内容で自伝的にすら見えるが、実は私についてはほとんど語っていない。そこで、このたび第2版を出すにあたって、この若くて世間知らずと言われる本の誕生につながった経験のいくばくかをお話ししたいと思う。

・ 私はニュージャージー州のまあまあふつうの中流家庭で何不自由なく育った。小学校時代は優等生で、先生にほめられて目をかけても

らおうと必死だった。成績は良かったが、実は学校の勉強そのもの
はそれほど楽しかったわけでも、身を入れていたわけでもない。9
月に新学年が始まるたびに、ペンか鉛筆を握って「えーと、どっち
の手を使うんだっけ」ととまどった気持ちを覚えている。

・ （1950 〜 1953 年）兄と姉が実家を離れたので寂しくなり、両親を
　説き伏せて、3 年間全寮制の学校に行かせてもらった。選んだのは、
　当時はあまりぱっとしない寮制学校だったプロクター・アカデミー
　で、理由はスキーが必修だったからだ。教職 1 年目の若くて元気
　溌剌とした英語教師、ボブ・フィッシャー先生のおかげで、私は読
　むのと書くのが大好きになり、自分も彼のような英語の先生になり
　たいと思うようになった。

・ （1953 〜 1957 年）大学はウィリアムズ・カレッジを選んだ。主な
　理由はスキー部が 1 部リーグに所属する程度に強く、とはいえ自分
　でもたぶん入部できそうなレベルだったからだ。しかし読み書きに
　関しては完全に力不足を思い知らされた。それでも必死でくらいつ
　き、2 年生になるまでになんとか優等生になった。私は教授たちを
　敬愛し、大学の英語教員になろうと決めた。

・ （1957 〜 1959 年）奨学金を受けてウィリアムズからオックスフォー
　ドに留学中に、もうひとりの活きのいい新任教師、ジョナサン・ワー
　ズワース先生に出会った。ところが彼が冷笑的な指導の仕方をして
　いたのに対して、私はまだ傷つきやすくほめてもらう必要があった。
　先生の個人指導を受けて 5 〜 6 週間も経つと、エッセイが書けなく
　なり、毎週手ぶらで授業に出るようになった。非常に苦しんだ。最
　終的に学位を取得できた理由は 2 つしかない。結局指導教員を変
　えてもらい、精神安定剤のお世話になったこと。そして、学位が

かかっていたのは、2年間の課程で毎週じっくり考えて書くエッセイではなく、最後の最後にそれぞれ3時間で書き飛ばした9回の試験だったことだ。

- （1959〜1960年）私は傷心を抱え、学校に嫌気がさしていた。好きだったイギリス人女性に結婚を断られたことも追い打ちをかけた。それでも、大学教授になるために博士号を取得するという決意はますます揺るがなかったから、ハーバードで新規まき直しをはかった。不安はありつつも、専攻はやはり英語。周りの人からは「とにかく博士号をさっさと取ってしまえ！」とアドバイスされていた。1学期目の論文をやっとの思いで書いたが不出来と評価され、私はこれ以上頑張ってもムダだとさとった。放り出される前に2学期目に自分から退学した。

- （1960〜1963年）人生の敗残者になった気分だった。知的活動などまともにできなかった。本や学問とは二度と関わりたくなかった。しかし短期の仕事を転々としたのち、（かつての恩師を通じて）マサチューセッツ工科大学（MIT）の臨時講師になる話をいただいた。私は学生の立場はつらかったのに教えることは好きだと発見した。書く能力のなさから学生でいられなかったのに、それが教えることの障害にはならないというのも発見だった。優秀でかわいいMITの1年生にホメロス、トゥキディデス、プラトンからガリレオにいたるまでのすばらしい学際講座を教えながら、私たち英語、歴史、哲学の若い教員チームは毎日のように知恵を絞り合った。この教師業のおかげで、読み応えのある難解な本への関心がよみがえった。

・（1963〜1965年）オックスフォード時代の友人を通じて、創設されたばかりだったフランコニア・カレッジの教員になる機会を得た。蓋を開けてみれば、5人の教員の中でいちばんのベテランは私だった。独自の学際的な総合教育講座を考案しながら、知的興奮をますますかき立てられた。教えること、学ぶことについての視野も広がった。というのも、この小さな新設の大学は学業がまったくふるわない学生しか集められなかったが、彼らにすばらしい知性と才能があることが徐々にわかってきたからだ。頭の良い人々に自分はバカだと思わせてしまう教育システムには根本的に間違ったところがあるのではないか、と感じるようになった。フランコニアで過ごした2年のあいだに、自分が書けることにも気づいた——相手が教師ではなく同僚と学生である限りは。私は全学生向けにライティングに関する小冊子を執筆した。ケン・マクローリーに1冊送ったところ、彼は優しい励ましの返事をくれた。マクローリーとはまったく面識がなかったが、私はライティングの教え方に関する彼の重要な著書を読んでおり、その本でフリーライティングを知った。

・（1965〜1968年）大学院でふたたび学ぶ。今回はブランダイス大学に入学した。高等教育がどう機能しているか——というより機能していないか——について発言したいと心に決めたが、博士号を取っていないと「自分がうまくやれなかったから気に入らないだけだろう」と言われてしまうのがわかっていたからだ。心理学か教育学で学位を取りたかったが、まもなく英語学のほうが早く修了できるとわかった。

　しかし、教師から書く課題を与えられたらまた手が動かなくなるのではないか、と私はひどく恐れていた。そこで2つの策を講じた。第1に、自分だけの締め切りを設けた。例えば15日の月曜日までに20ページの論文を書かなければならないとしたら、

7月の月曜日までに20ページ必ず書く。こうして、たとえ書いたものの出来が悪くても、強制的に書き続けるすべをついに覚えた。20ページ書くにはこの方法しかなかったのだ。第2に、書くのに四苦八苦しているときに起きていることを、気づくたびにメモするようになった。特にスランプに陥ったとき――そしてスランプから脱け出したときに何が起きたのかを解明しようとした（そのときのメモの一部を本文に引用し、巻末付録にも3つ例を載せている）。

　こんなことをしたのは、またしくじって人生につまずくまいと、自分の書くプロセスを分析せずにはいられない心境に追い込まれていたからだ。昔から分析癖があったところへ、結婚生活がぎくしゃくし始め、その苦しみが私のライティングに重要な発展をもたらした。私は友人に電話して「助けてくれ！　寂しい、つらい、どうしていいかわからない。そっちに行って、そばにいて私の話を聞いてもらっていいか？」と言えない人間だった。絶望の果てに、私はアパートの床にタイプライターを前にして座り込み、自分の感情や思いのたけをページに打ち込むようになった。書いているという意識もなく、ひたすらページに「吐き出す」のだ。愚痴り、叫び、救いを求めた。これが私の本当のフリーライティングの始まりだった。自分の心の奥底を、手を止めず、検閲せずに書くという意味での。

　メタファー――そして言語、思考、学習、真実、現実をテーマに博士論文を書こうと1年間、試行錯誤した。フランコニア時代以降、私はひそかに本業のかたわら心理学の勉強にかなりの時間を費やしていた。しかしこのテーマは博士論文にするには手に余るものだったため、大好きなチョーサーに鞍替えした。

※1　正しくは「7日の日曜日」か「8日の月曜日」と思われる。

・（1968〜1972年）私はMITに戻った——最初は非常勤として。実はチョーサーの論文のおかげでカリフォルニア大学バークレー校から魅力的な仕事のオファーがあり受けていたのだが、気が変わってボストンにとどまることを選んだ。長い目で見て自分が生きていくためになくてはならない、と感じるほどグループセラピーにはまっていたからだ（もし1968年に文学部教授としてバークレーに着任していたらどんな人生になっていただろう、とよく考える）。

私は博士論文を書き終え、修正を加えて1冊の本にし、そこでようやく懸案だったものに関心が向いた。大学院時代、書くことをめぐる紆余曲折について自分のために書いていた例の膨大なメモ——書こうとする努力の記録、物語、ちょっとした分析——のフォルダーだ。このころには重要な洞察の材料があると気づいていた。ときに（ほんの2文におさまるつもりだった）手書きの文字列が、小さな紙のページのいちばん下から横へ上へとぐるりと一周したり、裏まで延びたりしているこのメモが本書になった。

やがて、1970年のある日、オックスフォード大学出版局の営業員がMITの私の研究室を訪ねてきた。授業で私に使ってもらえるかもしれないと彼が考えた本を何冊か見せた後、出版社の営業員がよくやるように、「先生は何かお書きになってらっしゃいますか」と聞いてきた。「教師のいないライティング・グループに関心を持つようになりまして」と私は言った。「それについて書いてみようかと考えています」。営業員は、「うちに新しく編集者が入ったのですが、彼はそういう変わったアイデアに興味を持つかもしれません」と応じた。

2カ月後、私は契約書を取り交わして1000ドルのアドバンス[*2]をもらった。契約書上のタイトルはまだ『*Writing Without Tears*

---

*2　前払い金。

（つらくないライティング）』だった。というのもイギリス留学時代、この名を冠した独学本シリーズ（例えば『*Swahili Without Tears*：つらくないスワヒリ語』）を愛用していたからだ。しかし執筆を終えるころになって、つらさを問題にしたいわけではないことに気づいた。後で知ったが、この本は新人編集者が手がける初めての書籍だった。ジョン・ライトはオックスフォードをすでに離れているが、ありがたいことにいまでも一緒に仕事をさせてもらっている。

　アドバンスは現在の妻とシチリア島で１カ月過ごす旅費の足しになった。私は入り江の石ころだらけの浜辺に椅子を据え、ついに例のフォルダーを取り出して、まだまともに読み返していなかった自分のためのメモをどんな本にできるか確認しようとした。フォルダーを開いたとたん、メモがそよ風にさらわれて散らばり、私は後を追いかけ、安全な場所を探すはめになった。

＊　＊　＊

　本書で、私は２つのメッセージを高らかに打ち出そうとした——それも全世界に向けて。たしかに私は世間知らずだったのかもしれない。この本がなぜ長年のあいだ多くの読者を獲得しなかったのか、一般紙に書評がまったく出なかったのか、私には解せなかったからだ。

　私の第１のメッセージは、自分のライティングに関するメモから抽出したエッセンスだった。それは書くことにおける一種の独立宣言だった。神経をはりめぐらせ、コントロールし、計画し、秩序立て、舵取りし、正しいもの／良いものにしようとすることからの独立だ。オックスフォードでの２年間をみじめに過ごし、ハーバードを退学せざるをえなかったのは、「計画的に書かなければ」「うまく書かなければ」「コントロールしなければ」

「自分の言いたいことをあらかじめ把握してアウトライン化しなければ」などの思い込みに囚われていたせいだ。2度目に挑戦した大学院で自分の書き方を観察してみて——「どれほど拙くても、第1稿を書き上げることを自分に強制しなければ生き残れない」と自覚して——ようやく私は計画、コントロール、用心を手放しても一定水準のものは書けると学んだ。自分のおおまかなテーマについて考えながら、頭に浮かんだことを何でも手を止めずに書かなければならなかったし、何よりたったいま書いているものが良いのかどうか心配するのをやめなければならなかった。「無秩序も悪文も来るなら来い」という気でいなければならなかった。そうして、たくさん書いてたくさんの考えを出したその後で、前にさかのぼって秩序を見出し、コントロールを取り戻し、良いものにしようと試みることができる。質の高いものを書きたければ——そもそも書き上げたいと思うなら——駄文や意味をなさない文を歓迎しなければならなかった。

　しかし、本で述べていることを完全に実行できるようになるには、この本を執筆し出版するまでのプロセスでもまだ足りなかったことは言っておかなければならない。この本を書いてわかったことを常に使いこなし余裕を持って実践できるようになるまでに、数年かけて消化する必要があった。ここには理論と実践の興味深い弁証法がある。つまり、私は実践を振り返ることによって新しい理論を学んだのだ。だがこの新しい理論は遠い先にあって、私が常に実際に従えるわけではなかった。やがてようやく私の実力が追いつき、理論を活用して実践を改善できるようになった（ドナルド・ショーンが著書『省察的実践とは何か』〔鳳書房〕でこの興味深いプロセスについて鋭く洞察している）。

　この本の第2のメッセージはタイトルの「without teachers（教師なしで）」にさらに直接的に表れていた。それはもうひとつの独立宣言だった。すなわち、「学び」は「教え」とは独立したものである、というメッセージだ。

※1　ある命題（テーゼ）と対立する命題（アンチテーゼ）を統合して、さらに高次の命題（ジンテーゼ）を生み出す思考法。

私は根本的な非対称性に気づくようになっていた。教師は生徒がいなければ教えられないが、生徒は教師がいなくても学べる。生徒が教師に依存するよりも、教師が生徒に依存しているのだ。私は教師たちから多くを学んだし、自分も教師を続けるつもりだった。とはいえ、私が書けなくなったのは教師の指導を受けるようになってからであり、教師抜きで執筆に取り組むまで——フランコニアで同僚と学生に向けて書き、自分のつらさやどうしていいかわからない感情に対処しようと自分のために書くまで、その呪縛を解けなかった。

　しかしこの「教師なしで」というフレーズの裏には、さらに物語がある。私がMITでふたたび教鞭を執り始めた1968年、「激動の60年代」がついに訪れた。私は良心的兵役拒否者になった。私が書いたものが初めて活字になったのは良心的兵役拒否法の法的な複雑さを分析した論文で、『クリスチャン・センチュリー』誌に掲載された。この問題に注目したのは、徴兵委員会に自分には兵役拒否の資格があると説得することが口頭でも文書でもできなかったためだ（私はずっと、自分に召集令状が来て刑務所に行かなければならなくなる状況を考えていた。カナダに逃れる気はなかった。やがて、私は年齢で「対象外」になった）。

　マーティン・ルーサー・キング・ジュニアとロバート・ケネディが暗殺された。私はボストンの黒人コミュニティでボランティアをした。最初は子どもたちの相手をし、そのうちに夜間の成人向け文章講座で教えるようになった。ここでティーチャーレス・ライティング・グループの実験を始めた（MITから給料をもらっている正式な昼間の教職で実験する勇気はなかった）。このグループを使うのはとてもふさわしい気がしたので、本を執筆するにあたって、私は理論と実践についてさらに明確に解明しようとした。生徒たちは、自分と同様に専門家ではない仲間と一緒に取り組むことによって、ライティングがおおいに上達するように見えた。ただしそのためには次の条件がある。

・他者には見せない自分のためだけの文章を書く。

・好意的な反応のみの、応援し合う雰囲気の中で他者に文章を見せる
　（自分が書いたものに他者が耳を傾けてくれる、という経験と喜びを高め
　るため）。

・読み手から感想をもらう。読み手は文章を理解し、楽しんで、読み
　ながら心の中で起きたことについて語ろうと努める。ただし文章に
　ついて判断を下し、改善法を考えようとしないこと。これが有益な
　プロセスになっているとき、その恩恵は、読み手から的確な反応を
　聞いたり良いアドバイスをもらったりするから生まれるのではない。
　理解され、自分の言葉を読み手がどう体験したかを聞き、読み手の
　体験を体感しようとすることから生じているように思われる。

・テキストの読み方や体験の仕方が異なっても、読み手どうしは争わ
　ない。読み方の違いは、書き手が自分のテキストをさまざまなレン
　ズを通して見るのに役立つ。

＊　＊　＊

　このティーチャーレス・クラスの説明から、私が本書で宣言しようと
した第３のメッセージが浮かび上がる。そのメッセージは、巻末の補遺
（ダウティング・ゲームとビリービング・ゲーム──知的な営みを分析する）にて、
本文よりも小さな字で掲載した。私の理論的な分析によって、本書を実生
活で実践的に活用する人々の邪魔をしたくなかったからだ。
　それでも、この分析は私にとって重要に思えた。本書を書きながら、

これを読むかもしれない知識人や学者の頭の中に次のような非難が生じるのではと感じたからだ。

　　あなたはこの本で、学びと知の土台そのものを放棄している。あなたは生徒に、教師を――もっと高度な訓練、知識、知恵、あるいは権威をもたらすことのできる人を――一切関わらせずに学べと勧めている。教師の代わりとして提案しているのは他の生徒の存在だけ。プロセスも提案してはいるが、それは批判的思考、論理、討論、批判、疑問を欠いたプロセスだ。このプロセスには知性の働きがなく、甘い。耳を傾け、認め、理解し、体験し――ときにはその体験について書き手に伝えようとするだけなのだから。

　おりしも今年、作文法研究の主要な学術誌（*College Composition and Communication*）の編集者が、ライティング指導の歴史と分析を述べた記事で同じ告発をした。

　　というのも［エルボウの］ワークショップには、シュルツのワークショップと同様、生徒が互いに知識人としての説明責任を負っているようには見えないおかしな方法があるからだ。読み手はテキストの感想を問われるだけで、自分の読み方について説得力のある論証をすることは求められない。一方、書き手は作品に対する質問のうち、自分が個人的に興味を惹かれるか有益だと思ったものにしか答えなくてよい。このような授業の生徒が果たしている役割は、対話の相手というより共鳴板だ（Harris 31、傍点は私が付けた）。

　私が議論する責任を取り除いたという彼の指摘は正しい（もっとも、テキストを読んで頭に浮かんだことを言語化しようとする厳格なプロセスとして私

が設けた仕組みを、「感想を問われるだけ」という言葉で要約するのは間違っているが）。だが、議論しないことこそ私が目指したものだ。当時——いまもだが——私は議論、疑念、討論、批判の限界を痛感していた。私が示そうとしたのは、厳格で方法論的なやり方で自分の体験を信じ、耳を傾け、是認し、吟味し、よく観察し、他者と共有しようとすることの力だ。実際に見ていて、生徒や書き手が読み手に対してより効果的な文章を書くための学びを得ているのは、書いた文章を声に出して読み上げる自分の声を聴き、返答や議論や弁明をしないさまざまな読者の「頭の中に流れる映画」に耳を傾けるときだと私は思っている。

　しかし巻末の補遺では、私は非常に野心的に、問いの範囲をライティングの領域から認識論そのもの、つまり知の土台にまで広げている。初版から25年後のいま、具体的な反応をもらいたいので、私がそのエッセイで論じていることをここで簡潔にまとめたい。

　私が論じているのは、信頼できる知をどう獲得するかについてだ。信頼できる知を獲得したいなら、やることは主に2つある。アイデアを獲得することと、アイデアを検証することだ。そしてそのどちらにせよ、使うべき主なツール、すなわち知的手法は2つある。それは疑うこと（ダウティング）と信じること（ビリービング）だ。「ダウティング」とは、論理を用いて批判し、討論し、議論し、アイデアとの個人的な関わりから自分を切り離そうとすることを、私なりに一言にまとめた言葉だ。「ビリービング」とは、耳を傾け、是認し、吟味し、もっと十分に体験し、言い換えようとする——つまりアイデアを内側から理解することを、一言にまとめた言葉である。巻末の補遺では、ビリービング・ゲームを支持する議論をしている。ビリービング・ゲームがあまりにも過小評価され、なおざりにされているからであり、ダウティング・ゲームが過大評価され、濫用されているからだ。しかしダウティング・ゲームをなくせとは言っていない——補うべきだと述べているだけだ。

　2つのツール、つまり手法が、アイデアの獲得と検証にどのように作用

するかを簡単に比較しよう。

アイデアの獲得。もちろん疑うことで新しいアイデアがもたらされる可能性もある。だが、自分の頭の中や、一緒に作業する他の人々の頭の中からより多くのアイデアを誘い出すには、ビリービング・ゲーム（耳を傾け、是認し、正しいものを見ようとすること）が効果的だ。ビリービング・ゲームは、想像や説明の限界にあるアイデアを引き出して理解するのに特に有益だ。ダウティング・ゲームは、このようなアイデアをたいてい疑わしいとかばかばかしいと見なしてしまう。

アイデアの検証。こちらはダウティング・ゲーム（批判し、討論し、論理を用いること）のほうが優れていると広く認識されている。とどのつまり、検証の目的は軽率な信用とずさんな思考を避けることだ。気に入っているアイデアや自分に都合の良いアイデアをつい受け入れてしまうのを避けたいなら、疑う以上に適切なことがあるだろうか。逆に、ひたすら耳を傾け、信じ、良い面を見ようとばかりする以上にまずいこともないだろう。

しかし巻末の補遺の核は、ビリービング・ゲームによってもアイデアを効果的に検証できる、という直感に反する議論だ。ただし、グループでおこない、厳格な手法（私がティーチャーレス・クラスで編み出した手法）を用いることが条件になる。あるアイデア、例えばある提案を検証するためにビリービング・ゲームを使いたい場合、次のような進め方をする。

提案をグループに持ち込んで、全員にできるだけたくさん違う提案や競合する案を出してもらう（参加者は、メンバーが出す提案に対して誰もがビリービング・ゲームをプレイするとわかっている。だから、ダウティング・ゲームで自分の案に批判や討論やあら探しをされる場合よりも、ずっと多くの競合案が生まれ、選択肢が増える。自信のないアイデアも怖がらずに提案してくれるだろう）。その後、検証しようとしている提案に対して最も有意義に思われる競合案を選び、それらに対してビリービング・ゲームをプレイする。つまり、それぞれの競合案に耳を傾け、体験し、吟味しようとするのだ。グループのリソースを活用して、それぞれの利点や長所を最大限に見つけようとし、

それぞれの競合案というレンズを通すと世界がどのように見えるかを眺めようとするわけだ。このプロセスに基づいて、どの案が最も信頼性が高いか、あるいは妥当かを判断する。いずれかの競合案は検証しようとしている元の提案を上回っているだろうか、もしくはその提案の弱点をあらわにしているだろうか。

　2つの検証プロセス（ダウティング・ゲームとビリービング・ゲーム）の仕組みがいかに異なるかに注目してほしい。ダウティング・ゲームがアイデアの弱点や欠点を見えやすくすることによってアイデアの検証をおこなうのに対して、ビリービング・ゲームは競合案の長所を見えやすくすることによって元のアイデアの検証をおこなう。どちらの知的プロセスにも価値があるが、ときとして弱点を探すだけではアイデアや提案の弱点が見えない場合がある。競合案の長所を探すまで、元の案の弱点は見えてこないのだ。そしてその競合案の長所は、ビリービング・ゲームをプレイするまではわからない。ダウティング・ゲームでは、疑おうとしている対象に対して、すでに頭の中にある準拠枠に囚われたままになりやすい。既存の準拠枠の外に出るために最も良い方法が、まったくかけ離れたアイデア——最初は変だとか怖いと感じるようなアイデアに対してビリービング・ゲームをプレイすることなのだ。

　このように、ビリービング・ゲームのほうが遠回りな検証法をとる。検証する案の弱点を直接探すのでなく、競合案を見つけ出してその長所を探すからだ。しかしこの回り道が役に立つ。なぜなら、魅力的だが間違ったアイデアを排除するうえで肝心なのはおそらく、欠点を見るよりも、まったく異なるさまざまなアイデアを吟味することによってものの見方を変える力だからだ。ものの見方を変えなければ隠れていた欠点は見えない。

　もちろん、どちらの認識論的ゲームも絶対確実ではない。だからこそ両方をおこなうことが望ましい。だが、知の現状を守ろうとする人々は、批判性に欠けると言って、知の装備からビリービング・ゲームをはずそうとする。これに対して私は、批判的思考に優れた人にさえ、愛着のある

間違ったアイデアを捨てさせるにはダウティング・ゲームがいかに無力か
を指摘せずにはいられない——どれだけ彼らが「知識人としての説明責任
を負って」いてもだ。疑ったり議論したりするプロセスは、自分の気に入
らないアイデアを批判させるだけなので、別の思考を体験せずに済んでし
まうのだ。

　当然、私がこのような抽象的な議論をする背景には個人的な要素があっ
た。私はダウティング・ゲームについては一流の訓練を受けてきたが、学
歴がある高さに達した時点で（ウィリアムズ・カレッジからオックスフォード、
さらにハーバードに進んで！）、自分はもはや知識人として活動できないと
気づいた。やがて、自分自身と自分の言葉や思考に対してビリービング・
ゲームに相当することができるようになってはじめて、自分のアイデアを
発展させ、表現できるようになった。

　ビリービング・ゲームがなくては誰も成功できない、と言うつもりはな
い。ハーバードもオックスフォードも、ダウティング・ゲームだけを使っ
て成功している人であふれている。しかし、私は次のことを信じたいと
思っている。本当に頭が良く知的生産性の高い人々は、実は知的活動にお
いてビリービング・ゲームを活用している——それなのに、知的プロセス
の概念において批判的思考があまりにも幅を利かせているために、自分の
思考に存在するビリービング・ゲームの要素をほとんど自覚していないの
だ、と。優れた思考の全容がもっと正確に描き出されていれば、知的な人々
の知性が批判的思考の鋭さだけでないことがわかるはずだ。そして現状で
は賢くも学業で成功しているようにも見えない多くの人も、賢さが認識さ
れるようになり、知的に活躍するはずだ。

　最後に、疑うこと／信じることと社会的要素の関係に注目してほしい。
ビリービング・ゲームの原動力はグループだ。共同作業をする他者がいな
くては、検証の有力手段となる競合案を生み出す強力なツールは持てない。
そして、なじみのない異質なアイデアを吟味するための強力なツールを持
つには、そのような案を熱烈に推す人からそのアイデアについて語っても

らったり、そのアイデアから見える景色を説明してもらったりする以外の方法はない。他者がいなければ、ビリービング・ゲームは本来の力を発揮できないのだ。これは本書全体が論じていることとも重なる。私たちは教師がいなくても学べるが、その条件は、自分の体験を共有し合うグループを主として活用することである——ものの見方の数や多様性を最大限に引き出し、一見すると変であったり異質であったりするものと争うのでなく、それを体験し吟味しようとすることを参加者に求めるプロセスを活用するのだ。

　一方で、ダウティング・ゲームには、たったひとりでもアイデアを獲得し検証できる、信頼性の高い強力なツールがある。それは論理だ。論理は、それさえ手元にあればアイデアを検証し、新しいアイデアを生み出せる一定のルール——他者の手助けがなくても使えて信頼できるルール——を提供してくれる。

＊　　＊　　＊

　私からの挑戦状。私はこの本を「ただ読むだけでなく、実践する人々」に捧げ、そのために自分の理論は巻末に掲載した。読者には私の理論に囚われてほしくなかったからだ。その戦略は当たった。多くの人が私のライティング・プロセスを使ってくれ、ティーチャーレス・グループはいまではライティング指導の定番として広く受け入れられている（もちろん、教師が生徒に参加を求める場合、ティーチャーレス・グループの真髄はある程度失われる。しかしそれでも、教師が自分の役割がない活動に重要な機能を持たせるのは、なかなか斬新だ）。ティーチャーレス・グループとその機能、ライティング指導への活用法については調査、研究、省察が着々とおこなわれてきた。

　しかしいま、私はこの序章を書きながら、理論面でも私を関与させて

ほしいと思っている。初版が出てからの25年間、実際にそうしてくれた人を私はついぞ知らない——認識論が大半を占めるこの理論が信じられないほど隆盛し、私に対して多数の批判が向けられたにもかかわらずだ。ダウティング・ゲームとビリービング・ゲームの認識論的な長所に関する私の議論の中身に対し、実際に関わってくれた人を私はついぞ知らない（私は1985年に「方法論としての疑うことと信じること：問いにおける反対概念」という形で、疑うことと信じることに関するより完全で入念な分析まで発表している）。

　もちろん、多くの人が私の全般的なアプローチについて、議論と討論と批判的思考を避けていることを理由に、知的ではなく妥当でないとして批判してきた（ハリス、橋本など）。この批判をおこなう際、彼らは私が論じていることの一部をそのまま繰り返すだけで、他の部分に触れようとしない。「私たちの文化は、知的な営みを議論と討論と批判的思考として定義する傾向がある」という私の論点を繰り返すのだ。ところが、ビリービング・ゲームが批判的な議論をしなくても認識論的な効力を持ちうるし、その力を高めうる理由を述べようとしている私の議論の主要部分に、彼らは触れようとしない。

　作文法の研究者・歴史家として高名なジェームズ・バーリンは私の認識論について少し書いているが、彼が私の著作を丹念に読んだとは信じがたい。というのも彼は、私が知とは完全に私的なものであると信じるプラトン主義者だと言っているからだ。しかし私は、ティーチャーレス・クラスもビリービング・ゲームの認識論も、グループによるプロセスがあってこそ機能できるものであり、これらは参加者がお互いの多様で相反する体験を吟味してはじめて有効である、と明記している。語られた言葉や書かれた言葉の意味そのものがグループとコミュニティ（共同体）に完全に依存していると、私は具体的に述べている(p.214を参照されたい)。ティーチャーレス・クラスとビリービング・ゲームによって生まれる効果は、ひとりだけで知的活動を試みた場合には完全に損なわれる（バーリンは私の認識論を次のように要約している。「存在するもの、良いもの、可能なものを判断できるの

は［…］他者と離れて単独で行動する個人だけである」[486]）。

　著名な文学研究者のウェイン・ブースは、疑うことと信じることについて独創的で重要な著書『現代のドグマと同意の修辞学』（未邦訳：*Modern Dogma and the Rhetoric of Assent*）を執筆したが、私が論じていることと対立するどころか、まったく同じ方向で論を進めている（彼は私ほど強い認識論的な主張はしておらず、むしろ修辞学に論点を置いている）。彼は私の著書に言及していないが、それはしかたがない。彼の著書が刊行されたのは私の著書の翌年だったし、私の著書は長年ほとんど埋もれていたからだ。

　今回、私はダウティング・ゲーム、つまり批判的思考に反対しているわけではないことを示す機会を得た。誰かダウティング・ゲームを私の議論に使ってみて、何が学べるかを見てもらえないだろうか。

＊　＊　＊

　本書につながる私の人生経験のいくつかを手短に紹介した。最後に、本文には記さなかった読書体験のいくつかを手短に紹介して締めくくりたい——私の知の恩人たちだ。

ケン・マクローリー

　まえがきで感謝を表したが、ここでもう少し述べさせていただきたい。私がフリーライティングについて初めて学んだのは彼からだった。ライティングに関して初めて書いた小冊子を彼に送ったときには、たいへん心強い励ましと応援をいただいた。ライティングを教える者は全員、彼の率直で気骨あふれる勇気——彼がでたらめな言説とたゆまず戦ってくれた恩を受けていると私は感じている。洗練された知識人が陳腐だと言うようなことを、彼はひるまず発言

した。世の主流に合わせた物言いを絶対にしないので、彼はさんざん批判を浴びた。彼が毅然とした態度でいてくれたから、後に続く私たちのような者が、彼がいなければ出せなかったであろう勇気を出せたし、個人的にも職業上も払う犠牲が少なくて済んだ。

マイケル・ポラニー

彼の読み応えある不朽の著書『個人的知識』（ハーベスト社）を読んで、私は大きな感銘を受けた（かつては難解だと考えていた。1週間以上寝込むときでなければ読めなかった。だがいまでは、最近の理論に比べて明快に思える）。簡単には口にできないくらい多くを彼から学んだが、特にビリービング・ゲームに関する私の考えの多くを彼に負っているのはたしかだ。彼は「疑いの信用的な性格」について語っている。彼は暗黙の、明文化されていない、体感知を用いる必要性を強調する。彼は理性と知の捉え方を広げてくれる。

ピーター・メダワー

彼の『発見から創造へ』（地人書館）を読んだとき、目の前がぱっと開けた思いがした。科学者が論文で、あれほど筋道立てて整然と提示するアイデアを発想するまでに経験する、雑然としていて迷走する非合理的なプロセスをいかに隠してしまいがちかを彼は書いている。もちろん科学者は、検証と証明という秩序立った合理的で論理的なプロセスを経るまでは、自分のアイデアを論文にするだけの自信を持ちえない。しかし後からおこなうこの検証プロセスのせいで、そもそもアイデアを発見し理解するために必要なまったく異なる思考法の存在が見えなくなりやすい。彼が語ったのは、アイデアを発見するプロセスと検証するプロセスを区別できないときに起きてしまう、科学的思考に対する理解の歪みについてだ。私が創造する知性と修正する知性の区別ができるようになったのは、彼のおか

げでもあることは間違いない。そしてメダワーというノーベル賞科学者（しかもあれほどの名文家）が同様の主張をしていたことは、私が持論を主張するうえで心強かった。

カール・ロジャーズ

　私はおそらくポラニーと並んでロジャーズから、ビリービング・ゲームの種をたくさんもらった。そしてビリービング・ゲームが単なる優しい、心地よくて曖昧（あいまい）なものではなく、厳格なプロセスであるという考えはロジャーズから学んだ。後世の人間はロジャーズの優しい面だけを評価したがる。彼が方法論を重んじたことにしかるべき注意を向けない。コミュニケーションが破綻したとき、それを修復するための彼の手法の力が、いかに入念に儀式化された方法論から引き出されているかを私は痛感した。その方法論とは例えば、スミスはジョーンズが言ったことを反復するまで——それもジョーンズが満足するまで——は、ジョーンズへの返答として自分の考えを述べないというものだ。私がティーチャーレス・クラスに組み込もうとした儀式の一部には、おそらく彼の考え方が反映されている。この個人間のプロセスに一種の「二重の忠誠」が求められる点をロジャーズは強調している。スミスはジョーンズのアイデアに対して、共感的理解を持って吟味できるくらい相手に寄り添わなければならない。一方で、嘘をついたり恩着せがましくなったりしないよう、自分の本心に忠実でいる必要もある（ロジャーズはこれを「透明に」なると呼んだ）。

　人間には生まれながらに学び、成長し、複雑さを求める性向、渇望といってもよい欲求がある点をロジャーズが重視したことにも、私はおおいに恩を感じている。教えることと学ぶことに断絶が起きやすいことを、ロジャーズはたびたび指摘している。教えがなくても学ぶことが、あるいは教えの内容にかかわらず学ぶことが

どれほど多いか、教えが学びにつながらないことがどれほど多いか。ロジャーズがいなかったら、「writing without teachers（教師なしで書く）」というフレーズを私は思いついただろうか。教師が反論したり批判したりしなければ生徒は考えを変えられない、という教育界で常識となっている前提と戦う勇気もロジャーズからもらった。人間は安心とサポートを与えられれば、自分が気に入っているアイデアでさえ、みずから自然と矛盾点に気づけるものだという直感を、私はロジャーズのおかげで信じられた。矛盾に気づけないのは、攻撃され、アイデアを擁護しなければならない（つまり生存に全エネルギーを費やさなければならない［マズロー］）場合だ。私たちは生徒を信頼していい。教師は生徒のために何から何までする必要はない。人間は学ぶことを求め、新しい情報を（自分の考えに反する情報さえも）欲するものだ。報酬が新しい写真を見ることだけであっても、チンパンジーがみずから進んで長時間努力するという研究に出合ったときの興奮をいまでも覚えている。学びそのものが報酬なのだ。

心理学

とりわけ認知心理学を幅広く読んだことにも恩恵を被った。学際的に名著を読むMITの講座で３年間教え、フランコニアで斬新な試みだった学際的な必修講座を２年間教えた後、私は学際的な学習には専門分野の学習よりも優れたところがあると強く確信するに至った。その確信を、私はなぜか心理学──知、学習、思考などの心理学──を勉強すれば証明できるのではないかと考えた。フランコニアで教えた後に大学院に戻り、１年目を無事に終えられると、私は持論を証明するためにひと夏を心理学の勉強に費やすというご褒美を自分に与えた。このときの勉強がやがて「学際的な学習」をテーマとする『相容れないものを受け入れる』（未邦訳：Embracing

Contraries）の第1章に収録したエッセイになった。そのエッセイに引用した著作から、私があの夏（そしてその後の数年間）に読んだものがわかる。特に覚えているのがブルーナー、ナイサー、スキナー、ローゼンタール、ヴィゴツキー、そして思考と学習と言語の「刺激-反応モデル」を洗練させようと興味深い研究をおこなった心理学者たちだ。

ジョン・デューイ

私が読んだのは『民主主義と教育』（玉川大学出版部）のみだが、影響は確実に受けているはずだ。アイデアをレンガのようにひとりの頭の中から別の人の頭の中に移すのは不可能だ、というデューイのメタファーを常に思い出す。

デイヴィッド・リースマン

巻末に掲載した補遺を書き、考えをめぐらせ、修正しながら、私は自分の力量を超えていると感じ、信頼できる人からのフィードバックがもらえたらと願ったのを覚えている。彼は著名人ながら、見ず知らずの者からそのような頼み事をされても親切に応じてくれる、と私に教えてくれた人がいた。彼が労を惜しまず親身な対応をしてくれたことを、私はいまだに感謝している。

グループセラピー

私はセラピーグループのメンバーとして長年過ごした。より実り豊かで人とつながりのある私生活を送るすべを学ぶうえで、セラピーグループは大きな助けとなった。そのため、多くの重要な学びを内面化し、教えと学びについての自分の見解に適用できたと思っている。例えば、他者とともに取り組む価値と、孤立していては行き詰まること。頭の中で起きていることをシンプルに──判断を

交えず、経験するままに惜しまずに――言葉にしようとすることの価値。人々が自分の身に起きていることを共有し、交流し、互いに反応し合うという、ある意味で構造化されていないプロセスから重要な進歩が生まれうるという感覚。

従来とは異なる大胆な教育観

　60年代を通じて私は当然のように、アシュトン＝ワーナー、デニソン、グッドマン、ハーンドン、ホルト、コールのような人々のファンだった。

　初版の本文にはこれらの謝辞を入れなかったので、あの本は実際よりも「若く」――先行する著作家たちとのつながりが薄く――、おそらくは世間知らずに見えるだろう。しかし本当は、当時の私は過去に対して未来に向けるほどの関心がなかったのだ。情報源や学識としての他者の思想にはあまり関心がなく、自分がその思想をどう活用できるかにしか目が向いていなかった。いま振り返ってみて、ようやく先達とのつながりを意識し、関心を深めている。

第1章

フリーライティングを
練習しよう

いちばん効果的なライティング上達法は、私の知る限り、フリーライティング・エクササイズを定期的におこなうことだ。週に最低3回はおこなおう。フリーライティングは別名「自動書記」、「バブリング」あるいは「ジャバリング」・エクササイズともいう。要するに、10分間ひたすら書く（そのうち15分、20分と延ばしてもいい）。決して手を止めないようにしよう。あわてなくていいが、どんどん先へ進もう。読み返したり、一部を線で消したり、綴りはどうだったか、どの言葉や考えを使うべきかと悩んだり、自分のしていることについて考え込んだりして、手を止めないように。言葉や綴りが出てこなければ、波線を入れておくか「わからない」と書く。とにかく何かを記そう。いちばん簡単なのは、頭に浮かんだことを何でも書き出すことだ。詰まったら「何を書けばいいんだ、何を書けばいいんだ」と何度でも書こう。あるいは直前に書いた言葉を繰り返しても、他のことでも何でもいい。唯一の必須条件は、絶対に手を止めないこと。

　フリーライティングによって何が起きるか、それこそが重要だ。書いたものは、たとえ誰かに読まれても反響が返ってこないほうがいい。フリーライティングは、書いたものを瓶に入れて海に流すようなものだ。ティーチャーレス・クラスでは、最大限のフィードバックを受けるおかげで文章が上達する。だがフリーライティングでは、フィードバックをまったく受けないから文章が上達する。フリーライティングを誰かにやってもらうとき、私は書いた文章を読ませてもらう。ただし、「読んでほしくなければ見せなくてもいい」とも伝える。さっと目を通すがコメントは付けず、本人とその文章について話したりもしない。フリーライティングの肝は、いかなる形でも決して文章を評価しないことだ。だから、文章についての話し合いやコメントは一切しない。

　フリーライティングで書かれた文章の例を見てみよう。この例はかなり

＊1　赤ん坊が発する意味をともなわない声のこと。喃語。
＊2　早口なおしゃべりのこと。

一貫性のあるほうだ（まったく脈絡のない文章になる場合もあるが、それはそれでかまわない）。

> 頭に浮かんだことを書こうと思う、でもいま頭にあるのは10分間何を書こうか、それだけ。初めてだから何の準備もしてない。今日はくもり空、こんんでいいかな。一文の最後まで来たときに次に何を書くか思いつかないのがこわい。ほらもう書き終わっちゃった。また終わっちゃった。また。また。また。とりあえずまだ書いてはいる。まだ書けてるんだからいいじゃんと思っていいのかな。いや、いいよね！　また疑問が。これをやって何が得られるの？　これになんの意味があるんだろう？　こんなに疑問を持ってばかりじゃダメだけど自分はなんにでもこうやって疑問を持つみたい、そのことについて別のことを書くつもりだったのに最初の部分を書くのに気をとられて何を書くのか忘れちゃった。ちょっと面白いな、いや手を止めるな。窓の外を車やトラックが通る音がする、周りの人たちが紙にペンを走らせる音がする。空はまだくもってる。くもり空のことをつい書いてしまうのは何か意味があるのかな？　うーん。わからん。色を書いてみようか、青、赤、やばい言葉、ってちょっと待てそれはダメでしょ、オレンジ、黄色、手が疲れた、緑ピンク紫マゼンタラベンダー赤茶黒緑、もう色が思い浮かばない、そろそろ終わり、これでようやく解放？そうかも。

フリーライティング・エクササイズはどう役に立つのか

フリーライティングなんてばかばかしく思えるかもしれないが、実はまったく理にかなった方法だ。「話すこと」と「書くこと」の違いを考えて

みてほしい。書くことには手を入れやすいという利点がある。しかしそれは欠点でもある。言葉が意識に浮かんでから、最終的にペン先かキーボードでページ上に放たれるまでのあいだに、ああでもないこうでもないとさんざん手を入れる人がほとんどだ。これには、学校教育のせいで私たちが文章の「間違い」を気にしすぎるからという理由もある。書こうとしながら綴りや文法をたえず考えてしまう人が多い。私の場合は言葉を書き記そうとしながら、自然に出てきた自分の言葉のぎごちなさ、冗長さ、そして全体的に感傷的すぎることについて、いつも考えてしまう。

　私たちが書きながら手を入れるのは「間違い」や「悪文」だけではない。話すときと同様に、容認できない考えや感情も編集する。書くほうが手を入れる時間の余裕があるだけに、編集の度合いが大きい。話しているときは目の前に返事を待っている人がいて、何か発言しなければ退屈されるか、あなたがどうかしたのではないかと思われてしまう。話しているあいだはたいてい、出たとこ勝負に甘んじて言葉を繰り出している。しかし書く場合は、正しい言葉を発しようと試みるチャンスがある。ところがそのチャンスこそが、とてつもない負担になってしまう。一段落を「正しく」書こうと2時間かけて頑張っても、ちっともうまくいかないこともある。そうしてあきらめてしまうのだ。

　手を入れること、それ自体は問題ではない。満足のいくものに仕上げたいなら、ふつうは編集が必要だ。問題なのは、文章を生み出すのと同時に編集が進むことである。いわば編集者がたえず書き手の肩越しに見ていて、いままさに書こうとしているのに手元の文章をたえずいじりまわしているようなものだ。それでは書き手がびくびくと臆病になり、思うがままに書けず、ついには支離滅裂になってしまうのも無理はない。言葉を考え出そうとしながら、同時にそれが正しい言葉かどうかを心配するのは、無用の負担だ。

　フリーライティングの肝は編集しないことだ。フリーライティングは言葉を生み出すプロセスと、その言葉をページに書き記すプロセスを直結さ

せるエクササイズである。フリーライティングを定期的に練習することによって、言葉を生み出そうとしながら同時進行で編集してしまうという、身にしみついた癖が直る。言葉が出てきやすくなるので、書きあぐねることが少なくなる。紙が次々と言葉で埋まり、ペンをもてあそぶ時間が減る。

　次に文章を書くときに、自分が書こうとしていることを文字にするのを何度思いとどまったか、書いてから何度線で消したかを意識してほしい。「しかたないよ、だって良くなかったのだから」とあなたは言う。でも、上手に話せたときの状況をちょっと思い出してほしい。出だしから完璧にうまくいった、ということはまずないはずだ。最初は言いよどんだり、間違えたりしても、話を続けるうちに最後はうまくまとまり、人を動かすものにさえなるのがふつうだ。これが書く場合にも参考になる。最初から完璧を目指すのは失敗の方程式——書くのをあきらめるための秘策ともいえる。何でもいいから言葉を放ったら、その釣り糸をしっかりつかんで、精いっぱいの力で手繰り寄せよう。下手な出だしは後で捨て、新しい出だしを作ればいい。ライティングの上達にはこれがいちばんの近道だ。

　強迫観念に囚われて早まった編集をする癖は、書くことを難しくするだけではない。文章を殺してしまう。意識とページのあいだに中断、変更、躊躇が入るせいで、あなたの声が消えてしまう。自然につむぐ言葉には音、肌触り、リズム——つまり、声——があり、それがあなたの文章が持つ力の根源だ。どういう仕組みかはわからないが、この声こそが読み手に耳を傾けさせる力となり、読み手の分厚い頭蓋骨を突き抜けて意味を届かせるエネルギーになる。あなたは自分の声が好きではないかもしれない。人にからかわれたことがあるかもしれない。しかし、それがたったひとつのあなたの声だ。たったひとつのあなたの力の源だ。自分がどう思おうと、その声に立ち返るべきだ。その声で書き続ければ、もっと好きになれる声に変わっていくかもしれない。だが放棄してしまったら、あなたは二度と声を持てず、誰からも聞いてもらえなくなるだろう。

　フリーライティングは、あなたの声を吸い出してくれる真空だ。その

55

真空ににじみ出る声と力と、あなたと文章とのつながりを、あなたは少しずつ、ふだん書く文章に取り入れるようになるだろう。

フリーライティングと悪文

　フリーライティングは一部の人たちから受けが悪い。悪文を招き寄せてしまうと言って、フリーライティングを非難する人たちもいる。

　その批判には当たっている面も、的外れな面もある。

　たしかにフリーライティングでは悪文が生まれるが、それでいいのだ。批判者が恐れているのは、どうやら一種の感染作用のようだ。

「私は自分の文章をもっと読みやすく整え、秩序を与えるためにさんざん奮闘して、白紙を前に手も足も出ずどうしていいかわからない状態から脱け出そうと、さんざん努力した。そうして多少は進歩した。たとえ短時間でも悪文や行き当たりばったりの文章を書くことを自分に許したら、あのとっ散らかった状態が戻ってくるきっかけを作って、知らないうちにまた飲み込まれてしまう」

　悪文はそんなふうに感染したりはしない。フリーライティング以外に何もしなければ——つまり、文章に神経を行き届かせ、良し悪しを判別し、精度を高める努力を一切放棄するというのなら、そうなるかもしれない。しかし神経を使って書くことを放棄せよと言っているのではない。むしろ、何も気にせずに書く短時間のエクササイズのおかげで、後でいっそう文章に気を配れるようになる。

「何も気にせず」について一言。フリーライティングでは、手を止めたり、前に戻ったり、訂正したり、じっくり考えたりしないように気をつける——これは「何も気にせず」という言葉が持つ意味の一部ではある。しかし「何も気にせず」と言ったとき、別の意味合いで捉えられることもある。全力で意識を向けない、集中しない、エネルギーを注がない、ということ

だ。しかしフリーライティングはそうではなく、あなたが書くものにより
いっそう意識を向け、集中し、エネルギーを注ぐのを助けるものだ。エク
ササイズを短時間におさめる理由はそこにある。

　悪文感染説が正しいとすれば、その作用は逆だ。頭の中にゴミがあって、
それを紙の上に出してやらないと、頭の中にあるものすべてを汚染するだ
ろう。あなたは頭の中のゴミに毒されるのだ。紙に出したゴミは、ゴミ箱
に捨てれば害はない。

　私が言っているのは、ある意味こういうことだ。「そのとおり、フリー
ライティングはあなたに悪文を書かせますが、それはあなたにとって良い
ことなのです」。ただしそれで終わりではない。フリーライティングは単
なる毒出しではない。ふだんよりも本当に優れた、つまり行き当たりばっ
たりではなく、筋が通り、ずっと整理された文章を作る方法でもある。フ
リーライティングを始めてすぐに良い文章が出てくる場合もあれば、何週
間も続けてようやく出てくるようになる場合もある。頻繁に書けることも
あれば、たまにしか書けないこともある。長く書けることも、短文で終わ
る場合もある。人それぞれだ。だが良い変化は誰にでも起きる。

　変化が起きるのは、フリーライティングで書いた文章の首尾一貫した箇
所——あなたの頭が何の拍子かトップギアに入って、思考、感情、知覚か
ら有機的に成長する言葉を生み出せた箇所において、精緻なレベルで意味
が統合されるからだ。その統合感は、言葉を意識的に計画したり配置した
りして生まれるもの以上だ。自分にとってとても大事なことを話したり書
いたりするときに、生み出した言葉がこの驚異的な統合感や首尾一貫性を
持つことがある。そこに、計画立てて一語一語練り上げていく必要はない。
すべての言葉に伝えたい意味が浸透している。意味は通常よりも精緻なレ
ベルで融合し、より完全に統合される。単に頭で操作したのではなく、そ
の人自身がふるいになって、ふさわしい言葉が選ばれていくのだ。そのよ
うな書き方をしているときには、機械が動き始める軋みを感じることも、
ギアチェンジの音が聞こえることもない。転換があっても、それはなめらか

57

で、自然で、有機的である。一語一語に全体の意味が浸透しているかのようだ（各部分にうっすらと全体が含まれているホログラムのように）。

　結局はごく単純なことだ。定期的にフリーライティングをおこなうとしたら、書いた文章の多く、ないしほとんどは、念入りに書き直しを重ねて書ける文章に比べてずっと出来が悪いだろう。だが優れている箇所は、他の方法で生み出せるどんな文章より、はるかに良いものになるだろう。

フリーライティング日記をつけよう

　本気でライティングを上達させたいなら、いちばん役に立つのはフリーライティング日記をつけることだ。1日10分間でいい。一日の出来事の完全な記録ではなく、その日に頭にあったことのわずかなサンプルをとるだけだ。一生懸命考えたり、準備を整えたり、やる気を奮い起こしたりする必要はない。手を止めずに、思い浮かぶ言葉をひたすら書こう——考えているかどうか、書きたい気分かどうかに関係なく。

フリーライティングを書きたいテーマ探しに使う

　気負わずに1〜2回、フリーライティングをやってみよう。その後で、大切と思える部分——エネルギーや力を引き出す言葉や文がないか見直そう。何を書くべきかのヒントはそこにある。

　あるいは、あなたにとって大切な人、場所、気持ち、物、出来事、やりとりについて考えてほしい。それを念頭に置きながらフリーライティングを1〜2回やってみよう。この手順を踏むとテーマと方向性が見えてくるだろう。

完成した文章を作成する

　主題、またはあなたが主題だと思うものを念頭に、フリーライティングを１〜２回やってみよう。絶対に手を止めないことを厳守すれば（ぜひそうしてほしい）、おそらくテーマから外れることもあるだろう。それでいい。脱線する前から脱線を防ごうとすれば、エネルギーのムダ使いになるし、文章の力を削いでしまう。元のテーマに戻るきっかけを見つけるのは脱線した後でもいい。だが、脱線がよほど面白かったり重要だったりして、そちらを追求すべきだと気づく場合もある。その場合は、その新しい道を突き進もう。

　いずれにせよ、エクササイズの後はしばらく休憩の時間をとって、書いたものについて考えてほしい。ふと始まってそのまま続けた脱線があれば、それについても考えよう。いつ脱線が起こり、どこに連れていかれたかを意識してほしい。脱線どうしのつながりについて思いをめぐらせよう。脱線を、あなたが探検すべき道として考察するのだ。

　そうしたら次のエクササイズをおこない、先ほど考えたことをこれから書く文章の肥やしにしよう。これを３回以上おこなう。回を重ねるごとに考えが耕され、新しいエクササイズに還元されていく。そうしてエクササイズがより豊かな体験になる。最初にテーマだと思っていたのとはまったく違う、本当のテーマが出てくるかもしれない。それはすばらしいことだ。

　あなたのテーマとして浮かんだものにだいたい「沿って」３〜４回エクササイズをおこなった後は駄文の山ができているだろうが、重要と思える言葉、フレーズ、文もたくさんできているはずだ。良いものを選び出そう。いらないものは取り除こう。ここまで来たら、ありったけの綿密な思考力と編集者としての判別力を駆使して、完成形を見きわめよう。その言葉や文がどれだけ信じられるか、どれだけ真実か、どういう意味で真実なのかを判断するのだ。意味が通るように並べ替え、必要ならつなぎとなる部分を新たに書き加えよう。

ムダの多い手法に見えるかもしれない。たいていは手元に残すよりも捨てるもののほうが多い。だが多くの人にとって、実はこれこそがより優れた短い文章作品を生み出すための、より速くて簡単な方法だ。

　この手法は絶対確実ではない。駄文ばかりで良いものがまったく書けない場合もある。フリーライティングを始めたばかりのころや、人生に後ろ向きになっている時期には特にそうなりやすい。毎回良いものを書こうとあせらないようにしよう。このエクササイズの主な効用は、すぐに得られる成果物ではなく、今後の文章に徐々に表れる効果なのだから。

第 2 章

ライティングの
プロセス①
―――― グローイング

ライティングのプロセスをどう進めたらいいかわからない、という人がほとんどだろう。そもそも満足に書けない、あるいは書くことすらまったくできない。さらには改善の努力も実らない。文章にかけた努力やエネルギーの量は、いつも結果にまったくつながらない。そんな感じではないだろうか。教育を受けていない人は「教育さえ受けていれば書けるのに」と言う。教育を受けている人は「才能さえあれば書けるのに」と言う。教育も才能もある人は「自分を律する力さえ身についていれば書けるのに」と言う。教育も才能もあり自分を律する力も身についている人——それでも書けない人はたくさんいる——は「もし……」と言うが、その後が続かない。ところが、教育も自分を律する力もなく、頭が良く想像力豊かでウィットに富んでいるわけでもない（口下手でさえある）のに、たいていの人に欠けている「書く」という特殊な資質を備えた人が一定数存在する。このような人たちは何かを言いたいとき、あるいは何かを考え出そうとするとき、自分の考えを読みやすい形で紙に書き出すことができる。

　そこでまずは、「書く能力とは、たいていの人にとっておそろしく不可解なものである」というところから話を始めよう。結局のところ、人生は難しいことだらけだ。朝起きるのも、ピアノを弾くのも、野球をできるようになるのも、歴史を学ぶのも。だが努力や才能とまったく無関係に見えるものはそう多くない。

　この謎は、昔の「能力」心理学のように、特殊な「ライティング能力」というものがあって、それを持っている人と持っていない人がいるのだと言えば解けるのかもしれない。または一部の言語学者のように、脳の配線の問題だと言えば説明できるのかもしれない。あるいは最も古くからある、最も人気の高い次の考え方に頼れるかもしれない。つまりインスピレーション——神か文芸の女神ミューズが天から降りてきて、あなたに言葉を吹き込むのだと。あるいは神など信じないふりをして、適度に曖昧な

＊1　人には複数の能力が備わっていると想定し、その活動や相互作用によって心的現象を説明する学説。

表現に替えることもできる。例えば「その人には伝えるべきことがあるのだ」などと。まるで、ある人々はあるタイミングで、自分の中に持っている「伝えるべきこと」と出合う幸運に恵まれ、それがおのずと紙にあふれ出すと言っているかのようだ（しかもそこには、書くことができる人々はそうでない人たちと違って「伝えるべきこと」を常に自分の中に持っている、という前提があるかのような口ぶりだ！）。結局、ほぼすべての人の出発点である次のような話に戻ってしまう。

ライティングのプロセスは得体の知れない法則に従っている。だからそれを前にして手も足も出ない。私たちはその法則に支配されている。私たちにライティングを操る力はない。

ライティングをめぐる状況を例えるなら、次のようなものになる。

昔むかし、人々が膝を曲げずに床にさわろうとして、途方に暮れている国がありました。ほとんどの人が床にさわれませんでした。床にさわることについてその世界で受け入れられている原則では「できる限り上に向かって腕を伸ばすべし」としていたからです。人々は上と下を混同していたのです。床にさわろうとして上に手を伸ばせば伸ばすほど、床から遠のいてしまいます。

ところが、少数ながら偶然床にさわれる方法を覚えた人々がいました。考えすぎなければ、いつでもさわりたいときに床にさわれました。

しかしそれを他の人々に説明できませんでした。理屈に合わなかったからです。「床にさわるには上に手を伸ばす」という考えがあまりにも染みついているために、彼ら自身も、何か特別な方法で手を上に伸ばしているだけだと思い込んでいたのです。

しかし、うまく教えられた人もわずかにいました。やり方を教えることによってではありません。それでは逆効果になるばかり。そうではなく、あるエクササイズに取り組ませたのです。それは、

腰掛けずに靴ひもを結びながら、同時に手を振り回すというもの
でした。

　私たちはライティングのプロセスについてこれほど基本的な誤解に苦し
められており、この寓話の人々のように困っているのだ。
　ライティングの常識、従来の理解は次のようなものだ。
　ライティングは２段階のプロセスからなる。まず自分の言いたいことを
考え出し、次にそれを言葉にする。私たちが他者からもらい自分でも心が
けるアドバイスはたいてい、このモデルをなぞっている。まず言いたいこ
とを考え出そう。それまでは書き始めてはダメだ。計画を立てよう。アウ
トラインを作ろう。その後でようやく書き始めよう。
　このモデルの中心にあるのは、書くことをコントロールする、管理下に
置くという考え方だ。混乱の中へ迷い込んではいけない、と。ライティン
グのプロセスに最もよく向けられる批判は、「前もって考えを明確にして
おかなかった」「曖昧な考えのまま書き始めてしまった」「話が逸れた」「ア
ウトラインを作らなかった」といったものだ。
　この考え方を述べた典型的な文章を紹介しよう。私は大昔にこれをどこ
かから書き写して、壁に貼って称賛していた。この考え方こそが敵だとよ
うやく気づいた日が大事な転機となった。

　　優れた文体を作るための第１のルールと条件は、自分の言いた
　いことを完全に把握するまでは言葉にしようとしないことである。
　自分のことが完全にわかっていれば、書くにしろ語るにしろ、た
　いてい適切な言い回しを思うがままに操れる。

　私は断言する。私たちはほぼみんな、このライティング・プロセスのモデルを頭の中に持っていて、それが書くのを邪魔しているのだと。誰もが知っているこのモデルをわかりやすい言葉で表すなら、次のようになるかもしれない。

「もちろん、頭の中にあるごちゃごちゃが完璧に2段階のプロセスで処理されるなんて期待できない。自分は作家じゃないし。でも、試してみる価値はあるだろう。書くのをおあずけにして、時間をかけてじっくりと考え、メモをとり、自分が言いたいことを整理し、アウトラインを作成する。第2段階に入ってすぐに適切な言い回しを自在に操る——そんなことはきっとできないだろうけど、ベストな言い回しを思いつく努力をするべきだ。不適切な言い回しにできるだけ気づいて、削除し、訂正し、より良い表現に挑戦しよう」

　ライティングに対するこの考え方は、順序が逆だ。だからあれほど苦労するのだ。「言いたいことを見つけてから言葉に起こす」という2段階処理の代わりに、ライティングを「有機的に発達していくプロセス」と考えてほしい。最初から——自分の言いたいことがまったくつかめていないうちから——書き始め、言葉が徐々に変化し、進化していくのを促そう。最後にようやく自分の言いたいことや、それを表現したい言葉がわかる。始めた地点とは違う場所にたどり着くと予想しておこう。言いたいことは、はじめからわかっているのではなく、終わったときにわかるものだ。コントロール、一貫性、そして自分の頭の中にあるものへの自覚は、始めた時点ですでにあるのではなく、終わったときに生まれている。だからライティングを、メッセージを伝える手段ではなく、メッセージを成長させ（grow）料理する（cook）手段と考えてほしい。書き始めたときには思いもよらなかった思考にたどり着くための方法、それがライティングだ。

　実際のところライティングとは、あなたがいま考え、感じ、知覚していることから自分を解放するような言葉とのやりとりである。もし言いたいことが最初からわかっていたら、あなたは最初の思考に囚われるかもしれ

ない。ライティングとは、それを超えた何かに手を届かせてくれるものだ。たくさん書いてたくさん捨てるという、とりとめのないプロセス——これは一見すると非効率に思えるが、実は効率が良い。真に言いたいことと、それを表現する言葉にたどり着くにはベストな方法だからだ。本当に非効率なのは、機が熟す前に言いたいことを特定しようとしたり上手に表現しようとしたりして、ムダにあがくことだ。

自伝的な脱線

　ここまで語ってきたことの多く、あるいはすべては、他の本に書かれているかもしれない——そのうちの何冊かを私は読んでいたかもしれない——が、主な根拠は自分自身の体験だと思っている。私というたったひとつのサンプルをもとに一般法則を導き出しているのは認める。そこはご注意いただきたい。私は、「試しにライティング・プロセスをこのように考え、あなたのライティングに役立つかどうか見てみては」と呼びかけているだけだ。良し悪しを判断してもらうにはそれしかない。そこで、このライティング・プロセスの世界観が私の体験からどのように発展したかがわかれば、試しやすいだろう。

　高校時代の私は比較的楽に、そして——高校の標準でいえば——申し分ないものが書けていた。書くのに苦労するようになったのは大学に入ってからだ。書いたものの出来が悪いこともあれば、簡単に書けることも、とても苦労することもあった。早々と手をつけて入念に計画を立てるのは正解と思えなかった。それでうまくいった気がする場合もあったが、裏目に出たと感じるときもあった。

　まがりなりにも何かが書けるかどうかは、無我夢中の精神状態に自分を追い込めるかどうかのみにかかっているように思えた。私を無我夢中にするのは、自分が書こうとしているテーマだったり、論文とは関係ない生活

上の出来事だったりすることもあったが、たいていは論文の提出期限をどれだけ過ぎているか、何も提出できないことにどれだけ恐怖を感じているかだった。3年生のある学期に、私は登録する講座の組み合わせを誤り、相当な分量の論文を週に2本書かなければならなくなった。最初の2週間でピンチを経験した後、その学期は流れるように筆が進み、比較的苦労せずに書けた。しかし次の学期には現実が戻ってきた。ライティングの神々はふたたび私に背を向けた。

　それでも大学時代に救われたのは、学業とどちらに身を入れたいのかわからないくらい、スキーにも没頭していたことだった。しかし大学院に進むと私は学業に本腰を入れた。つまり、論文執筆に一生懸命に取り組み、念入りに計画しようと決意したのだ。すると、書くことのハードルがどんどん上がっていった。ついにはまったく書けない状態になった。そうして大学院を退学し、書くことを求められない職業に就かざるをえなかった。大学で英語を教えようと思っていたわけではないが、就職できたのはその仕事だけだったので、やるしかなかった。

　5年後、私は教えること（書くことではない！）について重要な発見をしたと思い、他の人々にもそれを知らせ、信じてもらいたいと熱望していた。そこで本を書いて出版しようと決めた。大学院に戻って学位を取得する決心もした。今回はなんとか自分を執筆に仕向けることができた。だが、いつまた書けなくなるか気が気でなかった。そこで思いついたのが、本当の締め切りの1週間前に何でもいいからとにかく書き上げ、応急処置を施して読めるものに仕上げるというテクニックだった。これはうまくいった。しかし書こうとしている自分を観察するうちに、とてつもなく非効率なプロセスを経ているとわかってきた。言葉を書くために払わなければならない代償が、その本来の価値に比べて桁違いに大きかったのだ。

　書く苦しみ、書けない英語教師として過ごした数年間、人生がやりきれなくなるたびに日々の意識の流れを記録しようと始めた習慣——こうした経験のすべてが織り合わさったおかげで、書こうとするとき何が起きて

いるかに気づけた。私はほとんど日記のようなものをつけていた。主な
テーマは2つあり、それを私は「スタックポイント（行き詰まり）」と「ブ
レイクスルー（突破）」と呼んでいた。

「スタックポイント」とは、どんなに努力しても何も書けないときのこと。
私はすっかり絶望し、怒りの果てについには書こうとするのをやめ、まっ
さらな紙を出して虚心に論文の根拠となる事実を集めることに努めた。あ
るいは、自分が感じるあらゆることについて、そしてそれがいつ始まった
のか、そのときどんなことを書き、どんな気分だったか、どんな天気だっ
たか――そのようなことをとりとめなく書き記した。

「ブレイクスルー」とは、詰まりが取れて事態が好転したときだ。そんな
とき、私はよく手を止め、何が起きたか自分なりの考えを書くようにして
いた。この練習はぜひやってほしい。あなたが自分のデータを記録すれば、
あなたが書くことに成功するための、あなた自身の方法論が作れるかもし
れない。というのも、私の成功法則はあなたには効かない可能性があるか
らだ。この章と次の章で語られることはある程度、私自身のそうしたメモ
書きから発展したものだ。折に触れて当時のメモからの引用を入れる。

実践が効果を上げる

ある意味、私に提供できるのは2つのメタファー（隠喩）「グローイン
グ（成長）」と「クッキング（料理）」以外に何もない。この2つが私のライ
ティング・プロセスのモデルだ。だがモデルとメタファーの効果は実に
大きい――なかでも、私たちがあたりまえに思って見過ごしているモデル
やメタファーの効果は。

そこで、モデルについて詳しく説明する前に具体例を紹介し、あなたが
ふだんおこなっているであろう典型的な書き方と、言葉の「発達モデル」
を採り入れた場合の書き方を比較したい。

　３〜５ページのかなり難しい書きものをすると想像してほしい。調べものをする必要はない（またはすでに調べものは済んでいる）が、自分の言いたいことがまだ定まっていない。学校の課題のエッセイかもしれない。アイデアはあるが、どう書いたものかまだ見当もつかない短編作品かもしれない。２つのライティング法を明確に比較できるように、たった一晩で書かなければならないとしよう。

　ふだんの書き方であれば、あなたはおそらく１回だけ、ただしできるだけ入念に書くだろう。つまり、おそらく15分〜１時間ほどを計画にあてる。すなわち考えて、メモをとり、アウトラインを作る、あるいはこの３つを同時進行でおこなう。最後になんとか少なくとも30分はとるようにして、原稿を見直し、わかりにくいところを直したり、変更を加えたりする。たいていはそうしながら清書する形になるだろう。だから、事前にたくさん「下書き」をし、後から「修正」をするかもしれないが、書くのは実質的に１回限りだ。そして書いているあいだには手を止め、考え、書いたものを消し、前に戻り、書き直し——それらをおそらく何度もするはずだ。すべてはできる限り上手に書こうとするためである。

　一方、仮にあなたがライティング・プロセスの発達モデルを採り入れたとしたら、あなたは１回ではなく４回は書こうとし、その４つのバージョンを通じて作品を進化させようとするだろう。とんでもない、ありえないと思われるかもしれない。書くプロセスはたいていすごく時間がかかるし、つらいからだ。でもこのモデルでは時間や労力を注ぐ必要はない。自分を書くように仕向けるだけでいい。もちろん第１「バージョン」はちゃんとした原稿ではないだろう。割りあてた時間内に、テーマについて頭の中にあることをすべて書き出したものにすぎないはずだ。

　４時間あるとしよう。４時間を１時間×４回に分けよう。最初の45分は、誰かにしゃべっているつもりでできるだけ速く、ひたすら書こう。テーマについて思い浮かぶことをすべてだ。制限時間内には書ききれないかもしれないし、始めて10分で全部書けてしまうかもしれない。いずれにせよ、

とにかく書き続けよう——言葉を紙に落とし込みながら考え、考えのおもむくままに、流れ出る言葉の後ろについていこう。ただし、45分経ったら手を止めること。

　最後の15分は逆のプロセスに使おう。自分が書いたものを振り返ったり読み直したりして、どんな重要なことが浮かび上がってきたかを見てみるのだ。その文章は結局、何を言わんとしているのだろう。いちばん重要なこと、あるいは中心になっているのは何だろう。文章が何かを目指しているものと想定し、最終的にどうなろうとしているのか推測してみてほしい。足りない部分が書かれていればどうなるはずかを考え出そう。その主旨、最初の重心となることを一文にまとめよう。それを書き出すのだ。その一文は、逃げる余地を残したり曖昧（あいまい）な疑問形にしたりせず、あえて潔く言いきらなければならない。異論を受け付ける余地があってもいい（もしあなたが書いているのが物語か詩なら、「重心」の言葉を強調しよう。それは主張という形をとるかもしれないが、ムード、イメージ、中心となる細部か出来事か物、という場合もある——全体を集約したものであれば何でもいい）。このまとめのプロセスは難しいはずだ。あなたがすでに知っている以上のことを教えてくれるものだからだ。

　もちろん、この時点ではおそらく本当の主張、あるいは満足のいく主張は見出せないだろう。45分間で書いたことすべてとフィットする主張すら作れないかもしれない。心配しなくて大丈夫。あなたがやるべきは上手に書くことではなく、書くことそのものなのだから。このアプローチの肝は、ライティングを試しにやってみる、挑んでみる、取り組むとはどういうことかに対する、あなたの意識を変えることである。ほとんどの人にとって「書く」とは、ぴくりとも動かない重いものを、やがて動かせるのではないかと期待して力の限り押すようなものだ。それでは当然、疲れるだけ。「試しにやってみる」ことで、たとえわずかな距離だとしても対象を動かせるように、かけた力の効率を上げる仕組みを作る必要がある。

　さて、4つに分けたうちの最初の1時間を使いきった。第1「バージョ

ン」が書けたはずだ。次の1時間でも同じことをやってほしい。また書き始めよう。出発点は、前回の最後にまとめた主張だ。といっても、それにしばられる必要はない——その主張はやっぱり間違っている、とあなたは思うかもしれない。次のバージョンを書くにあたって、前回の最後の15分で全体を眺めて探ったことを「参考にする」、あるいはその「視点に立つ」だけでいい。

2時間目の45分間も、あまり手を止めたり訂正したりせずに、スピーディーに書いていこう。そしてまた最後の15分を使って全体を眺め、何が浮かび上がってきたか、現時点でいちばん重要なもの、もしくは重要になろうとしているものは何かを見てみてほしい。それをふたたび一文にまとめよう。前回よりもしっかりした、使える主張に思えるかもしれないし、そうでないかもしれない。どちらにしても、15分が終わるまでに潔く断言する主張を一文で作成すること。

3時間目も、3度目の同じ作業をする。このころには、最終稿が向かう方向性の感覚——信頼できる重心が現れてきた感覚がつかめているかもしれない。それを発展させ、活用してみよう。まだその感覚がなければ、第3バージョンに取り組むあいだに見つけてみよう。ここではある程度の一貫性を見出そうとしてみよう。ただし、まだ言葉が出てくるにまかせること。編集はまだしない。

編集して最終稿を作るのは、その次の作業だ。3時間目の最後の15分と4時間目の全部をこの作業にあてる。従来のライティングの考え方は、まさにこの部分にあたる。まず3時間目の終わりの15分で、自分の言いたいことを把握する。ここにきてようやくその作業をする状態になっているはずだ。あなたはアウトラインか計画を作りたいと思うかもしれない。しかし、絶対にやらなくてはならないことはひとつだけだ。なんとか踏ん張って、言いたいことを一文の本当の主張にまとめるのだ。この作業の肝心かなめの点となる次のことを覚えておいてほしい。この主張は「私が考えたことをいくつか紹介します」とか「Xに関することをいくつか紹介

します」ではなく、たとえ異論を受ける余地があったとしても、実際に何かを主張する一文であるということだ。

　ここまでに言いたいことを徐々に成長させ、自分に対して明確に特定できていれば、それを表す最適な言葉が見つかりやすくなっているはずだ。ただしこの最後のライティングも、あまり時間をかけて入念におこなわないようにしよう。最後の15分間を見直しに使うからだ。言い回しを整えたり補強したり、なくてもいい言葉、フレーズ、さらにはパートまでもできるだけ捨てたり、部分を入れ替えたりはここでおこなう。

　このライティング法では、大量に書いて大量に捨てる。作業量も多くなるだろう。しかしムダな努力——1ミリも動かないものを動かそうと力を振り絞ることは少ない。だから疲れはしても、フラストレーションは少ない。このプロセスにおける作業では、エネルギーをもっと生産的に使いやすい。

　制限時間は延ばしても、縮めても、無視してもかまわない。言いたいのは、いままでほど時間をかけなくても、もっと大量に書けるということだけだ。ただしほとんどの人は、時間をムダにかけずに書く分量を増やすよう自分を仕向けるには、時計に頼らなければならない。

グローイング

　人間をはじめとする生命体が「成熟した」あるいは「円熟した」状態に達するための営みを指す正しい言葉は、間違いなく「成長（グローイング）」だ。生命体は一連の変化を経て、生まれたときよりも複雑で組織化された状態に至る。人について次のように評するのはメタファーではない。

「彼は本当に成長したね。同じ彼であるのは間違いないけど、すごく変わった。考え方も、振る舞いも、ものの見方も以前とは違う。彼がこんなふうになるとは予想もしなかった」

　一連の言葉に対しても同じように「成長」という言葉を使いたい。こんな例を考えてみてほしい。あなたはＸを信じている。Ｘは事実であるというあなたの信念、捉え方、あるいは論証をあなたは書く。しかし書き終えるころには、それまで見えなかったことが見えるようになっている。Ｘは正しくない、あるいは自分がもうＸを信じていないことが。今度は自分のとまどいや疑いについて書き進める。そのうちにＹが見えてくる。あなたはＹについて書き始める。とうとうＹが正しい、あるいはあなたがＹを信じていることがわかる。そして最終的にＹについて書けることをすべて書き出し、満足する。

　ここでは何が起きたのだろうか。厳密に言えば、成長したのはあなたであって、言葉ではない。あなたは生命体だ。あなたの言葉は、紙の上の命を持たない記号にすぎない。言葉は動きも変わりもしていない。あなたが記したその場所に、ただあるだけだ。でも、言葉が変化したという感覚がある。あなたが書いた３つの文章は、単なる１本の長い言葉の連なりではない——短い３本の言葉の連なりが、あるひとつの何かを表す３通りの「バージョン」である、という感覚だ。それは有機体に似た何か——３つの段階を経て完成したように思われる何かである。

「その文章はもうＸを信じておらず、Ｙを信じている。すっかり変わってしまったが、同じ文章であることに変わりはない。最終的にこんなふうになるとは予想もしなかった」

　私の経験では、良いもの、満足のいくものが書けるときはほぼ例外なく、まさにこのようなプロセスから生まれている。さんざん苦労したあげく、良いもの、気に入るものが書けないのは、ほぼ例外なくこのようなプロセスを発生させるのに失敗したときだ（例外はある。それについては「クッキング」の章の最後で取り上げる）。

　もうひとつ私の経験からいうと、このプロセスが最も発生しやすいのは、「言葉の成長を助ける」試みとして捉えたときだ。若い生命体は、最後の成熟段階と通過しなければならない中間段階の設計図を細胞内に含んで

いる。だがもちろん、最初に出てきた一連の言葉に同じことは当てはまらない。だからおそらく、言葉の最終形に現れる高度な組織体は、実際には私か私の頭の中にある高度な組織体を反映したものだと呼ぶべきだろう。私は言葉に自己を投影しているにすぎないのだ。しかしそれでも、言葉を書き出し、さらに書き、振り返り、そうしてテーマについてさらに考えや捉え方が書けたとき、不思議なことが2つ起きるように思える。

1. 読み返してみると、言葉の中に「書き始めた当初の自分の考え」よりも、はるかに豊かで興味深い関係や結論がたびたび見つかる。

2. その言葉たちが「どこかに向かおうとしている」ように感じられ、その場合、言葉が最もうまくそこに「たどり着く」のは、私が言葉の邪魔をせずにいられたときである、ということがよくある。

だから結局のところ、言葉からより高度な有機体を借りたのは私である、と表現しても、まったくのメタファーだとは言えない気がする。

いずれにしても、「成長する力を秘めたもの」として言葉を扱うことをお勧めする。言葉の邪魔をせず、言葉がみずからの成長プロセスを見つけるために必要なエネルギー、あるいは力を与えられるようになろう。あなたが与えるエネルギーを燃料としなければ、言葉たちはエントロピーに抗って最終的にスタート時よりも高度に組織化された状態になることができない。言葉たちにエネルギーや電力を送り込んでチャージする、イオン化する、ガソリンを入れる——言い方は何でもいいが、そうして言葉たちが成長プロセスをくぐり抜けるための活力を与える必要がある。この成長プロセスを、私は次のようにイメージして考えている。

言葉たちが集まってひとつの山となり、その混沌の中で互いに作用し合

※1　秩序に関連する度合い。基本的に時間の経過とともにエントロピーが高まり秩序が減少すると言われ、ここではその傾向のことを指している。

う。やがて何らかのパターンが現れ、それに従って言葉たちはいくつかの小さな山に分かれていく。その後、小さな山は各々まとまり、それぞれに最適な組織構造に落ち着く。それからふたたび集まって大きな山になり、その中ですべてが作用し合い、ぶつかり合ううちに、別のパターンが出現する。大きな山はその新しいパターンに従って、今度は別のパーツに分裂する。ふたたびパーツがそれぞれにまとまる。そしてまた大きな山に戻り、さらに作用し合う。「終了する」まで――つまり、あなたの気に入る、あるいは「作品が目指していた」パターンや構成に到達するまで、これが繰り返される。

このプロセスが進むには多大なエネルギーが必要だ。でも、本来ごちゃごちゃした未発達なものを洗練させようとして、いつもムダに費やしているエネルギーは節約できる。

ライティングのプロセスを原子核分裂のように進めよう。連鎖反応を起こさせ、ポットに入れて抽出し、言葉に命を宿らせるのだ。書くことは馬を乗りこなそうとするようなもので、その馬は背にしがみつくあなたの下で、変幻自在な海神プロテウスさながらにたえず姿を変えている。あなたは振り落とされないよう必死でしがみつかなければならないが、手綱を握る力が強すぎれば、彼は変化の果てにあなたに真実を教えることができない。

次の節では、グローイングのプロセスを4段階に分けてもっと具体的にお伝えしよう。すなわち、書き始めて書き続ける段階。迷子になり混沌に陥る段階。重心が出現する段階。散らかったものを片付ける、つまり編集をする段階だ。

段階①――書き始め、書き続ける

10分間のフリーライティング・エクササイズの主な機能のひとつは、編集せずにスピーディーに書く練習をさせてくれることだ。これは慣れて

いないと難しいことだろう。えてして、文章を生み出そうとする本能より、手を入れて直したい本能のほうがはるかに発達している。だからペン先からフレーズがひとつ放たれるたびに、これはダメだと思う理由が 17 個も浮かぶ。紙は真っ白なまま。さもなければ、書きかけて線で消した文章や段落が並んでいる。

　たくさん書かなければならないとわかっていれば、気にならなくなる。書いたもののほとんどは——最初のうちはおそらく全部が不出来だからだ。それで大丈夫。たいていの人にとって「上手に書こうとする」とは、たえず手を止め、考え込んで、もっと良い言葉を探すことだ。あなたもそうだとしたら、「上手に書こうとする」のをやめよう。そうしない限り、永久に上手に書けるようにはならないだろう。

　大量に速く書くよう自分を仕向けるためにいちばん肝心なのは、書き出しだ。始まりがいちばん難しい。一文、段落、パート、詩の一節、作品全体、どれにしてもだ。書き始めは、書きあぐねる時間が最も長い。座ったまま虚空を見つめ、ペンをもてあそび、眉根を寄せ、スランプを感じる。これは何の始まりなのか、どう展開していくのか、それがわかるまでは、始まりなど書きようがないではないか。でもそれらは、始まりを書いてみなければわかりようがない。

　書くことは、このどうにもならないジレンマの上に成り立っている。ほとんどの場合、自分が何を言いたいのかはっきりとわかるまではふさわしい言葉が見つからず、かといってぴったりの言葉を思いつくまで自分が言いたいことがはっきりつかめない。これはまぎれもない事実だ。だからあなたは、的外れな意味内容を、的外れな言葉で書き始めなければならない。ただし、的確な意味内容に的確な言葉でたどり着くまで書き続けることが重要だ。最後にようやく自分の言っていることがわかる。ある日の日記の文章を紹介しよう。

　また気づく。講座の件でXに送るメモを書いてる途中。いいアイデアといいフレーズ、特にいいアイデアは、ライティングのプロセスの最中に、流れができ始めてからしか浮かばないってこと。マクローリー[1]の言うとおりだ。言葉どうしに会話させよ、生まれ出る言葉が別の言葉やコンセプトや比喩を呼び、連想を促すにまかせよと彼は言ってる。自分にとってとても実感できる教訓がある。書き始める前は、ベストなアイデア、文章構造における重要なアイデアすらも期待<u>しない</u>ようにしなくちゃならない。書き始める前に書くことがないと気に病むのをやめなくちゃ。書き始めて、流れにまかせる。モデルケースを考えてみよう。たとえば、自分が有名な作家だとする。この20年間、年に１冊傑作を出し、月に１本記事を書き続けている、世に認められた天才。書こうと机に向かったときに、いつまったくの駄文を書いてもおかしくないが、最後にはいいものが書けるとわかっている、そんな作家だ。優れた作家やアスリートは不安を手放し、肩の力を抜いて、いいパフォーマンスができると信じるまでは、本来の力を出せない。優れたミュージシャンもだ。

　最初にたくさん書くことが大事なのは、出だしがいちばんウォーミングアップ不足で、不安が強いからでもある。不安があなたに書かせない。書いたものが最終的にどうなるかがわからない。十分なものが書けるだろうか。多少なりとも良いものが書けるだろうか。あなたは批判的な読者を想定し、その人たちがどう反応するかを考え始めてしまう。心配になり、頭の中にモヤが立ち込めてくる。あなたは、頭の中にあるどんなわずかな素材のかけらもなくさないよう、しっかりつかもうとし始める。ところがひとつの考えを明確にしようとすると、それ以外が霧散するように思える。風の吹く坂の上でボードゲームのモノポリーをやろうとして、いくつもの札束が風で飛ばないように手で押さえようとしているみたいだ。あまり

にも書けず、脳腫瘍でもできたんじゃないかという気がしてくる。不安で身動きがとれなくなり、嫌になってあなたは書くこと自体をやめそうになる。こうした不安はどれも、ライティングにともなうものだ（栄光を夢見て、自分の作品で有名になることを想像していたりすると、ますます書けない。実際に書くものが期待にそぐわないからだ）。

　その場合も、唯一の解決策は、リスクにかまわず書き進めることだ。

　　私のエッセイ「高等教育モデル」は、教師稼業のくだりに入った。ノッてきた。学んだこと：前より書く勢いが出てきたのには2つの条件があるようだ。　1. 十分に疲れて体がなじむまで、カタさとぎこちなさが抜けるまで、時間をかけて大量に書く。ちょうどクロスカントリーで、本当に疲れるまではテクニックが向上しないのと同じ。そのメカニズムはハッキリしてる。不要な（さらには動きを抑制している）筋肉の力をゆるめて、ガチガチに身がまえるのをやめるには、十分に疲れなくちゃならない。肩の力を抜こう。必要な筋肉だけを使おう。体の利用効率を100%にしよう。そうすれば流れるように動ける。これはライティングにもそのままあてはまると思う。大量に書くことで、動きを阻んでいた余計な筋肉の力をゆるめるのだ。だから深夜に書くとうまくいくこともある。　2. 強い感情のわくトピックの発見、あるいは出合いがあった。そのトピックにすごく腹がたった。ハラにもウデにもアゴにも力が入った。それは不要で動きを抑制する筋肉の緊張とは感じなかった。強い関心がある分野に出合うには、それに足るだけ長時間書いて、疲労して、あてどなく流されて、さまよって、脱線する必要がある。すべては脱線から始まる。それはまったく別のことを書いているパートの一文に入れた、カッコ内の余談だったりする。感情と本能を好きなように走らせてやろう。

　書き始めようとするときは、罫線が引かれていない紙には書けない小さな子どものようだ。何かを、少なくとも最終的に自分の書きたいものと同じくらいの長さを書いてみるまでは、一定水準のものや面白いものは書けない。読み返して全部を線で消したり捨ててしまったりしても、それらは次に書くときに頼りになる罫線の役割を果たし、インクが「なじむ」ように紙をウォーミングアップしてくれる。握っていると安心できる毛布のような存在だ。だから文章を書くとは、洗面器やプールに一度だけ水を満たすのではなく、にごりがなくなって透明になるまで水を流し続けることに似ている。次に紹介する日記は、出だしを書いてそのまま書き続ける必要性を説明するところから始まるが、それ以外の部分に不安感の問題がつきまといがちであることを示して終わっている。

　文の途中で手が止まった。この長いパートを書き始めたところ。そしてわかったのは、いままさに必要なのは、自分が言おうとしている内容を的確に伝える、明快で簡潔な要約だということ。それともうひとつ、もっとやっかいなことがわかった。けっきょく自分が何を言いたいのかを、自分は明快かつ簡潔に言えないのだ。
　せいぜいできるのはぼんやりした、あやふやな、あるいは不十分なものを書いてごまかすこと。曲の中で難しすぎる部分にさしかかり、でも他の演奏者についていって、自分の居場所を失わないようにしたいミュージシャンのように。そして、自分が言おうとしているのはまさしくこれだというものが出てくるように、そのパートの内容を書き進める。最後までたどりついてからじゃないと、出だしに必要な文章は書けない。
　そこで学んだのは、ライティングをひたすら直線的に捉えるんじゃなく、全体論的に扱ってみようということ。つまり、ある一点から出発して終点に達するまで書くのではなく、同じ絵のスケッチを何度も描く。最初のスケッチはごくおおざっぱでぼんやり

しているけど、回を重ねるごとに鮮明になり、細部が描き込まれ、正確になり、組織化されてくる。

　そして書いたものの部分どうしには相互作用がなくちゃならない。全文を書くまでは、優れた冒頭文は書けない。でも全文を書き上げて俯瞰して、全体をまとめる優れた冒頭文が書けるようになると、今度はその冒頭文のおかげで全体をふり返り、実は重要じゃないとわかって省いたり、縮めたり、短い余談におさめたりできるところが見えてくる。そしてアウトラインにもっとピントが合ってくる。

　ちょっと待って。ここまで書いてみた日記をふり返ってみると、自分が何を言いたかったのかがよくわかるようになってる。どういうわけか、手を止めてここまで書いてみたプロセスを自覚したおかげで、スランプから解放された。これをどうすればアドバイスや一般原則に落とし込めるのかはわからない。いや、落とし込めそうだ。こういうことじゃないかな。自分は行き詰まってフラストレーションを感じて、先に進めなかった。その状態を自覚し、何が問題なのかを意識した。手を止めて、問題と解決策を分析するメモを書いた。それによって問題にはちゃんと解決策があるという自信が生まれ、フラストレーションが小さくなり、果敢に前に進めばやがては解決するとわかった。フラストレーションと最初に感じた絶望が小さくなったおかげで、もとからそこにあったはずの言葉と考えをつかむのを妨げていた頭の中の障害が小さくなった。

　書き始め、書き続けるべきもうひとつの理由がある。もしあまりに頻繁に手を止めて思い悩み、訂正し、編集すれば、ページ上の言葉に時間や労力を注ぎすぎてしまう。その言葉たちにいれ込みすぎてしまう。愛着のあるフレーズができて、それらを捨てられなくなってしまう。でも、あなた

は山ほど捨て去ったほうがいいのだ。書き終わるころには、テーマそのものは変わらなくても、自分が書いているものの焦点や角度が変わっているはずだから。最初のほうで書いた言葉を手放せないと、最終的な作品がダメになってしまう。最初に書いた言葉は、建設現場の足場のようなものだ。足場は最終的な建物の一部にはできないが、かといって足場をかけずに済ませられる近道はない。気をつけなければ、有名なチョウザメの料理法みたいなことになってしまう——まず酢漬けにし、2インチの厚さの板に釘で固定し、低温のオーブンで3日間じっくりと焼き、取り出したら魚を捨てて、板を食べましょう。

　それはまたふと起きた。もう何度目かわからない。苦しみながらとてつもなく長い時間をかけて、扱いに困る、ぶざまで、出来の悪いフレーズを取り除こうと奮闘していた。どれほど頭を悩ませても、自分の言いたいことを明快に、簡潔に、いや正確にすら表現する言葉が出てこなかった。ムダ骨だ。もういいや。いちばんマシな下手くそな言葉を選んで先を続けた。その翌日になってやっと、最終稿を清書して、校正している最中に、ついに理想のフレーズが浮かんだ。まさに欲しかった、すっきりと簡潔でそのものずばりの言葉が。認知的には、全体を明確にしてこの小さな部分がはっきりと見えるようになるまで、この言葉は思いつけなかった。感情的には、本当に完成して提出できると自信を持つまで頭の中のモヤを払えなかった。教訓。書いているときに正確なフレーズを求めて悪戦苦闘するのは時間のムダだった。後になるまで、最終段階まで待とう。

段階②──混沌と迷子

　ライティングの成長を助ける主なアドバイスが「書き始めて、書き続けよう」だとしたら、そのアドバイスに従おうとしてもっぱら経験するのは、「混沌」と「迷子」だろう。この本を書き始めたばかりの段階で書いた日記を次に紹介する。

> 　気が変になりそうなわけが、いまさっきわかった。なぜ書き始めては絶望して手を止めているのかが。何度も何度もだ。つらくてたまらない。ようやく自分が感じているものの正体がわかった。<u>自分が何について書いているのかわからないまま書いていること</u>に耐えられないんだ！　これは本当に心細い。五里霧中。どこに向かっているのかも、来た道もわからない。あてどなく書くだけ。重心が欲しい。でも書き始めたばかりだ。どれが重心なのか、まだわかりようがない。耐えなければ。書き終わらないとわからないだろうから。

　もうひとつ、日記からの引用。先ほどと同じく、私は大量に書かなければならないという理論は完全にわかっていて、それに従おうとしているが、実際にやってみるとどれほど怖いかに気づきつつある。この日記の中で私は、理論を自信たっぷりに自分に言い聞かせ、いうなれば空元気を出しながら書き始めている。そして最後には、勇気を奮い起こして自分の不安を認めている。

> 　私の主たる全体論的アドバイス。それはプロセスだ。大量に書き、大量に捨てること。早く書き始めよう。そうすれば大量に捨て、作品がたくさん変化し、沸騰して純粋物が抽出される時間ができる。3ページの書きものをするのに3時間あったら、1ページに

1時間を割りあてるのではなく、全体を3回書こう。

　とはいえ。とはいえ、だ。やってみると難しい。すべて完璧に準備が整ってすっかり手のうちにおさまり、書こうとしているものがわかるまで、手をつけるのを延ばそうとしてしまう。書き始めるのにすごく緊張してしまう。いつまでも先延ばしして準備ばかりしてしまう。これから冷たい水の中に飛び込まなきゃならない感じ。

　でも実際に書き始めてみると、準備にかけた時間のほとんどはムダだったとわかる。大事なことは書いている最中に起こる。あるいは第1稿ができてから。あるいはひととおりできた原稿を整えたり、矛盾点をなくそうとしているときに。はたまた第3稿から第4稿に向かう途中に。過去の経験からも、ライティング・プロセスについて立てた理論からも、それはわかってる。それでも、スタートラインに立っているのに書き始めたくない。その場に座り込んであれこれ思案し、考え、用意したメモを読み返していたい。こんな日記まで書いてしまった。

　自由に書くことに混沌を感じたり迷子になったりする理由は、コントロールをほぼ放棄するからだ。あなたはあえて全体計画を立てずに進む——あるいは立てていた計画からあえて離れる。言葉、思考、感情、知覚に、それ自身の秩序、論理、一貫性を見つけさせようとしている。あなたがすべてやるのではなく、素材にある程度の舵取りをまかせようとしている。

　文章を成長させるとは、単にひとかたまりの言葉を生み出して不合格品を捨てることではない。手始めにやることを2段階に単純化すればそうなるかもしれないが、それでは本質的なプロセスを見落とす。最後にできた作品がはじめに書いた言葉の範囲内のものでしかないなら、あなたは本当の成長をし損ねている。書いたものは実際に変化していなければならない。素材は変化していくものの、存在としては常に以前のままということも

ある——母親のお腹の中の胎児のように。それでもあなたは、それを混沌として体験するだろう。言葉はあなたが計画したり、あなたがコントロールしたりする段階を経て成長するものではないのだ。

　このようなライティングのあり方から明らかになる、コントロールのパラドックスがある。私が教えられて育ったライティングの一般的なモデルでは、コントロールせよと説く。最初に考え、本当に言いたいことを決め、どこに向かうかを前もって把握しておき、計画を立て、アウトラインを作り、迷わず、どっちつかずの態度をとらず、ブレず、言葉に勝手に独り歩きさせるな、と。そのアドバイスに従おうとすると、当初は満足感とコントロール感を覚える。「しっかり手綱を握って、何にも足を取られないぞ！」。ところが毎度のごとく、コントロールできず、行き詰まりを感じ、道に迷い、何か書こうとして一向に書けない状況に陥るのだ。なすすべがなく、自分からは何もできない。

　それに対して発達モデルは、ある意味でコントロールを手放そうと説く。自分の言いたいこと、意図していることが前もってわからなくても心配しないように。計画やアウトラインは必要ない。言葉に勝手に独り歩きさせ、さまよわせ、脱線させよう。このアプローチをとると、当初はパニック状態になるが、プロセス全体で考えればコントロールが増す、というのが私の感覚だ。自分のしていることが常に把握できているわけでも、道に迷わず、とまどわず、フラストレーションを感じないわけでもない。しかしプロセス全体では、従来モデルほど無力感に囚われない。書きたいときに何かを書くことはできる。何もわからず行き当たりばったりに進んでいる感覚はそれほどない。

　少しだけ手放すことによって、全体的なコントロールが増す——これがパラドックスに見えるのは、コントロールというものを静的に捉える通常の考え方が誤っているからにすぎない。通常の考え方が発達的でない、つまりプロセス志向でないのは、時間という側面を見落としているからだ。静的な考え方をすると、「コントロールを手放せない人間」か「コントロー

ルを手放せる人間」のどちらか一方を選ばなければならない気持ちになる。こんな気持ちだ。

「冗談じゃない。ただ思いつくままに言葉を書き、計画もアウトラインもなしに書いたり、脱線したりさまよったりすることを自分に許したら、とんでもないバカになる。退行してしまう。あれほど苦労して手に入れたコントロールを失ってしまう。最初は品詞の使い方があやしくなり、やがて字を書き間違え、さらには主語と述語が一致しなくなるだろう。じきに筋道立てて考えられなくなる。論旨の欠陥に気づけなくなる。論の良し悪しが判断できなくなる。まともな根拠といかがわしい根拠が区別できなくなる。知性が軟弱になり、萎縮していくだろう。そしてついにはダメになるだろう。嫌だ！　私は冷徹でありたい。優柔不断にはなりたくない。高い水準を掲げよう。厳格にいこう。どの論にも真の説得力を持たせよう。二流の知性にはなるまい。私は判別できる人間でいたい。自分の知性を常にシャープに保つのだ」

だがこの静的なモデルは正確ではない。生命体が関わるほとんどのプロセスは循環し発達するものであり、それは時を経て、始まりとは異なる形で終わる。実はほとんどの人が、ときにはいいかげんになりコントロールを手放すことを自分に許してこそ、注意深く判別して考える力が向上する。本当に心を開いて何でも受け入れる――ときにはバカにすらなれる有機的なプロセスの最終段階に至らなければ、流されない意志力と判別力に秀でることはできないものだ。

脱線を歓迎することによって、豊かさと混沌の訪れを促せる。私たちは脱線を時間のムダとみなして、脱線しそうになるとあわてて本題に戻りがちだ。だが逆を心がけよう。脱線した話についていこう。それがあなたの書こうとしていたものの要になるかもしれない。結果的に捨てなければならない蛇足だったとしても、Xについて考えているときに思い浮かんだのだとしたら、それは関連があって活用できるはずだ。また、もう少し見てみないと、それを完全に捨て去ることはできないかもしれない。たいてい

の場合、脱線を発展させた後でなくては、蛇足の中から優れた洞察だけを取り出すことはできない。最初の段階ではこの2つは絡まり合っており、両者は区別できない。その脱線が興味をそそると同時に間違っているようにも感じるのはそのせいだ。まだ判別できるほどにはわかっていない概念がそこにはある。

テーマからまったく逸れてしまうことを自分に許せば、戻ってきたときにテーマの見方が変わっているかもしれない。その脱線はあなたの書いていることにとっては価値がないとわかったとしても、そのこと自体に価値があるかもしれない。Xについて考えているときに、Yに関する最高のアイデアが浮かぶことはよくある。2つのことについて書かなければならないなら、ひとつを書き終えてからもうひとつを書き始めるのではなく、両方を同時に始めて、しばらく片方に取り組んだらもう片方に取り組もう。暖炉の薪のように、互いに熱を放射させ合おう。

この本のために日記を引用してみて、混沌が思ったほど無秩序なわけではないのがわかった。無頓着に書いた日記の文章を直すほうが、努力して気を配って書いた問題だらけの文章を直すより、はるかにたやすい場合が多いことに私は唖然とした。ぱっと見は日記のほうがずっと混沌としている。意味をとりづらかったり、間違いや文の途中で調子が変わっているところだらけだったりすることがよくある。ところが何カ所か小さな手直しをしただけで——たいていは長い構文を2つか3つの文に分けるくらいで——、洗練されないまでも単純明快になった。

それに対して、もっと意識を注いだ文章は一見するともっと一貫性がある。まどろっこしかったり、過剰だったり、言葉数が多かったりするものの、正確で意味は読み取れる。しかし単純明快にしようとすると、こちらのほうがずっと難しい。要するに、意識の流れのままに書いた日記のほうが表面上は収拾がつかないように見えるが、もっと気を配って書いた文章よりも実はしっかりと筋の通った文章に近いのだ。

コントロールすることにこだわったり、計画やアウトラインを作ってそ

れに固執したりすると、有機的な成長、発達、変化が阻まれる。しかしそれによって、怖くてたまらない混沌と迷子を体験せずに済むのもまた事実だ。

段階③──重心の出現

　グローイング・サイクルが転換するのは、焦点、つまりテーマが出現したときだ。これは最も謎に満ちた、分析が難しい認知上の出来事でもある。混沌の中に重心ができたように思える瞬間だ。ついさっきまで何もなかったところに形が現れる。

　重心を出現させるのが難しかったら、自分の素材に合わなかったり正しいと思えなかったりしてもいいから、要約を山ほど作るといい。出来が悪いせいでそうとは感じられないだろうが、早い段階で作るこの要約こそが実は重心なのだ。混沌の中に秩序を出現させるには練習がいる。最初は下手でも次第に上手になる。下手だからといってやろうとしなければ、絶対に身につかない。

　具体的にどうすればいいか。文章の中であえて何らかの重心、つまり要約を作る必要がある。最初は下手でもかまわない。最初の要約は一部を誇張しその他を無視して、あなたの素材を歪（ゆが）めるだろう。それでいい。できればいろいろな誇張を対比してみよう。思慮深くあろうとしていたら考えないようなことを、誇張によって考えられる。これをやり続ければやがて、当初はつかめなかったもっと満足のいく進化した領域にたどり着ける。ついには満足のいく重心が手に入る。節度のある見方をすると視野が狭まってしまう。妥協しようとすると判断が鈍る。極端な立場から始め、徐々に中庸を目指そう。詩や物語の中に焦点がなければ、誇張した焦点を与えてみよう。

　私が重心の出現に至ったいくつかの方法を参考までに紹介する。

1．単純に方向転換が起きる。つまりXを書き始め、Xが発達するにつれ、Yが正しいとわかる。Yの正しさに直接たどり着くことはできなかった。最初にYを考えてはいたのに、信じられなかった記憶がある。Yを本当に理解できるようになるには、まずXを通る必要があったのだ。

2．XとYのあいだを悩みながら行き来した後、Zが浮かぶ。この経過を省くことはできなかった。

3．書いているうちに突然ひらめく。「あ！　自分が何を言おうとしていたのかいまわかった」。

4．自分が書いてきたことの要点がだいぶ後になるまでわからない。最後まで書く。完全に書き終わって——少なくとも書き終えたと思えて——しばらく寝かせた後ではじめて、自分ではわかっていなかった文章の意味するところがようやくわかる。そのときには明々白々なのに、それ以前は見えていなかったのだ。

5．良いアイデアに思えるものがある。とても気に入っている。やがて、それがくだらなく思えてくる。手元に何もなくなってしまった気がする。そのうちにようやく「良いアイデア」の中の良い部分（あるいは正しい面）と悪い部分が見えてくる。最初はその区別がつかなかった。ひとつのアイデアにしか見えていなかった。アイデアの中に複数の部分があることがわからなかった。全部捨てるかまるごと支持するか、どちらかしかないと感じていた。しかし別の対立するアイデアをぶつけてみることによって、ついに元のアイデアを部分ごとに判別し、良い部分を拾い出して残りを捨てられるようになった。いったんこの判別ができてしまえば、それはごくあたりまえに

思えた。残した良い部分のほうが元の「気に入っていたアイデア」よりずっと優れていた。

6. 足場をかける。Xを書く。上出来だと思う。ところが翌日になると物足りなく見える。しかしさらに書くと、最初の文章を発達させたものができる。こちらのほうが良い。元の文章は、2番目の文章にたどり着くために使う必要のあった足場だったのだ。役目を終えたら捨て去ろう。

7. 余談、脱線、一部分。書いている作品の小さな細部、イメージやフレーズや余談にすぎないものに、キラリと光る何かがあるように見える。それを自由に走らせてやると、やがて文章の要点、すなわち重心になる。そしてそれまで自分が重心だと思っていたものは、副次的な部分にすぎなかったとわかる。全体の方向性ががらりと変わる。同じ要素のほとんどはそのまま残っているが、まったく違って感じられる。

段階④──編集

編集すべきものができ上がるまで、編集はできない。大量に書き、脱線して興味深い領域に迷い込んで、面白い素材を貯め（そこに統一感が見出せなくても）、とうとう重心が出現して「よし、自分が目指しているものがいまならわかる、手探りしながら言おうとしていたことがいまならわかる」とようやく自覚できたら、あなたはついに片付け、つまり編集を始める段階に来たことになる。

編集するとは、あなたが本当に言いたいことを突き止め、それを頭の中で明確にし、ひとつにまとめ、組織的な構造にし、最適な言葉に変えて残り

を捨てることをいう。必要不可欠だが、グローイング・サイクル全体の中の最終段階でしかおこなわない作業だ。

　書いているものがサイクルをすんなりと一巡でき、この最終段階すらひとりでに進んでいくときもある。書いて、書いて、さらに書いて、気づくとその終着点で的確なものが書き上がっているのだ。そんなときには、最初に書いた15ページを捨て、望みどおりに書けた最後の3ページを残すだけでいい。

　文章全体ではこのようなことはめったに起きないが、部分的にはよく起きる。散文の一段落あるいは詩の一節が、まさに望んでいた姿でペン先から生まれてくるのだ。それを期待し、望もう。だがあなたは、たいてい翌日か翌週にはでき上がることを期待して書いている。完全に自然なグローイング・サイクルは、それよりも長い時間を要する。

　編集はほぼ例外なく操作的、干渉的、人為的、妥協的なものだ。つまり赤ペンを入れ、切り刻み、捨て、書き直すことだ。その中でも特に、捨てることだ。このプロセスでは、ライティングに関するあらゆる標準的なアドバイスに従おう。目を光らせ、容赦しない。整然と、計画的におこなう。コントロールを保ち、冷静さを失わない。腰を据えて沈思黙考し、眉根を寄せ、書かずにより良い言葉を模索し、ぴったりのフレーズを求めて悪戦苦闘し、「不要なもの」を取り除こうとし、本当に言いたいことを見定める――それらに取り組むのにふさわしいときがついに来た。手をつけるのが早すぎればライティングを損なってしまう活動はすべて、ここでおこなう。

　アウトラインを使わなくても編集作業がうまくできる場合もある。だがもし少しでも行き詰まったら――ダメだとわかっているのに何が悪いのかわからない――そのときはアウトラインが不可欠になる。ただしそれはライティングのこの最終段階であって、それ以前の段階ではない。

　昔はアウトラインを単独の単語やフレーズで作るものと考えていた。だがそれでは不十分だと気づいた。一段落につきひとつずつ、完全形の主張

を作り、それをリストにする。これが唯一、効果のあるアウトラインだ。それぞれの主張はおおまかな方向を指すだけでなく、明確な何かを述べている必要がある。すると、その一文一文が順を追って意味をなし、何かを訴えるはずだ。そのようにして最終的に、主張の並んだリストを実際に何かを訴えるひとつの主張にまとめることができるのだ。そうしたまとめをおこなってからようやく、あらためてリストに取り組み、整えて引き締める作業ができる。つまり、ひとつにまとめた主張をもとに、段落ごとの主張のリストを入れ替えて、よりふさわしい順序に並べ直すことができる（省くものもあるだろう）。そしてこの時点でようやく、それぞれの段落の中身を書き直して、作品全体を貫くひとつの軸を各段落の基調に――細胞レベルで――反映させることができる。

　編集の極意は、気軽に書いて気軽に手放すことだ。「まあいいや。まだまだいくらでもあるんだ、これは捨てよう」と本気で思えない限り、本当の編集はできない。気前よく浪費し、ケチらずいこう。

　これが口で言うほど簡単でないことは誰よりも私がよくわかっている。語彙が限られていたとしても、自分の母国語で意味のある言葉を無限に書き連ねられることは重々わかっている。言葉を出せば出すほどたくさん言葉が出てくるようになり、他の条件が同じなら、内容も良くなっていくことは重々わかっている。できるとわかっているのだ。ノーム・チョムスキーもそう思うだろう。だが、感覚がついていかない。言葉を出せば出すほど、特に書く場合は、意味のある発言のストックが尽きて、源泉が干上がるにつれ、内容の質が落ちるような気がする。

　ここに示されているのは、生きた細胞が発達的に成長するサイクルの本質だ。後の段階（編集）で生じる困難は、そこに至るまでの段階（文章の創出）では気づかれなかった困難が表面化したものである。得てして進歩には後退がつきものだ。つまり、前の段階の困難に取り組めるようになるには、まずはそれをめいっぱい経験しなければならない。少なくとも私にはこのやり方が効いた。大量に書いて大量に文を生み出す重要性はよくわかって

いたが、その難しさが本当には身にしみていなかった。そのため、編集の段階で困難がはっきり見えてくるまで、自分が実は苦難にあったことを自覚していなかった。わりあい最近の日記からの引用を紹介する。

　　2日前に書いたものを読み返している。それを最終稿に仕上げようとしている。「正しいか間違っているかの原則などないし、文章を整理したり一貫性を持たせたりしようとするためのガイドラインもない」というフレーズに取り組んでいた。すぐにくどくて不明瞭だと感じた。読者を迷わせてしまう。次にこう書き直していた。「文章を整理するのに正しいも間違っているもない。一貫性を持たせるためのガイドラインもない」。うん、このほうがいい、と思いかけて、自分がやっている本当のことにふと気づく。<u>一語も捨てずにすませるために</u>言葉の組み合わせを変えているだけなんじゃないか。これまでも何百万回とやってきたが、このときはじめてその中にある心理的な原理を実感できた。「どうすれば一語も捨てずにすませるために言葉を並び替えられるだろう？　この言葉たちを作ったのは自分だ。ぜんぶ自力で。自分が生みの親だ。生みの苦しみはとてつもなかった。本当につらかった。この言葉たちにすべてを捧げた。一語一語に厳しく目を光らせてなんとか回避した17の罠と落とし穴、17の苦悩の選択、17のあやうく避けたミスがあった。あれだけ苦労したんだ。一語たりとも切り捨ててなるものか。そのナイフを持って、ここから出て行ってくれ」

　もっと大量に言葉を生み出せるようになれば、もっと容赦なく捨てられるようになる――もっと大胆に無秩序を許せば、もっと高度な秩序を備えさせられるようになる――文章の発達におけるこの事実を強調したところで、今度は編集の過酷さにスポットを当てよう。というのも、ライティングに関するアドバイスの難しさはここにあるからだ。たいていのアドバイ

スは、ライティング・プロセスの初期の段階、つまり編集以外の段階を正
当に評価していないため、編集についても本当の意味では正当な評価をで
きていない。

　編集は心を鬼にしてやる必要がある。歯を食いしばって踏み込まなくて
はならない。肉を削ぎ、骨だけを残そう。言葉ではなく前後の関係性を使っ
て表現できるようになろう。導入やつなぎを作らなければならないとした
ら、あなたは文の順序を間違えている。順序が正しければ、導入やつなぎ
はいらないはずだ。補足はあえて全部省き、蛮勇を振るって要点だけを正
しい順序に並び替えよう。

　言葉をひとつ省くごとに、ついてきてくれる読者がひとり増える。言葉
を残せば残すほど、他の言葉から力が奪われる。捨てることをネガティブ
な行為——無力感と怒りにまみれて紙をくしゃくしゃに丸めるような行為
——ではなく、ポジティブで創造的で生産的な行為と考えよう。ノミで石
を削りながら、その下に隠れていた形をあらわにする彫刻家の役割を演じ
られるようになろう。言葉を削ると背骨、つまり構造がよく見えるように
なる。

　削る行為は強くする行為だと感じるようにしてほしい。行、段落、ペー
ジ全体に削除線を引くとき、要点をさらに際立たせて言葉の効果をいっ
そう高めるために、あなたは心を鬼にしている。逆に、はっきりしない、
曖昧な、くどい書き方をしているとき、自分は何かをごまかそうとしてい
るはずだ、と感じるようにしよう。それはメッセージや自分自身を去勢す
る行為だ。自分の力を恐れているに違いない。言葉を取り去れば大きな声
が目立つ。あなたはそれが怖いのだろうか。言葉を増やせばその声が雑音
に覆い隠される。臆病な人が饒舌になりがちなのは偶然ではない。無言で
いるには勇気がいる。何も意見を言わず、そのことに気づかれたくないな
ら、饒舌にならざるをえない。

　編集とは、誰かに実際に読まれるようにするだけのタフさを必要とする
ものだ。

言葉を捨てるのは間違いがあったからだ、とは考えないように。10ページ書いてそれを捨てても、誰かが本当に読んでくれる一段落、誰かが60秒を費やすのに本当に値する一段落が残ることは、大きな、魔法のような、効率的なプロセスだ。代わりによくやってしまいがちなのは、10ページにわたる間違いや駄文を避けて（もっと神経を使って）5ページを書いても、そこに読むに値する段落がひとつもないことだ！　欠点のない5ページができるとうまく書けたように見えるけど、読む価値がないのであれば、実はそれはまったく無価値だ。

　編集に先立つグローイングの3段階では、自分自身や自分の言葉とのやりとりに重点が置かれる。編集では、あなたは読者という厳しい現実とついに対峙しなければならない。

発達プロセスとしてのグローイング

　ライティングにこのアプローチを採り入れようとした場合、従うべき簡単なルールは存在しない。ライティング・プロセスの段階が変わるごとに、正反対のことをしなければならない。しかも自分がいまどの段階にいるのかがすぐにわかるとは限らない。文章という有機的な成長をするものに、ふたつとして同じものはない。そしてもちろん、ここで私が言っていることのいくつかは間違っているかもしれない──あるいは私が提示するグローイング・サイクルはあなたのそれとはどこか違うかもしれない。だから、あなたが自分の文章に成長を促したいなら、やらなければならないのは主として、有機的な発達プロセスの感触をつかもうとすることだ。それはつまり、時間とともに変わる形──構造に起きている一連の変化の形

――の感触をつかもうとすることである。

　私がこのモデルの感触を初めてつかんだのは数年前、自分にとって非常に大切な書きものをしていたときだった。そのために、自分が言いたいことをすべて入れたメモを山ほど用意していた。だがそのメモは数週間にわたって手あたり次第に書きとめたもので、まったくまとまりがなかった。まる1週間ほどかけて、メモのアイデアを一貫性のある論文として書き上げることに取り組んだ。最後に、大事なことを書き落としていないかと元のメモを読み返した。するとメモがまるで別物のように不十分な内容で驚いた。論文に書いたすべてはメモの中にあると思っていた。ところがいまメモを読み返してみると、そこにある視点は狭く、内容も異なっていて、あきれるほど役に立たなかった。これは数年前に書いたものを読み返すのに似ているとふと気づいた。それはたしかに私のアイデアだし、私のいまのアイデアと関係があるが、アイデアは成長していた。要するに、書いては捨て、また書いたあの濃密な1週間で、私は時間の経過を加速してグローイング・プロセスを速めることに成功したのではないかと気づいたのだ。

　決まった順序で進む一連の段階に従って発達するのが有機体、細胞生物の特徴だ。その典型は、それらすべての段階を経て成長していく胎児だ。フロイトの功績は精神の成長に発達モデルを提唱したことである。すなわち人間は必ず口唇期、肛門期、性器期といった発達段階を経るとした。エリク・エリクソンは7段階モデルを提唱した。ピアジェは認知力の成長について発達モデルを提唱している。[(2)]

　発達モデルを当てはめると人間について説明できることがたくさんあるし、多くのパラドックスが氷解する。重要な点は、すべての段階を順序に従って通過しなければならないことだ。ひとつたりとも飛ばさないように。前の段階を終えていなかったりおろそかに扱ったりすると（表面上はわからなくても）次の段階に到達できない。つまり、ある段階の発達をとげられ

＊1　エリク・エリクソンが提唱する発達段階は、一般的には8段階と言われている。

ずにいるとしたら、過去にきちんと踏んでいなかった段階がないか、飛ばそうとした段階がないか確かめるべきだ。実はまだ達していない後の段階にいるふりをしていたり、気持ちだけ先走って試そうとしたりしていないだろうか。避けて通ったりひそかにごまかしたりせず、あえて前の段階にもっと真剣に身を置く、あるいは腰を据えるべきなのかもしれない。なまけ癖に悩む学童にクリシュナムルティがしたアドバイスを思い出す。彼は、「子どもがまだ十分になまけきっていないのかもしれない」と言った。

このようにライティングにおいて、あなたの言葉は段階を踏まなくてはならない。近道はない（といっても、すべての段階が必ずしもはっきり見えているわけではない。これについては「クッキング」の章で詳しく述べる）。もし時間あたりの経験量を増やすエネルギーをかき集められれば、各段階を通過するスピードは上げられるかもしれない。

もちろん疲れはするだろう。しかしライティングにおいて浪費しがちな別のエネルギーはある程度節約できる。なぜなら、きちんと段階を踏むこのやり方から、ライティングにまつわるフラストレーションと絶望の主原因のひとつがわかるからだ。それは第1バージョンの出来を良くしようとすることである。人は第1バージョンを改善して直そうと奮闘する。でも実は良くなりようがない。第1バージョンは捨て、通過点にしなければならない。おそらく第2バージョンもだ。だからポイントは、初期のバージョンには必要以上に時間をかけすぎないこと。おおざっぱなスケッチを描いたらすぐ次に移ろう。投資しすぎたり傾倒しすぎたりしないことだ。

ただしここはなかなか難しい。なぜなら、まがりなりにもひとつのバージョンを書き上げるには、それなりの時間と労力をかけなければならないからだ。飛ばすわけにはいかない。飛ばしてしまえば元の袋小路に舞い戻ってしまう。つまり、最初は少しだけ試行錯誤してみても、本質的には発達プロセスをやりすごし、第1バージョンを最終版にしようとしてしまう——これもまたグローイングの段階を飛ばそうとする行為だ。

私が行き詰まる主なポイントは発達モデルによって理解できる。私は何

度も何度もＸを目指して出発する。ところがうまく書けないと感じる。や
める。新たなアイデアか重心を見つけようとする。Ｙが目につく。しばら
くそれを試してみるが、これもどうやらダメだと感じる。Ｚについても同
様だ。ここで主な行き詰まりポイントに出くわす。大きな泥沼に足を取ら
れたように感じる。Ｘに、Ｙに、あるいはＺに向かおうとした瞬間、どれ
も良くないとわかる。だがもうこれ以上考えられない。何度も試しては捨
て、が続く。疲れ、心がくじけ、頭がくらくらするばかりだ。

　問題は、私がどれも十分に突き詰めていないことだ。間違っていると感
じるとやめてしまうのだ。批判と編集の本能が行動を起こすのが早すぎ
る。いずれかの道をあえて選び――Ｘ、Ｙ、Ｚのいずれを選んでもたいし
た違いはない――その思考の道筋を本気で発展させて最後までたどり着け
ば、泥沼から脱け出せると私は気づいた。時間のムダだという嫌な感情に
逆らって、あえてそうしなければならない。選んだ道筋はたいてい実際に
間違っている。だが私が泥沼にはまるのは、ＸなりＹなりＺなりが十分な
状態になるまで突き詰めないからだ。最後までやれば――もちろん完全に
磨き上げた原稿を書き上げるという意味ではない――、ごくおおざっぱで、
粗く、拙速な形であっても、それでも最後まで追求すれば、以前は見えな
かった進むべきまったく新たな方向が見える（あるいはＸ、Ｙ、ないしＺが
実は正しかったとわかる）。文章に編集以前の段階をきちんと経験させるま
では、それがわからない。

　この泥沼からの脱出は、グローイングの重要な要素を示している。人は
何かを得るよりも何かを手放すことによって成長することが多い。通常、
成長とは何かを得ることであるかのように見える。「ほう、彼にはいまや
これまでにない新しいアイデア、感覚、捉え方が身についている――成長
したね」という具合だ。しかしほとんどの場合、それらの新しい要素はす
でにそこにあって待っていたのだ。私たちはたいてい、少なくとも２〜３
歩は成長させてくれるはずの素材やデータと一日中顔を突き合わせている。
「新しい」アイデアや捉え方を獲得するとしたら、ほぼ必ず、それまでに

３回とか17回とかそれと出合っている。それがこのタイミングで獲得された、ということだ。このタイミングで成長が起きたのだ。本当に新しいのは、舞台の袖ですでに待っていた「新しい」ものの吸収を実は妨げていた古い捉え方、考え、感覚を手放したことである。だから成長において往々にして大切な出来事は、手放し始めることだ。古いアイデアや捉え方のつまらない面が初めて見え、その限界が見え、一歩引いた視点から見え、それが別の何かに従属するものであることが見えて、そして少しだけ手放す。手放してはじめて、新しい捉え方やアイデアや感覚を獲得するために必要な再構築が可能になる。

　何かを書き出すことによって成長を加速できるのは、ここからだ。何かを書き出しているとき――あまりいれ込みすぎずに書き出している限り――あなたはそれを客観視できる。その考えや捉え方を自分の中に持っていることは、あなたの頭に負担をかけているようなものだ。書くことはその重荷を下ろして、頭に一休みさせることである。これでその考えの限界が見えやすくなり、新しい考えや捉え方に関心を持てるようになる。

　成長を妨げる捉え方や考えの主な問題点は、その考え自体は見えず、レンズのようにその考えを「通して」しかものを見られないことだ。それは「考え」というよりも、「考え方」である。考える対象や見る対象はたいてい把握することができる。しかし考え方や見方はなかなか把握しづらい。だが自由に何も気にせず書くよう自分を仕向ければ、成長を妨げる考えや捉え方が見えるようになる可能性が大きく高まる。

　文章が段階を経て発達するさまを意識するなかで、時間の経過に従って文章がどう作用するかを感じようとしてほしい。ここまでは短い時間尺度で語り、４時間ないし４日間が終わった時点でより良いものが書けているように、不出来な文章を受け入れなければならないと述べてきた。そうしなければ言葉の発達を未熟な段階で止めてしまうと。

　しかしもっと大きなグローイング・サイクルに対する感受性も研ぎ澄ま

さなければならない。成長の種類によってはもっと時間がかかる。いまは
——あるいは今年は、この10年は——うまく書けなくても、優れた文章に
たどり着くためにオープンに構えて受け入れなければならない。私がライ
ティングで行き詰まるのは、あと10年経たなければ書けないものを書こ
うとするからだと、いまならわかる。いまの私が持っている声と自我を避
けようとするからなのだと。

第 3 章

ライティングの
プロセス②
—— クッキング

グローイング（成長）は総合的で大きなプロセスであり、文章を有機的に進化させるものだ。本章から入っていくクッキング（料理）は、それよりも小さなプロセスだ。文章を沸騰させ、純粋物を抽出し、発酵させ、化学反応を呼び起こし、核分裂を起こさせる。クッキングは、グローイングを促進するエンジンを駆動する。このプロセスのおかげで、Xから始まった文章がYになったり、書き手がある物事を見て、感じて、知った状態で夕食後に書き始めたものが、深夜になるとそれまで考えもしなかったものに変化したりするのだ。クッキングは文章を生成する活動の最小単位であり、最も小さな反エントロピーである。このプロセスにエネルギーを費やすことによって、自分自身の中から新しい捉え方や洞察を獲得できるようになる。

　はじめ、私は自由に書くことがクッキングのコツだと思っていた。それまで常に制御しながら書いていた人でも、編集という蓋（ふた）をはずせば、クッキングは流れるように進む傾向がある。しかしこれだけではクッキングを発生させるには不十分であることが多い。ときにそれは不毛な混乱を生むだけで終わる。

　次に私は、クッキングの真髄はエネルギーだと考えた。クッキングにエネルギーが必要なのは間違いない。大きなエネルギーが注がれることでクッキングが生じる場合もある。しかし書こうとしたことのある人なら誰でも知っているように、どれだけのエネルギーがあっても満足に書けないこともある。

　そして私はようやくつかんだ気がしている。クッキングとは、対照的あるいは対立する素材の相互作用なのだ。この後、ライティングにおいて重要なさまざまな種類の相互作用を具体的に述べてみる。ただし種類は違っても、クッキングとはひとつの素材（またはひとつの工程）が別の素材や工程との相互作用によって変化するプロセスであることに変わりはない。あ

＊１　無秩序に向かうエントロピー増大とは逆の、秩序形成。

る素材が、別の素材のレンズを通して見られ、その肝となる部分と照らし合わされたり、相互の関係によって方向転換したり再編成されたり、位置付けられるのだ。

人と人の相互作用

さまざまある相互作用のなかでも、根源的で、最も一般的で、生み出しやすいものは、人間どうしの相互作用だ。書いたり何かを考え出そうとしたりして行き詰まった場合は、ひとりか複数の話し相手を見つけるのがいちばんだ。相手が同意してくれなかったり、なかなか理解してくれなかったりするほどありがたい——相手の心が閉じていない場合に限るが。人との相互作用を見ていくと、私をはじめ多くの人に何度となく起きることが説明できる。

私が論文を書く。あまり出来が良くない。その論文について誰かと話す。15分ほどやりとりしたあげく、相手の質問や主張に対して私が返答すると、その人は言う。「なぜそう書かなかったの？　それならいいよ。わかりやすい」。私は「いやそう書いたよ。論文全体がそう言ってるじゃないか」と叫びたい気持ちになる。しかし本当は、論文全体としてそれを示唆しているだけか、それに向かった話をしているだけか、その周囲を回っているだけだ。自分の言葉と考えが相手の意識を通過し、光が屈折するように姿を変えるさまを見るまで、私は直接そのとおりに言うことはできていなかった。

2人で考えたほうがよいのは、ひとりで通常できるよりも上手に、対立する素材どうしを相互作用させられるからだ。ブレーンストーミングが効果的な理由もこれだ。私が何か言う。あなたが返答し、私が言ったことを

＊２　複数人で自由にアイデアを出し合う集団発想法のひとつ。

ある程度、再構築するか方向転換する。すると、あなたの再構築をもとに新しいものが私に見えてきて、今度は私が自分の最初の発言を再構築できる。このプロセスは連鎖的な梃の作用、言い換えるなら機械的倍率をもたらしてくれる。私たちは相手がおこなった再構築の肩の上を交代でのぼり、のぼるたびに少しずつ遠くを見通せるようになる。これが、話し合いや議論が「どこかにたどり着く」プロセスだ――そしてある種の話し合いがどこにもたどり着かない理由は、ここからはっきりとわかる。頑固で狭量になっている人は、自分の頭の中にある素材が相手の言うことによって再構築されるのを拒む。自分の方向性にしがみつき、ひとつたりとも捨てるのを怖がっているからだ。

アイデアどうしの相互作用

　2人の人間がそれぞれのアイデアを相互作用させれば、ひとりでは生まれえなかったアイデアや視点を生み出せる。それとまったく同じように、ひとりの人間でも、自分のアイデアや視点どうしの相互作用を最大限に起こすすべを覚えれば、自分にはとうてい無理だと思っていた新しいアイデアや視点を生み出せる。

　その方法とは、自分の考えに対立点や矛盾点を積極的に作ることだ。こういうものは通常は避けるように教えられる。そして、対立するアイデアを同時に抱えるのは混乱やフラストレーションのもとだからと、私たちはその教えに従う。それらは袋小路か罠のように感じられるが、実はこれほど実り多い状況はない。あえて矛盾と向き合わない限り、すでにある考え以外の思考を抱える力を持てず、行き詰まってしまうかもしれない。

　通常、物事を考えたり知覚したりする場合は――特に何かを書こうとしているなら――たえず対立や矛盾に行き当たるものだ。あなたがそう思えないとすれば、それは対立や矛盾を見ないように自分を訓練していたにす

ぎない。思考やメタファーや連想の流れにもっとうまく乗って——もっと上手に流されて——一致よりも不一致を探そう。

　対照的で対立するアイデアを生み出すひとつの簡単な方法は、10 分間のフリーライティング・エクササイズのようにひたすら書き進め、さまざまな方向に流されてみることだ。たとえひとつの同じ素材に固執して書いてしまうことがあっても、それは文章がどう組織化していくかの法則を変化させるだろう。まず素材全体をひとつのアイデアや組織化の法則の視点から眺め、それから別のアイデアや組織化の法則と照らしてみよう。矛盾は心配しなくていい。

「言葉とアイデア」「没入と俯瞰」の相互作用

　問題をうまく解決するためには、言葉を媒介するのが良いのか、アイデアと意味を媒介するのが良いのか、私は長い時間を費やして自分の中で議論してきた。

　大量に書くことの効能を発見した当初、私は「アイデアのレベルで考えたり、アウトラインを作成したり、『要点』や意味を考えて取り組むのは常に悪いことだ」という発見をしたつもりでいた。言葉のレベルでひたすら書き続けるほうが常に良いのだと。私は長いあいだこの考えに固執していた。言葉の泥沼にはまって、にっちもさっちもいかないときですら。「まだ十分に言葉として書き出せていないんだ」と、私は自分に言い聞かせていた。しかし、考える作業も良いことかもしれないと、ようやく自分に認めざるをえなくなった。その教訓が腑に落ちたときの日記を次に紹介する。

　　出来の悪い論文で行き詰まっている。書きなおそうとしているのにできない。うまくいかない。発表の場も見つからない。この論文にはどこか弱く、間違っているかうさんくさいところがある、

自分でそう感じていることを、いよいよ認めなければ。でも改善
できる気がしない。突破口となったのは、自分の言葉を思考に翻
訳した、つまり論文の中にある思考を一段落ずつ単純で簡潔な形
にむりやり言いなおしたことだった。一段落につきひとつくらい
の思考を見つける。ただし本物の思考だけ。段落によっては、何も
思考が含まれていないことを認める覚悟をするんだ。
　これでうそのようにスランプから解放された。さんざん苦労し
てしぼり出した言葉、フレーズ、文によって、催眠状態になってい
た。それらを心から気に入って、大事にしていたのだと気づいた。

　こうして私はどちらも良いのだと思い至った。ただしそれぞれの目的は
違う。その目的とは「俯瞰」と「没入」だ。アイデアを軸に取り組むと、
大局観、構造、明瞭さが得られる。言葉を軸に取り組むと、量産でき、斬
新さと豊かさが得られる。ある日の日記から一部を紹介しよう。

　言葉に囚われていた。言葉にからめとられ、その周囲を見渡し
たり、大局的に見たりできなくなっていた。そこから立ちなおっ
たきっかけは、言葉の支配から脱け出して「これが本当に主張し
ているアイデアはなんだろう？」と問いかけたことだ。［…］言葉
の泥沼にはまるプロセスの功罪は表裏一体。言葉のリズムと構文
のエネルギーに乗って書き進んでいるときは、よく軌道からそれ
る。たとえアウトラインをもとに書いていても、それでも軌道か
らそれる。だけど自分が絶対に知りえず、アウトラインに書けな
かった新しいアイデアに出合うのは、まさにこのプロセスのおか
げなのだ。

　しかし２つのプロセスに対するこの見方ですら、常に正しいとは限らな
い。ある日私は、「要約しよう」と試みてもたどり着けなかった理想の要

約に、言葉を書き続けるプロセスが導いてくれる場合もあることに気づか
された。そして逆に、書き出す作業で堂々めぐりになっているとき、アイ
デアについて考えることによって新たな視点を得て、言葉が量産できるよ
うになることも。

「言葉を軸に取り組む作業」と「アイデアを軸に取り組む作業」の関係が
ようやく理解できたのは、クッキングとは相互作用なのだとわかったとき
だった。片方がもう片方より優れているという話ではない。それぞれに別
の機能があるという話ですらない。両者の相互作用によって、明瞭さと豊
かさの両方を生み出す——すなわちそれがクッキングだ。どちらでも、好
きなほうから始めればいい。ただし必ず両方を使い、両者のあいだを行き
来することだ。なぜなら、長い言葉の連なりをひとつの考えにまとめたと
き(たとえ下手でも)、必ず言葉の中に新しい何かが見つかるからだ。新し
い含意や、関係や、意味の通らない場所が。逆にひとつの考えに言葉の肉
付けを与えると——言葉の力を借りることで——その考えの中にそれまで
見えていなかったものが見つかる。モードを切り替えるたびに、新しい視
野と、さらなる梃(てこ)の力が手に入るのだ。

メタファーどうしの相互作用

メタファーどうしの相互作用は、最もこまやかで創出力のある相互作用
だ。できるだけたくさんメタファーを作ってほしい。そして類比、対比、
例示も。積極的に出そう。ペン先から自由に転がり出るにまかせてほしい。
過剰なほどに。これらが人間どうし、アイデアどうしの場合と同じ相互作
用とクッキングを発生させる。メタファーを生み出すとは、対象を別の何
かの名で呼ぶことだ。対比、類比、例示を生み出すとは、対象を別の何か
に置き換えて考えることだ。そこには常に矛盾がある。家を「家」と呼ぶ
だけでなく、「遊び場」「ジャングル」「呪い」「傷」「楽園」と呼ぶことも

107

できる。それぞれが、そう呼ばなければ見逃したかもしれない家の解釈を浮かび上がらせる。そのときあなたは、ひとつの考えや捉え方を別のレンズを通して見ている。ここにもまたクッキングの真髄がある。あらゆるクッキングのプロセスの例にもれず、新しいアイデアと捉え方が生まれる。言葉と意味のあいだにあった既存のつながりがほどかれて、潜在的に存在していたさまざまな方向に、対象が発達したり成長したりするかもしれない。

　自分は「言葉のとおりにしか考えられない」人間で、メタファーなど思いつかない——そんなふうに考える過ちを犯さないでほしい。そんな人間はいない。それは、誰もが寝ているときに夢を見るという事実によって、はっきりと証明されている。夢はメタファー、対比、類比、例示以外の何ものでもない。それらをうまく使いこなせないとしたら、それらの声を聴く習慣がないからにすぎない。自分に作れるメタファーを作ろう。そして目の前にある他のメタファーにも気づけるよう、常に心を開いておこう。

　おそらく、混喩[*1]への警告を耳にする機会は数多くあったと思う。しかし混喩が悪いのは混ざっているからではなく、混ぜ方の問題なのだ（それを考慮するのは最終稿でいい。それまでの原稿では混ぜ方が「悪い」ほど良い）。混ざっているからという理由で混喩に反対する人は、「2回キスすること」に反対する人に似ている。おそらくその人は本当は、1回のキスですら好きではないのだろう。何を好むかは本人の権利だが、その人が「複数回の」キスの良し悪しを判断しているのだと考えてはいけない。

様式どうしの相互作用

　同じ素材に対して、文章の様式や質感を積極的に変えてみよう。自分の文を詩にしたり、散文に戻したりしよう。くだけた文章から形式ばった文

＊1　性質の違う複数のメタファーを混ぜること。

章に、私的な文章から客観的な文章に、一人称から三人称に、フィクションからノンフィクションに、帰納法的なものから演繹法的なものに。ひとりでに様式が切り替わったときには、おじけづいてやめてしまってはいけない。抑えつけず、その様式で文章を発展させよう。たとえ突飛に見えてもだ。それはあなたの素材についていろいろなものを見せてくれ、素材がクッキングを経て発達し、成長するのを助けてくれる。

最初は昔飼っていた犬について書いている。次には悲しみについて。それから犬の性格について。そして過去が及ぼす影響について。やがて、名前についての詩を。自伝的な自己分析を。自分の家族の物語を――どんな書き方をしても、素材のさまざまな面を引き出してくれるはずだ。

あなたと紙の上のシンボルの相互作用

あなたが自分自身と相互作用するための主な媒体は、言語だ（画家は形と色、作曲家は音で自分と相互作用する）。言語のようなシンボル体系がなかったら、一度に複数のことを考えるのは不可能ではないにせよ難しく、したがって、2つの思考を相互作用させてクッキングを起こすのは難しい。ある思考をシンボルに込めることで、思考を荷下ろしして、頭を休ませることができる。言語があれば、アイデアや感情や知覚を言葉におさめ――反芻用の胃袋や冷凍庫に入れておくようなものだ――最初のアイデアを失わずに別のアイデアを考えることができる。この方法で、あなたは2つの考えや感情を同時に抱いたり、両者のあいだの関係を考えたりできる。だから言語の主な価値は、自分の知覚や感情や考えから距離を置けるところにある。

そこで、自分と他者の相互作用を起こすようなつもりで紙の上に文字を書いてみよう。あなたは話し相手を作っていることになるわけだが、これには2段階ある。第1段階ではできるだけ自由に紙の上に文字を乗せて

いき、それについて考えることもないくらい、自分と言葉のあいだに隙間を感じないくらい、完全に没頭してみてほしい。紙を相手にひたすらしゃべるのだ。しかし第２段階で今度は、一歩引いて自分と言葉のあいだにできる限り大きな隙間を作る。言葉をいったん脇に置いてから、あらためて取り上げ、別人から出た言葉のように読んでみる。その言葉と相互作用し、反応するすべを身につけよう。その言葉によって、あなたの中に新しい反応や感想が生み出されるようになろう。

　日記の役目のひとつは、あなたと紙の上のシンボルのあいだに相互作用を生み出すことだ。あなたに強い感情があって、それを自由に書き出した場合、それはある程度の距離とコントロールをあなたに与えてくれる。しかし同時に、その感情をよりいっそう感じさせることも多い。なぜなら、感情の渦中にいてどうすることもできず、途方に暮れてしまうことがなくなるため、その感情をもっと味わう余裕ができるからだ。だから書くことは、感情を味わい、そのうえで次の感情に移るのを助けてくれる。ひとつの感情に囚われずに済むのだ。

クッキングが起こらない場合

　クッキングは、その全容をもっと解明することによって起こりやすくできる。そのためには、クッキングが起こらない場合があるのはなぜかを理解すると役立つ。

　クッキングが起こらない場合には２種類ある。ひとつ目は、相互作用すべき対照的な要素や対立する要素がないときだ。自分の言いたいことがわかっていて、まったくの直球でそれを言う場合がこれにあたる。すでにクッキングのプロセスを完全に経たすばらしい素材が頭の中にあるならかまわない。だがたいていあなたの頭の中にあるのは、さほど興味深くもなく、満足なものや十分なものでもない。言うべきもっと良い素材、良いアイデ

ア、優れた何かが必要だ。これは通常、大量に書くか、編集という蓋をは
ずすか、バブリングや10分間エクササイズをおこなうことで解決できる。

　このひとつ目のパターンについては、すべてに関して互いの意見が一致
する集団を例に考えればわかる。誰もがうなずくか、「私があなたに賛成
する理由がもうひとつあります」と言うばかり。みなが気をつかいすぎて、
その場に合意しかない場合も同じ結果になる。活気がなく、アイデアも、
違う捉え方も出てこない。

　クッキングが起こらない別のパターンとして、対立する素材は山ほどあ
るのに相互作用が起きない場合がある。これもある集団を例に考えるとよ
くわかる。この集団には異なる意見がふんだんにあるが、誰かが何かを言
い始めたとたん、別の誰かがさえぎって、その人が言いかけた（ように思
えた）ことになぜ反対かを言い始める。これでは有益な相互作用が起こら
ない。あるアイデアや捉え方が、光が屈折するように姿を変えたり、別の
アイデアや捉え方というレンズを通して見られたりする、生産的な現象が
何ひとつ起こらない。にらみ合いや膠着状態になるばかりだ。屈強な２人
の男の腕相撲のようなもの。満身の力を使い、筋肉を隆起させ、額には汗
がにじんでいるのに、１ミリも動かない。

　この２つ目のパターン、つまり、対照的な素材に恵まれているのにそれ
を料理できず身動きがとれなくなるケースは、私にとって身につまされ
る。素材は相互作用する代わりに喧嘩ばかりしている。あるアイデア、思
考、書き方についていこうとするが、ダメだと感じる。別のアイデア、思
考、書き方を始めてみるが、これもうまくいかないと思ってしまう。そし
てまた別のものを試みるが、結果は同じ。最初のものに戻ってみるが、先
に進まず。そうしてフラストレーションにさいなまれる。

　意見の合わない集団の問題を考えれば、クッキングを起こす方法がわか
る。この集団は相手をさえぎるのを一切やめ、必ず話者が話し終えてから
別の人が発言するようにする必要がある。こうすれば、ある人の意見が他
の人々の頭にしっかりと入り、変容したり方向転換したりする可能性を

最大化できる。

　アイデアどうしが相互作用を起こさないせいで行き詰まる場合も同じだ。アイデアを個別に取り上げよう。それぞれを全身全霊で支持するつもりになろう。そのアイデアの視点ですべてを見てみよう。そのアイデアを確信した人になりきろう。こうすればそれぞれのアイデアの言い分が完全に伝わり、確実に相互作用が起こる——そのアイデアのレンズを通して別の素材を見ることができるようになる。

　書き出した言葉と要約のあいだ——つまり、言葉を軸に取り組む作業と意味を軸に取り組む作業のあいだに相互作用が起こらない場合も、クッキングが発生しない。書き始めるがあまり進めないうちに、どこかおかしいと感じてやめてしまう。それを何度も繰り返す。クッキングが起きない状況のうち、このパターンがおそらく私の主な行き詰まりポイントだが、工程を無理やり2つに分けてかなり意識的に相互作用を表に出さないと、この状況から脱却できない。つまり、書いている最中には、「これで意味が通るのかなと考え込む状態」に切り替わってしまうのを、意識的に自分に禁じる必要がある。これでは意味が通らないと思っても、書き続けるのだ——意味が通らない理由についてでもいいし、できれば意味の通ることを書き始めるなどして。とにかく手を止めない。

　書き出す周期が完了して——最低でも10分か20分書いて——はじめて、一歩引いて全体を考える作業に入る。そしてこの対比モードに入ったら、やはりその周期が完了するまでそこにとどまり続ける努力が必要だ。例えば、もし「フランス革命の原因」とか「月曜の午後、川べりを歩いているときに感じたこと」とか「この候補とあの候補の比較」のような要約で終わっていたら、俯瞰の周期はまだ完了していない。これらのフレーズには、どれも動詞がない。どれも何も言っていないし、何も主張していない。手を止めて自分の書いたことが何を言わんとしているのかを考える作業が、まだ終わっていないということだ。

　クッキングを確実に起こしたい場合、相互作用は必ず複数起こす必要が

112

ある。例えば、言葉を書くことから出発したのなら、それを主張に変換するだけでは足りない。あなたが生み出しているものを本当に強くして洗練させるのは、没入から俯瞰へ、そしてまた没入へ——またはその逆のパターン——の往復なのだ。往復が多いほど作品は強くなり、洗練される。

　私が行き詰まるときはこんな感じだ。

　　「教える動機」と「私の計画が優れている理由」について、自分の頭の中でぐるぐる回っているアイデアたち。一つひとつにあてる言葉はわかるのに、膨大な時間の果てに気が変になりそうだ、だって書けないから。どこから始めていいかわからない。からまり合った糸玉の先端が見つからない感じ。探しても探しても輪っかしかない。誰かと会話か議論をしていれば要点をすべて言葉にできるのに。相手の言葉に応える必要に迫られて、要点を出していくことができるはず。でもここには相手がいない。自分が恐ろしい虚空、感覚遮断室にいるみたいな、ウェットティッシュの袋から脱出しようともがいているような気がする。ウェットティッシュの層が果てしなくあって、ひとつくぐり抜けても、水びたしでぬれてぐしょぐしょのクサい紙が相変わらず自分にはり付いてくる。

　これは、私が自分の言葉から中途半端な距離に身を置いたまま動けなくなっていたときの状況だ。自分としても、自分ではない誰かになるとしても中途半端で、自分の言葉と向き合えない距離にとどまり、2つのモードの相互作用を自分に強制できずにいた。私は自分の言葉との距離を縮め——つまり速く書いて言葉と自分の隙間をなくし、その後に距離を広げて、自分の言葉に自分でない誰かとして接するべきだった。そうして議論の相手になる「誰か」を作り上げることができれば、自分のアイデアをすべてなんとか言葉にできたはずだ。当然、その言葉は支離滅裂だっただろうが、

他者との議論のなかで起こるように、やがて自分の言おうとしていることを機能させる形を見出し、最終的にはそれを書く出発点が見つかったはずだ（要するに——もしこれを書きはじめにまつわる問題と捉えるならば——どこからでもいいからまず書き始め、相当な量を書くまでは、出発点が見つからなかったということだ）。

　詩や物語がうまく書けないとしたら、おそらく問題はクッキングが起きていないことだろう。悲しみや幸せの感情、あるいは何か特定のテーマの表現を、とことんまで突き詰められていないのではないだろうか。やりすぎになることを懸念し、そこまで極端にしたくない、と。でも、要素やテーマや衝動の一つひとつを思いきり羽ばたかせてやらないと、それを料理することはできないかもしれない。矛盾したバージョンを2つか3つ書くか、部分的に大きく食い違うものを書いてみよう。これが相互作用を最大化し、クッキングを経て最終的に素材をあなたの望む形に仕上げる方法だ。

　クッキングが起こらない状況へのこの対処法から、クッキングとグローイングについてのさらに普遍的なアドバイスを引き出せる。極端さを利用して、後からほどよい結果を導くのが、たいていの場合の正解だ。時期尚早に中庸を狙っても行き詰まり、何も生み出せず、どっちつかずになる。通過すべき段階があるなら、一つひとつをとことんまでやりきり、宙ぶらりんにならないようにしよう。破茶滅茶で多産な作り手にならなければ、厳しい腕利きの編集者にはなれない。だが同時に、後で情け容赦せずにナイフで作品に切り込めるとわかっていなければ、作り手として本当に多産にはなれない。

やけくそライティング

「書かねばならないときに書けないのではないか」「筋の通った話や考えを生み出せないのではないか」と、たびたびパニックに襲われるのは自分

だけではないとわかっている。常につきまとうその疑いが、書くときの大きな障害だということも。それはいつもそこにある霧か雑音として、頭を朦朧とさせる。私がその軛から逃れられたのは、たとえ頭が働かなくても、何か——すごいものや満足いくものではなくても、少なくとも役に立ち、使えるもの——を書くことはできると気づいてからだ。その秘訣は、クッキングのプロセスをテーブルの上にすべてさらけ出しておこなうことだ。つまり、頭の中だけで作業することはできない。シンボルと紙にすべてを委ね、松葉づえではなく車いすとして活用するということだ。

　まずは自分の状態を認めること。気分なのか出来事なのか、何かはわからないが、そのせいであなたの頭は思考と呼べるような働きができない。とりとめのない言葉を繰り出すことはできるし、単純な感情、知覚、考えらしきものを（下手だが）理解できる言葉にすることはできる。しかし、何かを別の何かとの関係で考察することはできない。考えや感情を、別のものと対比して関係を見ようとしたとたん、絵が見えなくなる——うごめく線か揺らぐ色しか見えない。

　そのことを認めよう。ひとつ以上の感情、知覚、考えに手を出さない。とにかくそれについてできるだけたくさん書こう。自分が書こうとしているものの方向に、あるいはその近辺に頭を誘導し、書き始め、書き続けてみてほしい。

　ひたすら書く、書き続ける（ハサミで一部を切り取りたい場合にそなえて、紙の片面だけを使うのがベストかもしれない——おそらくハサミの出番はないだろうが）。ひたすら書いて書いて、書き続けよう。たぶん波があるだろう。ひとしきり書いたら、手を止めて短い休憩をとろう。だが、あまり長く手を止めないこと。自分がいま書いていることや、前に書いたことについて考えてはいけない。でないとまた脳の回路に負荷をかけすぎてしまう。薬か酒をやっているつもりで書き続けよう。使える素材がたくさんできたと感じるまで書き続けよう。あるいは、使えるものがないような気がしても、もう耐えられないと思うまで。必要に応じてやめるタイミングを判断してほしい。

そうしたら、小型のメモパッド——３×５インチのカードでもいい——を出そう。書いたものの冒頭に戻って読み返しながら、ひとつの文章かひとつの主張にまとめられそうな考え、感情、知覚、イメージに出合うたびに、小型の紙にそれだけをまとめて書こう。要するに、例えば 10 ページか 20 ページ分の泥の山を、20 個か 30 個の小さな硬い姫リンゴに変えてみる。1 ページにあまりたくさんは見つからないときもある。でもページにひとつもないように思えるならば、それは大きな間違いだ——それと同じ間違いが、そもそもあなたの頭を機能停止させていたのだ。拙い、ばかげた、二流の、間違った、幼稚な、くだらない、価値のないアイデアがあっても、「アイデアが何もない」と勘違いしないでほしい。やるべきは、優れたアイデアを拾い出すことではなく、あらゆるアイデアを拾い出すことだ。あなたに意識がある限り、あなたの言葉には感情、意見、アイデアと呼べるもの——簡潔な一文に凝縮できるものが詰まっている。あなたが拾うべきはそれだ。多くを求めすぎてはいけない。

　終わったら、書き込んだメモを手に取って、何度も通し読みしよう——どうにかしようと格闘するのではなく、気楽に目を通してあれこれ考えながら。入れ替えていろいろな順番で読んでみてもいい。ソリティアをして遊ぶときのトランプカードと考えることもできる。このゲームのルールでは山札をシャッフルできる。

　この手順を踏む目的は、カードを机の上に 2 個か 3 個、あるいは 10 個か 15 個の山に仕分けすることだ。順番を変えながら読み通す作業を続けるだけで、カードはほとんどひとりでに仕分けられる。例えば「このカードはあのカードと合う」と感じられるようになる。この頭を使わない受動的なモードを私が重視するのは、純粋形の「やけくそライティング」について語りたいからだ。実際にやけくそライティングをやってみると、ほぼ必ずどこかの時点で、あなたは我に返る。それはこの仕分け作業の段階で

あることが多い。そのときはじめて、あなたは考えを持つようになるか、考えを働かせる——つまりカードどうしの関係を構築するか、関係があると主張する状態に移行する。カードがひとりでに仕分けられる受動的なモードとこの能動モードの違いは重要だ。これは、そこにエネルギーを宿らせるということだからだ。このようにして、あなたはカードに対して能動的な行動がとれるようになり、実際に考える段階に入る。仮にそれができないとしても、感覚や、自然な流れや、直感や、無意識によって、カードがおさまるべきところにおさまるにまかせよう。

　これで、頭の中ではなくテーブルの上でクッキングを起こすための2つの主要な活動をしたことになる。まず頭の中のものをまとまりのない言葉で書き出し、次に一つひとつの主張に要約し、主張どうしの関係を感じ取ることまでできたのだ。引き続きこの2つの活動を展開していけばいい。

　もし例えば、書き出して、主張にまとめ、山に仕分けする作業が一巡した後で、できた山が自分の書いているもの——段落、パート、思考の連なり——に使える満足いくものだという感触を得たら、そこから書き続ければいい。それぞれの山をまとめてひとつの主張にできるかどうかやってみよう。できたら、その山に付随する複数の主張を、メインとなるひとつの主張に最も合う順番に並べ替えよう。

　山をひとつの主張にまとめられない場合は、その山をもとにしてさらに言葉を書き出す作業をしよう。その書き出し作業のあいだに、探していたまとめの主張が作れるかもしれない。あるいは、書き出したものを主張にまとめて、山に仕分けして——というサイクルをもう一度経なければならないかもしれない。それも1回では済まないかもしれない。山が2つ以上に増えたがるかもしれないし、すでにできていた山の一部に統合されようとするかもしれない。これは自然に起きる。こんなふうに、ひとつの構成にまとまってから分裂し、また寄り集まって今度は別の構成にまとまる——これがグローイングとクッキングで起こることだ。しっちゃかめっちゃかになるが、頭の中でできないことなら、散らかった机の上で大混乱

に耐える必要があるのだ。

逆にもし、書いたものの中に使える素材がまったくないとしたら、あなたが書いたものにはゆるさがなく、うまく流れに委ねられておらず、突拍子のなさやぎこちなさが許されておらず、連想の喚起力が足りなかったということだ。今度は、一見すると非常識だったり関係なさそうだったりするものを想起させる書き方に、意識的にトライしよう。その奇妙な連想を追ってみるのだ。メタファーを作れるだけ作り——できるだけ理性をはずそう——メタファーそれ自体を深掘りし、どんどん展開していこう。

あなたは、自分の体験のある部分にエネルギーがすべて拘束されているのに、それを見過ごしているのかもしれない。頭の中にあるあらゆることについて、書き控えしないように。例えばいまこの瞬間に感じていること、夢中になっていること、意識に侵入してくる偶発的なあれこれ、壁紙の模様、窓から見える人々が何を考えているのだろうか、などでも。ただし、自分が書くべきテーマにたえず立ち戻ろう。要するに、10分間のフリーライティング・エクササイズのように書くのだ。あなたの最も優れた知覚と考えは、実際にあなたの心を占めている何かの中に常に拘束されているし、そこにあなたのエネルギーも拘束されている。

あなたは結局、仕分けした小さな山のひとつを使って愛の詩——あるいは憎しみの詩——を書き、別の山は最終的にデータ処理についての研究報告書や、あなたが書かなければならない何かに変わるかもしれない。だが、どうしていいかわからない状態のままでは、詩も同時に書かない限り報告書は書けなかったはずだ。そして報告書には詩のエッセンスの一部が盛り込まれ、詩にも報告書のエッセンスが盛り込まれているだろう。

ゴールはあくまで「クッキングを起こす」こと

やけくそライティングは、私には魔法のように思えた。秘密の力を見つ

けて、タダで何かを手に入れているかのようだった。それまで何も生み出せなかったところに新しいアイデアが、それまで混沌のなかで行き詰まっていたところに構造が現れた。次第に私は、何か罠があるに違いないと怖くなってきた——自然の摂理に背いた罰を受け、力を奪われるのではないかと。

> 怖い。この頭のプロテーゼ[*1]に私は依存しつつあるのではないか。頭は雪解けのぬかるみ状態になっている。以前のように 3 つのアイデアを同時に口の中にとどめておくことは、もうできない気がする。いつもこのプロテーゼの力を借りてしまう。そしてもはや自分では上手に書くことができない気がする。だらしのない、ふやけた、感傷的なものばかり書いてしまうのでは。頭に一本通った筋がないままに。この簡単な方法におぼれてしまったら、何も見えなくなっておかしくなる。この松葉づえを使いつづけたら、器官は萎縮し、退化してしまう。
>
> 本当にそんなことになるのだろうか？　これを使えばもっと難しいこと、高いレベルの取り組みができると思ってる。だがそう考えてしまうのは、自分のライティングが下手で時間がかかっており、この本を書こうとする試みの何かが失敗しているという事実をごまかすための、ただの願望ではないのか。

自覚できる限りでは、私の力はまだ退化していない。でもやけくそライティングが何かうさんくさいと感じたのは正しかった。このアプローチは濫用できてしまうもので、私は濫用する傾向にあった。使い方を間違えるかどうかは、「クッキング[*2]」と「外部でおこなう料理」の違いがわかるか

＊1　シリコンでできた医療用の人工軟骨。ここでは身につけることで人工的に自分を変えてくれる手法（やけくそライティング）を指す。
＊2　思考を自身の外側や内側で処理・相互作用させることを「外部でおこなう／内部でおこなわれる料理」、その結果として文章がより高度なものになる現実／プロセスを「クッキング」と訳し分けた。

どうかにかかっている。外部でおこなう料理は私を自分の制約から解放してくれた手法なので、私はそれをゴールと取り違えた。やがて2つの区別がつくようになり始めた。

> ライティングの有機的なプロセスを自分の外に出す、このプロセスにほれ込みつつあるのかも。でもこれはあくまで「クッキング」という目的を達するための手段にすぎない。クッキングを起こせていなければ、それを起こすために外に出す。でもいったんクッキングを起こせたなら、「クッキングは外で起こすほうがいい」と考える過ちを犯しちゃいけない。本当は<u>内部で</u>クッキングを起こせるほうがいいのだから。そのほうが外でおこなうよりも高温で料理でき、要素の変化が永続的で、魔法の効力が高く、きめこまかで、大規模になるからだ。

　外部でおこなう料理の究極形は、先ほど紹介した「やけくそライティング」だ。内部でおこなわれる料理の究極形は、「魔法のライティング」と私が呼ぶものだ。それは完全に頭の中で、隠れた状態で、ときとして即座に起きるクッキングである。私がイメージするのは、すでに完成した交響曲をペンを走らせる速さのままで書き出すモーツァルト、あるいは昼食にビールを飲み、眠けのなかで散歩した後に、完璧に磨き抜かれた詩をものしたA・E・ハウスマンだ。
　外部でおこなう料理は、ボウルの中で水気のない材料を混ぜ合わせるようなものだ。それに対して内部でおこなわれる料理は、材料が分子レベルで一体化するよう水に溶かすのに似ている。こちらのほうが、言葉に力と声を生み出せる。要するに、その一体化したもののほうが明確で力強い。なぜなら最終的な作品の細胞一つひとつに、全体の設計図や小宇宙（遺伝子）が入っているからだ。フリーライティングのほうが、ゆっくりと気を配って書くより優れた文章を生み出せることが多いのは、ここに理由がある。

　また、内部でおこなわれる料理のほうが実は速く書けてエネルギーもかからない。外部でおこなう料理は自転車の低速ギアのようなものだ。初めて低速ギアを発見したときには、苦労せずに何かを手に入れているような気がする。以前はのぼれなかった坂道が、いまでは楽に征服できる。でも実は、高速ギアのままでこげたなら、もっとエネルギーを使わずに坂道をのぼれたはずだ。低速ギアで忙しくペダルを踏んだ回数はムダだった。だがそのエネルギーを節約するためには、もっとずっと体力が必要だった（節約する余裕があるのは金持ちだけだ）。

　同じように内部でおこなわれる料理とは、鍋全体を一度に熱して、まるごと変化の過程を通過させるということだ。それに対して外部でおこなう料理とは、材料を複数の鍋に小分けして、それぞれの鍋を小さな火で料理することだ——ただし光熱費の合計は鍋ひとつよりもかかる。全部を一度に料理すればエネルギーは節約できる——こぼす量も少ない——が、瞬間風速的に必要なエネルギー、つまり体力の瞬間的な出力は大きい。その分だけ高熱にも耐えなければならない。

　教訓：外部でおこなう料理という手法は、必要に応じて使うべし。うまく使いこなせるようになろう。「クッキングを起こす」というゴールを特に意識して使うといい。だが、クッキングを避けるための抜け道として使えると思ってはいけない。書きたいならクッキングを起こさなければならない。書く作業には必ず正念場がある。私にとってそれは、エンパイアステートビルを持ち上げるようなもの、あるいは風の強い野原で10エーカーのパラシュートを畳むような気がする局面だ。この正念場は避けては通れない。料理には、熱と電気と酸が必要だ。熱に耐えられなければ、キッチンから出ればいい。腹や頭や二の腕に蓄積してくる興奮、つまりエネルギーがきついと感じるなら、外部でおこなう料理の力を拝借して、その熱と酸と電気を外に散らすことはできる。

だから大事なのは、外部でおこなう料理の通常の方法としてこれまで述べてきた具体的な実践法ではない。「クッキングを起こすこと」こそがゴールなのだ。クッキング——つまり、言葉とアイデアが相互作用して、より高度な、より組織化された状態になる感触を得ることに集中してほしい。そのプロセスを起こさせるものであればすべて自分にとって正しい、その邪魔をするものはすべて自分にとって間違っている——その原則に従って、あなたの行動を決めてほしい。

　だが、たいていの人——書くことに困難を抱えている大多数の人——にとって、外部でおこなう料理を利用すれば、通常はクッキングが起きやすくなるということを強調しておこう。外部でおこなう料理は、あなたがついにクッキングを発生させることを手伝ってくれる。あなたにより高い、でも手の届く基準を設定してくれる。つまり、どんな書き方を使おうと、クッキングを発生させることにこだわればいいのだ。外部でおこなう料理とは、本当はすべてをひとつの圧力鍋に投げ込んで高温にかけられるのに、裁縫用の指ぬきのような小さい容器に材料を小分けして、マッチで料理するようなものだ。だがそれでもこの方法を拝借する段階に来たならば、それを自覚したうえで頼るのだ。

クッキングとエネルギー

　このモデルは、エネルギー、つまり労力とライティングの関係を理解しやすくする。素材をスタート時よりも組織化された状態で書き終える——物事の流れに逆らったり、流れに逆らって泳ぐ——にはエネルギーがかかる。だがじっと座ってクッキングを試みるがうまくいかない、というのもやはりエネルギーを使う。大事なのは、書いているときのエネルギー消費の違いを感じ取れるようになり、どういうときに自分が時間を浪費しているかわかるようになることだ。

——行き詰まっているときのエネルギー消費：うまくいかないがクッキングを起こそうと試みているときに起きるもの。あなたはそもそも言葉が見つからない初期段階にいるのかもしれない。あるいはもっと後の、言葉も素材もふんだんにあるが、それに形や一貫性を与えられずに行き詰まっている段階にいるのかもしれない。そこでエネルギーが浪費されている。それでも踏ん張って料理を続けよう。

——出来の悪い最初の草稿を改善しようとするときのエネルギー消費：クッキングを避けようとするときに起きるもの。あなたはエネルギーを放出したくない、熱を蓄積したくないのだ。席を立ち、クッキングに取りかかる気になるまで書くのをやめたほうがいい。

——内部でおこなわれる料理、別名「魔法の」料理におけるエネルギー消費：どこか謎めいているが、あなたは熱や酸の上に座っていて、それが素材に作用している。あなたは書いており、文章の出来もいい。または書いてはいない——座っているか歩き回っている——が、文章が自分の中で沸騰しているのを感じ取れる。順調に進んでいる。書いていないとしても、エネルギーがムダ使いされていないと感じられる。

——外部でおこなう料理におけるエネルギー：大量に書くように自分を仕向けている。立ち往生したら、また書き始めるか、書いたものを要約しようとしている。大量に紙を使っている。出来が良くなく、いずれ捨てなければならないとわかっているものを、たくさん生み出している。完全に内部でおこなわれる料理に比べれば効率は悪い。でもクッキングが起きていない状態に比べれば非常に効率がいい。それに、このプロセスを内部でおこなわれる料理につなげることが

できる。

　多くの人にとって、エネルギーと成果はほとんど裏腹な関係にある。書くことは「うまくいく」か、そうでないかのどちらかだ。比較的速く比較的楽に書けて出来もいいか、もしくは出来が悪くてどれだけ頑張っても良くならない。つまり、多くの人は内部でしか料理ができていない、そうでなければ行き詰まっているということだ。しかしさまざまなタイプのクッキングとエネルギーの関係の感触がつかめてくれば、この状況は避けられる。ライティングがいままでほど謎めいたものではなくなり、注いだエネルギーに成果を比例させられるようになる。

宣伝：私はかつて書くことに疲労困憊していた。その後、文章を成長させ、クッキングを起こす方法を考え出した。書くことにはいまでも疲労困憊している。しかしいまでは書く量が増え、質が高まり、文章を完成させることさえできている。

良し悪し

　私が「できるだけ下手に書け」と言っているように感じる読者もいる。私はそんなことは言っていない。あなたが目指すのは優れたライティングだ。人間の脳は魔法のような働きをする。その力が発揮されれば、脳はたちどころに完璧に素材を料理できる。自分の中にあるとは思いもしなかった優れた言葉や考えがストレートに紙に書けるときもある、と期待していい。それを期待し、望むべきだ。そこまで期待しないとしたら、自分の脳に欠陥があると思っているも同然だ。

　しかし最高のライティングは、最低のライティングと混同されていることが多い。書いているときは全然ダメだと感じても、それでも書いて後か

ら読み返せば、部分的にはよく書けていることに気づく。最高の言葉が最低の言葉にくるまれているかのようだ。ほとんどの人にとって、その人の最大の強みが出ている音、リズム、肌触り、そして最も優れた洞察は、検閲をやめて何も気にせずに書くときにしか生まれない。だが検閲をやめれば当然、最低レベルの駄文も生まれる。

　私たちは誰でも、言葉の魔力を信じてしまう傾向がある。言葉を考えると、私の頭はだまされてその言葉を信じるようになる。その言葉を口にすれば、さらに強く信じるようになる。そしてその言葉を書き出せば、私はどういうわけかひそかにその言葉にいれ込んで、その言葉に行動を左右されるようになる。言葉を書いてもそれを信じず、催眠状態にならないすべを覚えることが大切だ。できるだけ下手に、あるいは理性を捨てて書くのはその良い練習にさえなるかもしれない。あなたがまったく何も書けないとしたら、おそらく潔癖すぎて下手に書くことを許せないからではないだろうか。

古い間違ったライティング・モデルがなくならないのはなぜか

　私が提示するライティング・プロセスのイメージが正しくて、私が抗（あらが）っているライティング・プロセスが間違っているとしたら、その事実そのものに説明が必要だ。人々がこれほど長いあいだ「床にさわるためには手を上に伸ばす」と信じていられるなんて、ありうるだろうか？　その理由はいろいろある。

　第1に、古い2段階モデル——言いたいことを見定めてから、言葉に変えるモデル——は本当は間違っているわけではなく、ただ不完全なだけだ。ほとんどのライティングにおいて、グローイング・プロセスの最終段階である「片付け」、つまり編集段階は、古いモデルが述べていることそのものである。自分の言わんとすることを明らかにしてから、最適な言葉を

見つけるわけだ。グローイング・サイクルの全段階の中で、この段階が最も意識的で操作的だから、最も目立つ。だから人々はこれこそがライティング・プロセスだと思い込んでしまう。

　別の理由として、ほとんどの人はクッキングとグローイングを一貫したひとつのプロセスと認識せず、一貫したプロセスが欠けた状態として経験することが挙げられる。インスピレーション、まぐれ当たり、あるいは大失敗として捉えてしまうのだ。Xを目指して書き始めた結果、Yができ上がる、しかもそのYはあっという間に書けて、それを気に入る——もしそうなったら、それはインスピレーションのおかげだと言われがちだ。私たちはそれをインスピレーションと呼び、外からやってくる天啓だと感じる。言葉、考え、イメージがそれ自身の設計図に従ってクッキングとグローイングのプロセスを経る、究極の例だからだ。人々は自我の意識的、操作的、計画的な部分を抑制する手段を使って（薬や酒の力を借りたり、半分眠った状態で書いたりして）インスピレーションを高めようとする。

　Xを目指して書き始めて、Yが書ける——そしてYを気に入ったが、そこに至るまでの道のりが長く、混沌として、さんざん迷い、ぬかるみだらけだったとしたら、これはまぐれ当たりと呼ばれがちだ。あなたはこう思う。「あんなにでたらめで無頓着に書いたのに、良いものが書けたなんてびっくりだ。アウトラインに全然従わなかったのに（あるいは手抜きしてアウトラインの作成さえしなかったのに）。自分はもともと書くことに向いていないのだろう。次は気をつけて、しかるべきやり方で書いたほうがいいな」。

　しかしクッキングとグローイングの結果として最も多いのは、大失敗だと誤解され抹消されてしまうことだろう。一文レベルで見ると、文章がある方向に向かって書き始められ、途中でずれていって、別の姿になり始めるのはよくあることだ。嫌というほど身に覚えがあるだろう。文章を線で消して、無理やり元の方向に戻す。作品全体、あるいはパートのレベルで見ると、Xを書いていて、うまく進んでおり、自分の言わんとすることが何かを苦労して考え出し、なんとかそれをここまでの文章で表現してきた。

そしていまになって、書いている文章が途中からいきなりYを示唆し始め
た。さらに困ったことに、この文章によってあなたは「Yが正しくてXが
間違っているのではないか」という気がしてきた！　でもここまでの文章
にあなたが注ぎ込んだものはあまりにも大きい。そうして自分はバカだと
思い、むしゃくしゃした気持ちになって書くのをやめ、もう知らないとふ
て寝をする。あるいは、明日までに書き上げなければならない作品だから、
「Yだよ」とささやくその文章の声を聴かなかったふりをし、Yをまるで
なかったかのように隠蔽して読者が気づかないことを願うのだ。

　このように、クッキングとグローイングが実際に起きているのに良いも
のと認識されないせいで、その発生を享受できる回数が不十分になる。書
くことを敬遠する人があまりにも多い。クッキングを起こせない、ただそ
れだけのために、書くことはもどかしいとか報われないと思っているのだ。
また、古いモデルに従って成功している人も多いのは事実だ。その人たち
は、頭の中に転がっていた生焼けで不十分なアイデアに応急処置を施し、
汚い部分を拭き取り、体裁を整える。だがそうした作品は退屈でわかりきっ
ているものになる。学校はそうした作文に高い点を付けることが多い。そ
してごく稀に、頭の中にすでに転がっている、冴えた面白いものが見つか
るケースがある。その人もまた、古いモデルに従って書けてしまうのだ。

　古いモデルがなくならない理由はもうひとつある。古いモデルは構造と
コントロールを約束してくれ、それがまさに、なかなか書けないときに喉
から手が出るほど欲しいものだからだ。

結論

　自分にとってうまくいくライティングの方法があるなら、それを続けれ
ばいい（そして他の人にも教えてあげよう）。しかし書くのに苦労している
なら、新しいモデルを試してみて、あなたが苦労しているのはクッキングか

グローイングに問題があるからだと理解しようとしてほしい。

　ライティングを個別のバラバラな作業としてではなく、全体で捉えよう。1本の作品内のすべての部分が相互に依存する関係にある。すべての部分を書き終えるまでは、どの部分も完成しない。自分が書くものが4つのセクションで構成されると考えている場合、最悪なのはひとつを書き終わってから次に行くという形で、セクションを別々に書くことだ。これでは相互作用、クッキング、グローイングが妨げられる。4つのパートを全部、手早く軽く下書きしよう。それから、各パートに手を加え、そのセクションが行きたがる方向にまかせて発展させよう。そうやってすべてのパートを改善し続けよう。ひとつのパートを完成させるのは、残りのパートも完成させる準備ができたときだ。作品は成長して5部構成になるかもしれないし、2部構成になるかもしれない（成長して、全体として統一感を持つ必要もある）。たとえ4部構成のままだとしても、第1部を本当に正しく完成させるには、その前に第4部を完成させている必要がある。

　作業の一部を完成させる満足感をあきらめる必要はない。ただしそれを得る方法を変更しよう。その満足感を、「第1部を完成させること」からではなく、「全部を一通り終わらせること」から得るのだ。

　もしこの「グローイングとクッキングとしてのライティング」の長い話が複雑に見えるようなら、要点は実は2つだけだ。

1. クッキングとは、素材に相互作用させること。私にとっていちばん大事な相互作用は、書き出すことと要約すること（言葉を軸に取り組む作業と、意味を軸に取り組む作業）の相互作用だ。なかなか書けないなら、この2つのプロセスの相互作用を増やしてみよう。書いてばかり、あるいはじっと考えてばかりは避けよう。そして何より避けるべきは、文を2つだけ書いて手を止め、思案したり頭を悩ませたりして立ち往生することだ。各周期を完了させよう。少なくとも10分間は書くことに打ち込み、それから完全に手を止めて、書

いたものが何を意味するのか、あるいは何を意味しようとしている
のかを考えるのだ。

2. グローイングとは、言葉に各段階を通過させ、進化させること。こ
の段階で私が最も重要だと考えるのは、大量に書くことだ。もし自
分に大量に書かせることができたら、他のグローイング・プロセス
（混沌を積極的に促す、重心を見つける、編集する）に弾みがつくだろう。
あなたが大量に書けずに困っているなら、ここでいくつか具体的な
提案をしよう。

a）いったん手を止めて、厳密に 10 分間のフリーライティング・エク
ササイズをおこなう。このエクササイズは厳格なルールにのっとっ
て 10 分間だけと決まっており、まったく何を書いてもかまわない
から、スランプの原因になっている頭の中の雑音に対処しやすくな
る。

b）書くことで自分に語りかける。文の途中で急にばかばかしいとか間
違っているように見えて思わず手が止まってしまったら、それでも
あえて書き続け、その文章について言いたいことを自分に対して書
こう。なぜばかばかしいのか、もしくは間違っているのか、どうし
てそれに気づいたのか――何でもいい。私がスランプに陥らずに済
んでいるのは、何よりもこの行動のおかげだ。これが私の声とライ
ティングを解放してくれる。自分の本当の言葉を表に出さず、読者
向けに「用意した」言葉しか書かない――そんな壁をぶちこわして
くれる。

c）出だしでつまずかない。力ずくで書いてしまおう。私はどんな場
合にも使える出だしの言葉を無理やり使ってしまうことが多い。

例えば「そしてもうひとつ……」「問題は……」「私が言いたいのは
……」「そこで伝えたいのが」など。もっと良い出だしは最後に書
けばいい。

d）言葉に窮したら、目の前に話し相手か聴衆がいて、言うべきことを
30分で伝えなければならないつもりになってみよう。もちろん万
全な準備をしておくべきだったが、していないのだから、どこでも
いいからどこかを出発点にして、しどろもどろでも書き続け、なん
とか言葉にするしかない。時計を使って本当に30分と期限を切っ
て、自分に強制する必要があるかもしれない。このようなプロセス
を踏むと、15〜20分経ってから「よし、伝えようとしていたこ
とがいまになってわかってきた、話の要点が見えてきたぞ」とばか
りに書けるようになることがよく起こる。まさにこの状況に持ち込
みたいのだが、実際に身を投じてひたすら書くまでは、それは実現
しない。

e）いよいよ身動きがとれず、書くという行為そのものがさらなる雑音
を発生させていて、頑張る価値がないと思うなら、書こうとしてい
ることを口でしゃべってみてもいい。ただし厳密にやらないと効果
がない。時計を置いて、ちゃんと声に出し、目の前の人が聞いてい
て隠れる場所がないつもりで話し続けるのだ。

f）もし何をやってみてもまだ書けないなら、いま自分がやっているこ
とを「書いている」と呼ぶのをやめよう。机を離れて別のことをし
よう。書く気になるまでペンと紙を前に座らないように。あなたの
一部が書くことを拒んでいるのだ。もしその一部が強すぎて力を振
るっているのなら、その声を聴いたほうがいい。なぜ書くことを拒
んでいるのかを突き止めよう。「それ」は、あなたなのだから。

第 **4** 章

言葉の響きを
確かめよう
―――― ティーチャーレス・
ライティング・クラス

ここまで、ライティングはもっぱら自分自身とのやりとりであるかのように語ってきた。ライティングが孤独でもどかしい自分自身とのやりとりであるのはたしかで、私は実際にそのやりとりを増やしたい、あなたが自分自身ともっと向き合うのを手助けしたいと願ってきた。しかしライティングは他者とのやりとりでもある。ライティングは何かを紙にしたためるだけでなく、何かを他者の頭の中に届けることでもある。自分のライティングを上達させたいなら、他者ともっと向き合うすべも学ぶ必要がある。それが「ティーチャーレス・ライティング・クラス」の目的だ。

　あなたは、目が見えず耳も聞こえないとしよう。あなたはもっと上手に話したいと思っている。しかし永久の暗闇と沈黙の中にいる。自分なりに精いっぱいの言葉を発するが、返ってくる言葉はない。だが、自分の発言の良し悪しについて多少の手がかりは得ている。あるものを求めたのにもらえなかったとか、違うものをもらったなど。それによって、何か間違えたのだということはわかる。話し方の上達にもっぱら役立つのは、もらえていないものを知ることだ。それには、あなたの発言に対する直接のフィードバック——あなたが発する声に対していろいろな人がどう反応するかを実感することが重要だ。

　これが、自分だけでライティングを上達させようとした場合のイメージだ。自分の言葉が読者の中に何を起こすかがまるでわからない。あなたはライティング講座まで受講しているかもしれない。先生は自分から見たあなたの欠点と長所を教えてくれ、こうしてみなさいと提案してくれる。でも自分の言葉が先生に実際にどう働きかけたのか——先生があなたの言葉をどう捉え、体験したかは、ふつうはほとんどつかめない。しかも、先生はいち個人にすぎず、読者の代表というわけでもない。ライティングはあなたが他者の意識とつながるために送り出す糸だが、糸の先に何らかの感触を得る機会は、ふつうはない。釣り糸がいつもたるんでいる感じがしていたら、魚がかかったかどうかはどうしてわかるだろうか。

　ティーチャーレス・クラスはこの状況の改善をはかるものだ。それはあ

なたを暗闇と沈黙から連れ出す試みである。１クラスは７〜12人。週に最低１度は集まる。全員が他の人の作品を読む。全員が書き手一人ひとりに、その人の言葉を自分がどう体験したかを伝える。目的は、書き手が自分の言葉を７人以上の人を通して見て体験できる状態に、できるだけ近づけること。ただそれだけだ。

　ライティングを上達させるのに、何を変えるべきかのアドバイスは必要ない。何が良文で何が悪文かの理論も必要ない。あなたに必要なのは、あなたの言葉を読んでいる相手の頭の中に流れる映画だ。ただし一定期間——最低でも２〜３カ月必要だ。しかも２人程度ではなく、最低でも６〜７人の体験を手に入れる必要がある。また、同じ人から継続して手に入れることも重要だ。そうすれば、相手は自分の体験を伝えるのがうまくなってくるし、あなたも聞くのが上手になってくるからだ。さらに、毎週何かを書くことも欠かせない。たとえ目が回るように忙しくても、書くことが何もなくても、言葉が出てこなくても、何かを書いてそれを仲間の目を通して体験しようとするのだ。もちろん出来は良くないかもしれない。満足いかないかもしれない。でも、自分の会心作を人がどう捉えて体験するかを知るだけでは、大事な学びを逃している。自分でも気に入っていない作品に対する反応こそが、往々にして最も大きい学びとなる。あなたは書き方を学びたいのだろうか、それとも心が傷つかないようにしたいのだろうか。

　ここからは、ティーチャーレス・クラスの作り方と使い方をお伝えしたい。もしわからなくなったら、すべてはたったひとつのごく単純な目的のためにあることを思い出してほしい。それは、自分の言葉が目の前の読者に実際にどう体験されたのかを書き手に学ばせることだ。

*１　巻末の「付録2　ティーチャーレス・ライティング・クラスの際に覚えておくべきこと」にて、著者はもう少し基準を下げておこなう形式も提案している。

クラスの作り方

責任を持って取り組む人を集めること

　クラスがうまく機能するためには、同じ顔ぶれが毎週書いて参加する必要がある。作品に反応するのも人の反応に耳を傾けるのも、うまくできるようになるには時間がかかる。ティーチャーレス・クラスを使いこなせるようになるのはひと苦労だ。クラスを尻すぼみに終わらせてしまうことによってその苦労を避けるのはいとも簡単だ。だから、仲間が出席するはずだという前提が必要になる。

　いちばんの解決法は、何回かお試しでクラスをやってみて、みなに感触をつかんでもらうことだ。お試しのクラスを何度も開催して参加者を増やしていき、向こう 10 週間にわたって関わる意志が明確にある人を、最低 7 人確保しよう。その 7 人を確保するまでは本番のクラスを始めないこと。そして全員に参加の意志を表明させること。たった 10 週間ではあるが、これはきわめて大切な期間だ。

　本気で取り組む人のみに限定したほうがいい。さもなくば毎回来られるかわからない人まで入ってきてしまう。ただしそのうえで、注意点が 2 つある。ひとクラスを 13 人以上にしないことと、作品を提出したことのない人を入れないことだ。

どんな人を参加させるか

　友人、同僚など共通点の多い人を参加させる利点はわかりやすい。全員が同じタイプのライティングに取り組んでいる場合、お互いに理解しやすいからだ。

　しかし私はいつも多様性、つまりいろいろなタイプの人がいろいろなタイプのライティングに取り組むことの利点を支持している。多少の軋轢は生じるかもしれない。だがフィードバックはこちらのほうが優れている。詩人には自分の詩をビジネスパーソンに読んでもらう体験が必要だし、ビ

ジネスパーソンには自分の報告書を詩人に読んでもらう体験が必要である。それぞれが相手の書いたものに意味がないとか価値がないと考えるとしたら、それは損ではなく大チャンスだ。作品が他者に無価値だと思われる体験や、他者から見た作品の光る部分を知る体験は、誰にでも必要だ。詩人は他の詩人に作品を体験してもらう必要があるが、それだけでは反応の幅があまりにも狭すぎる。詩人は伝統という観点から、つまりその作品が過去の詩作品をいかに踏襲しているか／いかに離れているか、という視点に偏った反応をしやすい。人はひとつのジャンルだけに関わっていると、突き抜けたものが次第に見えなくなっていく。

何を書くか

　押さえておきたいのは、何かを書けている限り、それが何かは問題ではないということだ。クラスの厳しい参加要件はありがたいものと思おう。毎週作品を書かなければならないのだから、なかにはひどい出来のものがあると覚悟しよう。いまとは違う書き方をして、その新しいタイプの作品がどう体験されるかを知らなければ、ライティングは上達しない。新しい書き方を試して、その多くが恥ずかしい、ひどい、あるいはぞっとするようなものでなければ、挑戦する意味はない。だがその挑戦によって、2通りの意外な発見があるだろう。まず、気に入らないと思っていた文章の中に、やがて優れていると気づくものが見つかるはずだ。そして、あなたのライティングを最も上達させてくれるのは往々にして、出来の悪い作品——書き直す時間があれば人には見せていなかった作品——に対する反応であるということだ。

　何を書くかを決めるには、自分がいちばん良いと思う手順を使えばいい。同じ種類の作品を繰り返し書いてもいいし、同じ作品に何度トライしてもいい。まったく違う種類のものに挑戦してもいい。ベストな方法や正しい方法などというものはない。書きたいという思いがあるなら、おそらく書きたいと夢見ている分野があるだろう。それを書けばいい。あるいは最初

に取り組むべきだと感じている別の何かがあるなら、その感覚に従おう。

　いつまでも書くことが思いつけずに困っているとしたら、自分の中に書くことを妨げようとしている何かがあると疑うべきかもしれない。ただし、書くのがおろそかになるほど自分の心理分析に時間を使いすぎるのは避けよう。

書くことが見つからず立ち往生している人への
いくつかの提案

　10分間のフリーライティング・エクササイズがおそらくこの問題から脱け出すベストな方法だ。第1章を参照のこと。

　観察の対象を作るために紙に言葉を書き出そう。これが、その言葉に効果があるかどうかを判断する現実的で具体的な方法になる。例えば返金を求める手紙を書く。新聞に投稿する手紙を書く。誰かに声を出して笑ってもらえるくらい面白いものを書く。誰かをデートに誘い出す手紙を書く。気分が実際に切り替わるような日記を書く。書いたものが良いか悪いか、正しいか間違っているかを考えるのをやめてみよう。それよりも、効果があったのかなかったのかに注目するのだ。

　授業や仕事など別の目的に必要な文章を提出しよう。仲間の反応をもとに改善できるよう、まずはティーチャーレス・クラスで試してみるといい（注意点として、仲間は自分が文章をどう体験したかをあなたに伝えることに主眼を置いていて、文章の直し方を伝えようとしてくれるわけではない。仲間が自分の捉え方を教えてくれたら、あなたは後で文章の直し方を判断できる）。

　あなたにとって意味の大きい人物、場所、出来事について描写しよう。

　そのような人物、場所、出来事を、いつもと違う角度から描写しよう。例えばその場所について、自分は目が見えず、他の感覚器官を通じてしか知らないつもりで。その人物に一度しか会ったことがないつもりで、あるいは本人が語っているかのように。その出来事が実際には起きておらず、想像しているだけであるかのように。

　気分がはっきりと自覚できているときに対象を描写しよう。あるいはその気分になっているつもりで。あるいは特定の気分のときに書こう。作品の中ではその気分に触れず、読者にどんな気分が伝わってくるかを教えてもらおう。

　知っている誰かの声で書いてみよう。その人の声やしゃべり方、書き方についてあまり考え込まず、その人の頭の中に入ったつもりで紙に向かって話しかけるだけでいい。読者には誰のことか教えないように。読者に聞こえる話し手の像を語ってもらおう。

　2人か3人の対話か会話を書こう。ここでも、その声の内側から書くことを試みて、読者には自分に聞こえるままの声について語ってもらおう。

　物語、映画、写真の中の登場人物や物について書こう。

　大事な手紙を書こう。定番は親に文句を言う手紙。あるいは感謝の手紙。

　自分にとって重要だが定義しづらいものを定義してみよう。**ヒント**：それに似たものとはどこが違うか。それは何の一部か、あるいは何に属するものか。それを構成する部分はどのようなものか、それに属するのはどのようなものか。

　あなたがそれを本当に信じているのだと読者に思わせるように、自分の信条や信念を伝えよう（徴兵委員会に良心的兵役拒否者の資格を申請するにあたって必要なことだ）。これは相手にそれを信じさせようとすることと同じではない。

意見の異なる相手を説得するために、信条を述べたり議論を展開させたりしよう。説得は不可能なことが多いのを念頭に置いたうえで。

　詩を書こう。**ヒント**：気に入った詩を見つけて書き換えてみる、翻訳する、同じ感じの詩を書く。その詩が別のトピックについて、あるいは別の感情を表現したものだったらと想定して書く。同じ詩人が書きそうな別の詩を書いてみる。その詩人が自分だったら書いただろう詩を書く。ある曲に言葉を合わせてみる、あるいは歌詞を付ける。愛の詩を書く。

作品のコピーを配布すべきか、それとも朗読するか

　どちらにも良い面がある。コピーを配布すればクラスの時間が節約できる。黙読するほうが早いし、立ち止まって考えたり、前に戻ったり、注意深く読んだりできる。長い作品なら家に持ち帰って自宅で読んでもらうこともできる。このやり方はあなたが思うよりも実現可能だ。コピーは安価にできる場合が多いし、そのコピー紙に簡単に書き込みもできる。メンバーが自分の作品のコピーを１部ずつ配り、クラスが始まる前に全員にじっくり目を通してもらうこともできる。

　だが朗読もまたいい。作品を声に出して読むと、他のやり方では見えなかったものが見えることが多い。自分の言葉を耳で聞くと、他者の身になって体験することができる。自分の言葉を声に出して読むと、いちばん大事なことが浮き彫りになる。それは、文章とは空間に広がる記号ではなく、実は時間に広がる声だということだ。絵と違って、読み手は文章を一度に体験することができない。音楽のように、一度に一瞬ずつを聞くことしかできない。だから、文章の中には声がなければならないのだ。

　朗読すると、自分の言葉が聞き手に与える効果がもっとよくわかる。聞き手は「注意深い」「正しい」「客観的な」反応をしようと前に戻って確か

めることができないからだ。例えば説明を書き込んであるのに「詳しい説明がない」と言われたり、念入りな構成を持たせているのに「まとまりがなくてよくわからなかった」と言われたりするかもしれない。だがそこがいいのだ。あなたは説明や構成がその読者には効果がなかったと知る必要がある。理想の読者に伝わるかもしれないことより、現実の読者に実際には何が伝わったのかを知るほうが大事だ。コピーが手元にあれば正しく理解できたかもしれないことを聞き手が誤解したとしたら、その人の誤解はおそらく、作品の中に実は意図に反する部分がある証拠だろう。意図に反するその部分は、コピーが手元にあってもっと注意深く読める読者にも作用するかもしれない。でも読者はそれを感じてはいないため、漠然とした不満や誤読という、もっと不可解な形となってあなたに返ってくるのだ。

　朗読するときに感じる不安は、書く際に生じる問題の一部だ。書いている最中にはその不安を感じないとしても、それはあなたが人に聞かれる体験と書く体験を切り離しているからにすぎない。それでも聞き手への恐怖は何らかの形であなたに影響を与えている。書こうと机の前に座ったとき、その恐怖のせいで言葉が出てこなかったり頭がうまく働かなかったりするかもしれない。あるいはそのせいで特定の種類の文章が書けないかもしれない。朗読は聞き手がいるという感覚をあなたのライティングに取り戻してくれる。それは大きな力の源だ。聞き手がいるという感覚を持つことは、相手がどう反応するかという恐れに対する訓練になるだけではない。聞き手が実際にどう反応するかを知ることでもある。自分がいちばん恐れていた反応——極端な批判とか極端な賛辞——をついに受けると、ほとんどの人は解放される。だからといってこの世が終わるわけではないとわかるからだ。

　しかしクラスで朗読するときには、必ず2回読んで、読んだ後に最低1分間おき、聞き手の中で印象が定まる時間を作ろう。

クラスの時間

定期開催し、時間を守ろう。そうしないとトラブルのもとになる。

どれくらい時間をかけるかについては、7人がそれぞれ短い作品をどう捉えて体験したかを書き手に伝えるために、書き手ひとりあたり15〜20分あれば十分だ。つまり8人のクラスなら週に2時間〜2時間半あればいいだろう。参加者に時間がとれれば、さらに時間をかけても面白く有益かもしれない。

だがこのようなクラスのプロセスとして大事なことは、得られるものを得たら先に進むことだ。言葉をどう体験したかを伝えたり聞いたりするのは、どれだけやってもきりがない。ひとつの作品に時間をかけるより、このプロセスに全員が慣れるように回を重ねよう。長期的な視点で考えよう。参加し続けるのがつらくなるほど一回のクラスに時間をかけないように。それにどんな学習プロセスを使おうと、2〜3カ月足らずでは通常、ライティングを劇的に上達させることはできない。書けるようになるための学習とは、時間をかけて見えないところで学びが進行するエクササイズなのだ。

司会役

司会やリーダーがいるとクラスの進行が円滑になる。司会は時計を見ながら全員の作品に時間が公正に使われるよう配慮し、メンバーの発言が多すぎる／少なすぎるといった非生産的な癖を克服するよう手助けするなど、全般的に目を配る。それによって参加者の安心感を強められる。

とはいえ、司会なしでもクラスの運営はできる。各人の負担は増えるが、クラスの運営にもっと責任を持とうという参加者の意識を高めることにもなる。どちらを選択するにせよ、司会をつけるかどうか、誰を司会にするかを定期的に見直す手順を設けておこう。

クラス自体への感想の共有

　毎回最後の５分間を、作品に対してするのと同じように、クラス自体への感想を共有する時間にあてよう。その日のクラスをメンバーはどう捉え、どう体験しただろうか。自分の中で起きた反応は口頭で伝えてもいいし、全員で５分間のフリーライティング・エクササイズをおこなって書いたものを回し合ってもいい。不満を実際に解消するための時間とは考えないこと。ライティングに対するのと同じ学びの原則がここにも当てはまる。大事なのは捉え方と体験を共有することであり、どう直せばいいというアドバイスではない。こうすると時間はかかるが、問題がよりうまく解決する。

頭の中に流れる映画を共有する

　読み手として感想を伝える際は、読んだページ上の言葉の客観的な性質について、時を経ても変わらない理論的な答えを出そうとしているのではない、ということを念頭に置いておこう。あなたが求められているのは、時間を限った、主観的だが事実に関する答えだ。つまり今回、この言葉を読んであなたの中で起きたことについてなのだ。

指摘する

　まずはあなたの頭蓋骨を最もうまく突破できた言葉やフレーズを指摘しよう。それは大きく音で聞こえてくる／その人らしい声に聞こえる／エネルギーに満ちている／真実味を帯びている／特に説得力がある、などと感じられたものだろう。どんな形であれあなたの心に届いたものだ。手元に作品があれば、私なら読みながらそのような言葉やフレーズ（もっと長い一節でもいい）に下線を引いていく。そのような言葉を覚えておければ、後で感想を伝える際に、どのように自分の心に届いたのかを発言しやすくなる。朗読を聞く場合は、聞き終わってからどんな言葉やフレーズが頭に

残ったかを振り返る。私なら朗読後にとられた沈黙の時間に、記憶としてよみがえった言葉やフレーズを書きとめるかもしれない。

　特に弱い、あるいは空疎だと思った言葉やフレーズも指摘しよう。どこか嘘っぽい／中身がない／作り物のようだと感じる言葉だ。それらはむなしくも、あなたの頭蓋を通ることができず、弾かれてしまったのだ（私は読みながらその部分に鉛筆で波線を引く）。

要約する

次に作品を要約する。

　　a）まず、自分が要点、メインとなる感情、重心だと思ったものをごく手短に伝える。頭に浮かんだことを15秒で話せばいい。例えば「そうですね、とても悲しいと感じました。主要な出来事は死だと思います。えーと……でも彼女が言ったジョークはとても印象的でした。たくさんの服についてのね」のように。

　　b）次に、その感想を一文に要約する。

　　c）そして、作品の中から内容を最もよく要約している一語を選ぶ。

　　d）それから、作品では使われていない一語で要約する。

　これを形式ばらずにおこなおう。計画を立てたり考えたりすることに時間を使いすぎないように。目的は、作品の何がいちばんあなたの印象に残ったか、あなたの意識にどのような像が結ばれたかを書き手に教えることだ。これはあなたが作品内の言葉を書き手の意図どおりに正しく解釈したかどうかを確認するテストではない。あなたなりの解釈が芽生えるように、言葉があなたにしっかり届いたかどうかを確認するテストだ。作品に使われていない言葉を使うように心がけよう。そうすることによって、同じ言葉のオウム返しではなく、あなたの捉え方と体験というフィルターを通した反応が書き手に伝わる。また、このテストを1週間後にもやってみよう。

書き手の先週の作品についてあなたが何を覚えているかを伝えるのだ。

　指摘と要約はあなたの捉え方を伝えるいちばん単純な方法であるだけでなく、最も失敗がなく最も有益な方法でもある。必ず指摘と要約から始めよう。もし無難なやり方でクラスを確実に成功させたい、クラスにかけられる時間が非常に短い、あるいはクラスがうまくいかなくなりかけているという場合には、この後のフィードバック法はすべて割愛しよう。

話して伝える

　作品の言葉を注意深く読もうとしたとき自分に起きたことを、すべて素直に書き手に話そう。通常は感じたことを順を追って話すのがいちばんやりやすい。最初にこうなって、次にこうなって、それからこうなって、という具合だ。実際のクラスを録音したものの中から、話し方の例を2つ紹介する（ひとつは物語について、もうひとつは詩について）。

> 　グレーのスーツの男性と、あなたの周りに集まった男性たちについて、混乱しました。警官と護送官なのかな。最初はグレーのスーツの男性が警官だと思ったけど、後から、逮捕されても堂々とした態度の人なのだと思いました。そこは確信が持てません。それから一箇所に集まってきた男性たちが出てきましたね。かなり早くに。その人たちは警官かなと感じたけど、幻想のシーンと区別できるように描いてほしかったです。あなたが読んだところで一箇所、階段を下りているシーンだったと思うけど、花嫁の父親とドレスのくだりは全部、溺れかけているときによぎるという人生の走馬灯のような、一瞬の幻想みたいに感じました。私はそれが、女の子、いや女性特有の通過儀礼のようだと思いました。親や、社交界や、夜会服の過去と決別して、新しい人生に入るための。そして、ただただ驚きました。あなたがああいう描写をするとは意外でした。とても良かった。その後で、あなたが集まってきた男性

たちについて朗読したとき、なぜだか警官だと感じて。もしもう一度聞いたら必要ないと感じるかもしれないけど、朗読を聴いたときには、男性たちを青いスーツにするとか、何か対照的な描き方をしてほしいと思いました。他の読者にとっては必要なかったかもしれないけど。

宴席の歌のくだりはとても楽しめました。でも、人が初々しい花嫁から口うるさい古女房になるまでの人生の歴史のように感じられました。ある意味、社会批評と感じました。人が大人になり、夢見る夢子さんからパブの太ったホステスになる。年齢にともなうその変化がとても良かった。作品全体が、映画ならこういう展開になると思うんだけど、人の一生が凝縮された形で語り直されたもののように思えました。

「ワン・ツー」という言葉が出てくる中間のセクションまで作品に入り込めませんでした。最初の2つの連を読んでみて、うーん、あまり動きがなかったと思います。正直、ちょっと言葉が凝りすぎ、ちょっとあざといと感じて、「この考えは素敵、あの言葉も素敵、だけど自分はついていけない、入り込めない」と思ったのを覚えています。でも最初に読んだときも、「ワン・ツー」のところまで来たらぱっと理解できました。この部分はなぜか私の注意を引いたんです。言葉がぐんぐん迫ってきて、すごく、がっちり心をつかまれました。問いかけとして真剣に聞き入りました。でも私にとってこれは、さっきメアリーが言ったような、感情から距離を置いた論理的なものではありませんでした。そこまで論理的には感じなかった。一種の問いかけみたいなものかな。あなたの感情を、面白く、数字を使って、論理的っぽい形に盛り込んでいるみたいな。でも訴えかける力がすごくある。私は「言葉にすごくリアリ

ティがある」とメモしました。何か心を動かされる。論理的だとは思いません。執拗に力強く訴えかけてくるものだと感じます。

それ以降は好きです。最後まで、いいなと思いながら読みました。2ページ目に進んだときには1ページ目と同じものとは思えなかった。「前よりずっと好き」とメモし始め、比較するために1ページ目に戻ったら、2つのページの一貫性に気づきました。つまり「ワン・ツー」のところから、この作品が私に本当に刺さって、引き込まれたんです。言葉が頭に入ってきました。「水の兄弟たち永遠に」という行はいまだにどう解釈すべきかよくわからないけど、想像力はかき立てられます。

そして、最後の3行。筆跡も様式も違う。これも訴える力がありました。「君にわかるか」。この言葉は女の子に言っているのではなく、あなた自身、あるいは読者、あるいは何かへの問いかけととりました。叫びみたいな。でもただのむなしい叫びではなく、働きかける力のある叫び。

それから、また読み返しました。そして1連目が最後の連と同じと気づき、なぜ最初はあまり気に入らなかったのか考えました。そのときようやく、あなたが2連目にちょっとした巧妙な仕掛けを施していることを発見しました。1連目を、1行ごとに新しい行を差し挟みながら繰り返していたんですね。アイデアとしては良いと思ったけど、言葉に関しては私には響きませんでした。つまりこのパターンに気づいてからは、パターンは気持ちいいと感じました。こういうパターンは面白いと思う。でも言葉はやはり好きになれない。特に「彼女のものなんでなおさら」という行、これは気に入らなかった。「(彼女のもの)なのだから」を「(彼女のもの)なんで」と略しているのは、私からするとあざとくて引っかかったんだと思います。些細に見えるけど、正直な気持ちです。なぜかわからないけど、とにかく嫌。「尋ねよ、さらば見出さん」も、「ワン・

145

ツー」のパートで気に入らなかった弱い部分かもしれない。最終
的に作品全体は詩として本格的だと思いました。

　話して伝える際に大事なのは、作品の話自体から逸^それすぎないことだ。
人は自分の話に終始して時間を浪費してしまうときがある。しかし逆に、
自分の話から離れすぎてしまうことにも気をつけよう。それではあなたが
完璧に客観的で私心のない批評家であるかのように振る舞うことになって
しまう。

　伝えやすくなるヒントとして、自分が装置につながっていて、脈拍、血
圧、脳波はもちろん、自分の中に生じたイメージ、感情、思考、言葉まで
何もかも記録されているつもりになってみよう。自分にあらゆる記録装置
が装着されていて、自分は機械から印刷されてくる記録を読み上げている
だけ、というつもりになろう。

見えるようにする

　何かを読んでも、あなたの捉え方と反応の中には、完全に意識化できず、
そのため「話せない」ものがある。それはごくかすかなものなのかもしれ
ないし、満足のいく言葉が見つからないのかもしれないし、何か別の理由
があって意識できないのかもしれない。でも、そのような捉え方と反応は、
話すことはできなくても、これから紹介するメタファー・エクササイズを
使う気があれば見えるようにすることができる。最初は慣れなくて難しい
と感じるかもしれないが、ふだんから使っていれば、通常なら手の届かな
い自分の中の知を利用できるようになる。

１．作品について、**声**を描写するように話す。例えば、ここは「叫んで
　　いる」「ぼやいている」「ささやいている」「厳しく説教している」「単
　　調に語っている」「うわの空で語っている」など。全体だけでなくパー
　　トごとにもこのような言葉を当てはめてみよう。

2．作品について、**天候**を描写するように話す。例えば、ここは「霧が
立ち込めている」「晴れ渡っている」「突風が吹きすさんでいる」「霧
雨が降っている」「寒い」「空気が澄んでいる」「さわやか」「蒸し暑
い」など。全体だけでなくパートごとにもこのような言葉を当ては
めてみよう。

3．作品について、**動き**または**移動**を描写するように話す。例えば、こ
こは「行進している」「登っている」「這っている」「転がっている」
「忍び足で進んでいる」「ぶらぶら歩いている」「疾走している」など。

4．**服装**や**髪型**で。例えば、「ジャケットとネクタイをしているみたい」
「ブルーデニムを着ているみたい」「埃と汗まみれのシャツを着て
いるみたい」「ミニスカートをはいているみたい」「きれいに撫でつ
けた髪をしているみたい」など。

5．**地勢**で。「山が多い感じ」「砂漠にいるみたい」「柔らかい草原にい
るみたい」「森林にいるみたい」「ジャングルにいるみたい」「森の
中の空き地にいるみたい」など。

6．**色**。全体の色は？　各パートは？

7．**形**。

8．**動物**。

9．**野菜**。

10．**楽器**。

11．**体**になぞらえる。どんな体だろうか。どのパートが「足」「手」「心
臓」「頭」「髪」なのか、など。

12．その作品が別の作品から魔法のように進化したものだと考えてみよ
う。そしてやがて、これもまた別の作品に進化する、と。作品がど
こから出てきて、どこに向かうのかを話そう。

13．この作品で書き手が何を意図していると思ったか、あなたの考えを
述べよう。それから、書き手が抱いていたかもしれない何か途方も
ない意図を考えてみよう。

14. 書き手はこの作品を、本来考えていたまったく別の何かの代わりに書いたと想定してみよう。書き手が本当はこれを考えていたのではないか、と思うものを推測したり空想したりしよう。

15. これを書く直前に書き手が非常に重要なことをおこなった、あるいは非常に重要なことが書き手の身に起きたと想定しよう。作品からはわからない何かだ。あなたが考えるそれを話そう。

16. その作品を書いたのは会ったことのない人だ、というつもりになってみよう。その書き手がどんな人か推測したり空想したりしよう。

17. 作品は自在に形を変えられる粘土である。その粘土であなたなら何をするかを話そう。

18. 作品に対して自分とはまったく異なる反応をする別の誰かのつもりになろう。その人物による作品の捉え方と体験を話そう。

19. 作品があなたの中に呼び起こした絵をざっと描いてみるか、いたずら書きしてみよう。ペンを持ったその手だけが作品を受け止めたつもりになろう。その手を動かしてみよう。

20. 作品が呼び起こした音を出してみよう。あるいは作品の音を真似してみよう。パートごとに違う音があるだろう。

21. 作品を口で再現してみよう。つまり、誰かが隣の部屋で、聞いたことのない言語でおおげさに朗読していたら聞こえてきそうな音を表してみよう（30秒ほどに凝縮して）。

22. 作品もしくは作品の各パートが呼び起こす動きを体で表現しよう。音と動きを組み合わせてもいい。

23. 作品について10分間のフリーライティング・エクササイズをおこない、書いたものを書き手に渡そう。

24. 作品を横に瞑想をおこない、何が起きたかを書き手に話そう。作品について考えてはいけない。むしろ頭を空っぽにしつつ、同時に作品に対して完全に心を開こう。噛んだり味わったりせず、音を立てずに丸飲みするような感じだ。

悩んではいけない。言葉が素直に出てくるにまかせよう。
意味をなさなくても、頭に浮かんだことを言おう。
そして最初の数週間は、満足な結果を期待しないこと。

　いま挙げた「見えるようにする」ための手順は、おじけづく気持ちを
乗り越え、一度に２〜３個実行しないとあまり役に立たない。そこで私
は、クラスの最初の４回では、これらの間接的なメタファーを使った説明
を、作品ひとつにつき最低２つ実行するのを決まりとしている。最初は当
然、変に感じて落ち着かないだろう。実は私がこれをはっきり必須条件と
する理由は、お試しのティーチャーレス・クラスで参加者が恥ずかしがっ
て使おうとしないことがあるのに気づいたからだ。参加者がこれを使った
別のクラスではほぼ全員が楽しんでやるようになり、有益だと思ってもら
えた。

　悩んではいけない。言葉が素直に出てくるにまかせよう。意味をなさな
くても、頭に浮かんだことを言おう。そして最初の数週間は、満足な結果
を期待しないこと。

　話して伝えることと見えるようにすることの関係は次のように考えると
わかりやすい。話して伝えることは、報告できることを探して自分の内部
をのぞくようなもの。見えるようにすることは、頭のてっぺんに窓を作っ
てお辞儀をし、書き手の目で見てもらうこと。読みながら頭の中で起きた
ことを覚えておこうとする必要はない。お辞儀するだけでいいのだ。見え
るようにするほうが伝わる情報量は多いが、より雑多で漠然としている。

読み手へのアドバイス

作品をしっかり読む機会を確保する

　しっかり読むまでは感想を伝えてはいけない。クラスで黙読する場合は
必ず時間を十分にとって、考えながら２回読み、１回読むごとに時間を置
いて、言葉が心にしみ込んで印象が定まるようにしよう。あせらないこと。
書き手が朗読する場合は、必ず２回読んでもらい、１回読むごとに最低
でも１分間沈黙の時間をとろう。早口すぎたり声が小さかったりしたら、

いったんストップしてもらおう。緊張している書き手は無意識に誰にも聞こえないように読もうとする。そうさせないように心がけよう。

読み手がひとりずつ反応を伝えるか、同時に伝えるか

ひとりの読み手が自分の頭の中に流れる映画を完全に共有した——指摘し、要約し、話し、見えるようにした後で次の読み手が話し始める、という方法には利点がたくさんある。こうすると書き手は単なる雑多な反応ではなく、読み手一人ひとりの体験の全体像がつかめる。しかし反面、特に最初の数週間は、全員が口々に反応を言えたほうが読み手にとっては楽な場合もある。あるいは全員が指摘をしてから、次に全員が要約をして——という進め方もありだ。正解はない。いろいろ試しながらあなたのクラスにとっていちばんうまくいく方法を見つけてほしい。

人真似にならないように気をつける限り、最初と異なる反応を後から話すのもいい。他の人の発言を聞くことで、自分も同じように捉えていたのに気づいていなかった、と思い出すかもしれない。その人と同じでもいいので、手短に伝えよう。その反応がよくあるものなのか珍しいものなのかを、書き手は知る必要があるからだ。誰かがあなたとは異なる捉え方や体験を伝えるのを聞いて、あなたがそれに強く共感する場合もあるかもしれない。それによってあなたの捉え方や体験が打ち消されたり、取って代わられたりするかもしれない。その変化を伝えることも大切だ。

他の人の反応に対して争わない

誰かがまるで非常識に思えるフィードバックをしても、心を開いて耳を傾けよう。その人の体験を追体験してみよう。作品に対してあなたに見えているものは本当に存在するが、それがその人には見えていないのかもしれない。でも、その人が見ているものもまた実際に存在するのかもしれない。たとえそれがあなたの見るものと相容れなくてもだ。言葉が受け手によって異なる意味や効果をもたらすことはよくある。突拍子もない反応を

する人が見ているものは作品の言葉の中心的な内容ではないかもしれない
が、その人独自の気分、気質、体験のせいで、あなたが見ているものがそ
の人には見えないのだ。逆にあなたの立場からは、その人が見ているもの
が見えないかもしれない。あなたが見る目を磨く唯一のチャンスは、一見
すると非常識なその人の観点を真面目に受け止め、その人が見ているもの
を見ようとすることだ。そうすることで、その人もあなたの視点を持とう
とするようになり、読み手としての力をつけるのに役立ててもらえるかも
しれない。

パートごとに反応を伝える

　作品全体への全般的な反応だけで終わらせないようにしよう。パートご
との反応を伝えるには特別な努力が必要かもしれない。困ったら、振り返っ
ていちばん記憶に残っている文章に目をとめよう。それを指摘するのだ。
なぜそれが記憶に残っているのか、なぜ目についたのか、それをどう捉え、
体験したのかを伝えてみよう。それについて「見えるようにする」エクサ
サイズをしよう。読んだ自分に何が起きたのかを、例えば「まずこうなっ
て、次にああなって」のように伝えるとき、作品の具体的な場所を指摘す
るようにしよう。

間違っている反応というものはない

　不十分な反応はあるかもしれないが、間違っている反応というものはな
い。それだけを見た場合、書き手にあまり役立たないタイプの反応はある。
しかしもっと大きな絵の一部――「あなたという人間が書き手の言葉を注
意深く読んだ」という物語全体の一部として見れば、そのような反応も有
益だ。だからいかなる反応も言い控えるのではなく、むしろもっといろ
いろな反応を盛り込もうと心がけよう。あなたの中で起きたことであれば、
それを話そう。クラスの参加者が言い控えようとした反応をいくつか紹介
する。

１．本書の初期の草稿を読んだあるクラスは、読み手の役割は「書き手が何を書いたか」ではなく「どのように書いたか」について語ることだ、という印象を受けていた。だがそうではない。クラスがやるべきは、書き手の言葉が現実の人々にどう働きかけるかを明らかにすることだ。内容は書き方と切り離せない。書き手の言っていることに異論があるなら、本人に伝えよう（ただし書き手と口論にならないように）。「スタイル」と「中身」を区別する必要はない。読んだ自分に何が起きたかを話せばいい。

２．風変わりな反応。ばかげた部分を取り除いて「分別のある」反応だけを伝えようとしないこと。むしろ非常識なことを誇張気味に伝えたほうが有益だ。書き手がフィードバックを先生の話を聞くように聞いてしまう癖を捨てるのに役立つ。そうして書き手は、自分が聞いているのが公明正大な判断、結論、アドバイスではなく、あるひとりの人間の捉え方と体験にすぎないことをおのずと理解するようになる。そしてあなたも、自分が神や誰よりも優れた批評家になろうというのではなく、おそらく自分以外の人にはないものの見方を提示するひとりの人間にすぎないことをおのずと理解するようになる。あなたの風変わりな反応によって、他の読み手も自分ならではの反応を伝えやすくなるだろう。

３．アドバイス。アドバイスそのものとしての価値ではなく、「書き手の言葉をあなたがどう体験したか」の全体像の一部として価値がある。わざわざアドバイスすることを探そうとか考え出そうとしてはいけない。しかし、あなたと書き手の言葉の相互作用によってアドバイスしたい気持ちが生じたのなら、その感覚は書き手が知るべきものだ。読む人全員をアドバイスしたい気持ちにさせる作品がある

一方で、ずっと出来が良くないのにまったくアドバイスしたい気持ちを起こさせない作品もある。そういう事実を書き手は知る必要がある。

　アドバイスから、その裏にある自分の捉え方や体験にあなた自身が導かれるようにしよう。「ここを変えては」とアドバイスしたい気持ちが、自分がその言葉をどう体験しているのかを知る唯一の手がかりになることが私は多い。なぜその変更をしたいのかを自問すれば、さかのぼってその言葉に対する興味深く有益な捉え方に自分を導くことができる。

4．評価。アドバイスと同様、評価そのものに価値はない。評価をひねり出そうとしてはいけないが、逆に評価したい自分を止めるためにエネルギーを浪費してもいけない。評価して、その評価の裏にある自分の捉え方と体験を知ろう。例えば、教師は論文の成績評価を3日もやると、論文に対して自分がどの成績を付けたいかという反応しかできなくなることがある。だからといって（必ずしも）Bマイナスの評価を付けた裏に豊かな捉え方が隠れていないというわけではない。このような状態の教師がティーチャーレス・クラスに参加するとしたら、Bマイナスという評価からスタートして糸をたどり、その裏に隠れている反応をすべて見つけようとすべきだ。してはならないのは、自分が付けた評価の陰に身を隠して、自分の本当の体験を話さないことである。

　対象について判断を下さずには読めない人もいれば、めったに判断を下さない人もいる。書き手は両方のタイプの読み手の感覚を知るのが望ましい。さらに面白いことに、作品によってはどういうわけか読み手の判断を呼び寄せるものがあり、そのような作品に対しては全員の反応に判断がはっきりと出る。それに対して、評価するような発言はまったく出ずに詳細な反応がもらえる作品もある。

例外事項がひとつ。クラスの最初の3〜4回では、ネガティブな評価を禁止するのがいいと私は考えている。メンバーがクラスに慣れれば、どんなに強いネガティブな評価もうまく処理し、気に病まずにそこから学ぶことができる。しかし最初のうちは不必要に動揺してしまうことがある。4週間は、気に入らなかった部分については話さずにおくとやりやすい。

5. 理論は事実に比べて価値が低い。しかしこの2つを区分するのは難しい。書き手の言葉を読んで自分の中で何が起きたかを話すとき、あなたは書き手に「事実」を話している。書き手になぜそれが起きたか——なぜここで退屈し、あそこで混乱したのか——を話す場合、あなたは言葉の働きやあなたの心の動きについての「理論」を話していることになる。理論より事実のほうがずっと信頼がおける。「形容詞が多いと必ず作品がつまらなくなる」というのは「事実」ではない。「受動態は必ず弱い」というのは「事実」ではない。「抽象概念は必ず曖昧だ」というのは「事実」ではない。「例を使えば必ずわかりやすくなる」というのは「事実」ではない。ライティングでは何でもありなのだ。

　　ある形容詞にあなたが退屈したとしたら、それは重要だ。ある一節をあなたが弱いとか曖昧だと感じたとしたら、それは重要だ。ある例に理解が助けられたとあなたが感じたとしたら、それは重要だ。理論ではなくあなたに起きたこととしてそれを話そう。形容詞の多さ一般について、受動態一般について、抽象概念一般について、例一般についてのあなたの判断にはたいした価値がない。あなたに限らず、誰の判断にもだ。

　　やっかいなのは理論と事実を分けるのが難しいことだ。あなたの最も優れた事実が、あなたのあやしげな理論をとうとうと述べているときにしか出てこないから、というだけではない。あなたのすべ

ての事実が、おそらくあなたの理論に多少なりとも染まっているからだ。もしあなたが華美な文章は一般的に弱いと考えているなら、おそらくその持論に影響されて、華美な文章をすべて弱いものとして体験してしまう。だからあなたは自分の理論を示したほうがいい——書き手があなたの反応をどの程度信用していいのかがわかるように。ここでも先ほどと同じことが当てはまる。あなたの理論そのものに価値があるわけではないが、あなたがどんな人間としてその人の言葉を読んだか、書き手の参考にはなるのだ。

6. 一見すると的外れな反応。例えば、「読みながら私に考えることができたのは、明日何をしようかということだけでした」(あるいは昨日したこと／ここはなんて暑いんだろう／このテーマは自分にはつまらなかったという事実、など)。「こんなのは言葉をどう捉えたかのフィードバックじゃない、むしろ言葉を捉え損ねたのでは」とあなたは言うかもしれない。それでもこのような反応を伝えることは大切だ。肝心なのは、あなたがその言葉を読んだときに生じたのがこうした反応だったということであり、あなたがやるべきは何が起きたかを話すことである。あなたが言葉に対してそれ以上の捉え方ができず、気持ちがよそに行ってしまったのはあなたの「落ち度」かもしれない。あなたはもっと努力すべきなのかもしれない。だが誰の落ち度か犯人探しをしても意味がない。大事なのは、書き手があなたの心に届けるつもりで紙に記した言葉が目的を果たさなかった、という事実だ。読み手が異なっても、作品の同じ箇所で気持ちがよそに行ってしまうことはよくある——それは、その箇所の何かがおかしいのかもしれない、という手がかりになる。

　このようなクラスでは、最初にこうした的外れな反応がたくさん出るかもしれない。みんなが反応を伝えることに慣れていなかったり、反応を伝えることに対して過剰に意識してしまっていたりする。

朗読に耳を傾けるのが落ち着かなかったりもする。それでも、そういう気持ちになったとしたら、そのことを話そう。その気持ちをいったん吐き出してしまえば、的外れな反応の裏に隠れていた別の捉え方に気づけるだろう。

　しかし的外れとされる反応の良いところは、このような副次的な効用だけではない。多くの場合、それ自体が優れたフィードバックなのだ。基本的な事実として、口頭で発した言葉のほとんどは相手に届かない。言葉と人の相互作用はもっぱら、そこに込められたアイデアや体験が途中で取りこぼされるか、霧の向こうからかすかにしか聞こえないというのが実態である。人は聞いているように見えても、実は相手の口が動いているのを見て、状況や相手の表情から何を言っているのか推測しているだけだ。この根本的な事実を多くのクラスが無視しようとしていることに私は気づいてきた。読み手は書き手に自分の捉え方や体験を話そうとするが、言うことを無理に引っ張り出したり探し回ったりでっちあげたりしている。「あなたの言ったことがちゃんと聞こえてこなかった」という最も価値のある反応を、あえて伝えようとはしない。書き手ならそんな反応をもらうのは嬉しくない。でも、実はそうではないかと内心思っていたことをはっきり知るほうが、結局は気持ちが軽くなるのだ。

間違った反応というものはないにしても、よく読む努力をしよう

　クラスでは単なるものぐさ、ずぼら、受け身——つまり読み手として手抜きをしていいわけではない。私がテープで録音を聞いたあるティーチャーレス・クラスで、男性が女性のエッセイについてこんな発言をした。「1段落目以降、読むのをやめました。もううんざりと。私には『サンデー・タイムズ・マガジン』誌に載るようなエッセイに見えました。こういうものを読みたいなら私は『サンデー・タイムズ・マガジン』で読むと思う」。ここには、1段落目を読んで彼の中で何が起こったのかについてしっかり

述べられている。有益な発言だ（聞いて気持ちのいいものではないが）。彼は
なぜ作品に腹が立ったのかを説明していないが、それはかまわない。自分
の心理分析をしたり、言葉の働きについて理論を立てたりするのは彼の役
目ではないからだ。彼は自分の反応を1段落目に集中させた。それはいい。

　問題は、残りを読まなかったことだ。これはよくない。彼はその先を読
むべきだった。そうしたら彼の反応は変わっていただろう。たとえ変わら
なかったとしても、反発した読者の捉え方が書き手にとって有益であるこ
とは忘れないでおこう。

　私が大学で文学の授業をとったとき、読む体験の主要部分を占めていた
のは「正しい反応をしなければ」という義務感だったのを覚えている。で
も何が正しい反応なのかさっぱり見当がつかなかった。間違った反応をし
ないかたえず気にしていたせいで、自分が読んでいるものについてろくに
考えられなかった。これではおよそ良い読者とはいえない。やがて私はあ
る意味でもっと受け身で無責任になることを学んだ——肩の力を抜き、何
も気にせず、言葉が言いたがっていることに身をまかせたのだ。でもこれ
は、ただ傍観者のように受け身な態度で言葉に流されるままでいい、とい
う意味ではない。良い読み手であるためには非常な努力と注意力とエネル
ギーを注ぎ込まなければならない。

反応を伝えたくない場合もある

　自分の反応を伝えたくない、理由はわからないけれど口が重くなり、言
うことが何もなくなるときもある。そういう場合は、自分の気持ちを尊重
しよう。その気持ちは間違っていない。頭の中に流れる映画を共有するの
はとてつもなく気前のいい、自分の身を捧げるような行為だ。あなたは自
分を計測器、モルモット、実験室にしているのだ。書き手の目的を果たす
ための道具として自分を利用させている。例えば、あなたは相手の作品が
長すぎ、複雑すぎると考えるとする。その意見とともにあなたが書き手に
自分の頭の中に流れる映画を共有し、それに関わる知覚と感情をすべて

157

（どこからそれが始まったか、本当にとまどったりいら立ったりしたのか、それとも不満なだけなのか、など）伝える場合、あなたは相手に「長さと複雑さは実はまったく問題ではない」と判断するチャンスを与えている。あなたの反応をまるごと見せてもらったおかげで、書き手はあなたの反応をまともに受け取る必要はないという判断さえするかもしれない。その判断がもしかしたら正しいかもしれない。それでも、あなたが結論だけでなく自分の反応をまるごと伝えなければ、書き手にこのような判断はできない。あなたが相手に自分の評価だけを伝えていれば、あなたは隙を見せずに済み、書き手はそれをいやおうなく受け入れるしかなかっただろう。

だから沈黙というフィードバックがあってもおかしくはない。口を閉ざしたくなるときが一切ないとしたら、あなたは人間ではない。その気持ちを認めたほうがいい。その気持ちに従い、反応を話さなくたっていい。いまは話したい気分ではないと言ってパスしよう。自分をごまかしてうわべを取り繕うためだけの反応を伝えるよりずっとましだ。

あなたは常に正しく、常に間違っている

このパラドックスを自覚していれば、あなたは読み手として最高の役割を果たせる。

あなたにあなたの捉え方と体験を教えられる人間は誰もいないという意味で、あなたは常に正しい。あなたはそこに一定の信念や信頼を持つ必要がある。自分の捉え方が常に正確であることにではなく、自分の捉え方をもっと活用し、それによく耳を傾けるほど、正確さが増すことに対してだ。そしてあなたが書き手のためにできる最も価値のあることは、あなたが本当に見たものと本音の反応を書き手に伝えることである。

しかしあなたが完全に正確に作品を見ることも、完全に体験することも絶対にないという意味で、あなたは常に間違っている。言葉の中にあなたがつかみ損ねるものは常にある。あなたは常に他者の捉え方と体験を持とうとし、自分をより俊敏に、柔軟に、精密にすることにエネルギーを注ぐ

必要がある。それが自分のだからというだけの理由で自分の印象に頑固に
囚われないようにしよう。

　要するに、あなたは自信を持つと同時に謙虚でいる必要がある。これは
口で言うのはたやすいが実行は難しい。だがこれは他の無数の場面でも求
められることだから、このクラスが機会を提供している練習はおこなう価
値がある。

反応を聞く書き手へのアドバイス

黙って耳を傾けよう

　何週間ものあいだ、書き手であるあなたは言いたいことを我慢しなけれ
ばならないかもしれない。あなたがしゃべってしまうと、読み手があなた
に大事な反応を話せなくなる。前置きを長くしないこと。むしろ作品がど
ういうもので、何のために、誰に向けて書かれたのか、読み手が多少解釈
に迷うほうが、あなたの学びは大きいかもしれない。読み手が作品の読み
方を絞りきれないほうが、読み流すことなくより多くのことに気づけるか
もしれない。

　弁解や説明は控えよう。例えば「これを書いたのは昨夜になってからで、
時間がなかったし見直しも全然してないんです」「自分でもあまり納得いっ
てない」「やっと思いどおりの形になったけど、4回書き直さなければな
らなかった」など。何よりも、自分の作品で何をしたかったか、読者にど
ういう反応を求めているかは絶対に口にしてはならない。それが達成され
たかどうかの信頼できる証拠を得るチャンスをつぶしてしまう。読み手自
身の捉え方を話してもらった後ならば、別の読者だったらどのような感想
が出たと思うかを聞いてもいい。

　読み手が自分の体験を話してくれているあいだは、つい次のように返
事したくなる気持ちを抑えよう。「この段落の主旨がわからなかったって

どういう意味ですか？　最初の一文にちゃんとこう書いていますよ……」。
あなたが何を意図していたか、文章に何を込めたつもりかを説明していい
のは、反応が出そろった後だ。参加者はあなたに質問するはずだ。「なぜ
こうしたのですか／ああしたのですか？」「ここはどういう意味だったの
ですか？」と。読み手の反応をもらうまでは答えないように。どんな捉え
方、感情、解釈の迷いから質問しているのかを話してもらおう。このよう
な質問以外の形では意識できなかった読み手の反応を知る手がかりになる
ことが多い。

読み手が話すことを頭で理解しようとしない

　読み手の話は混乱するものであるはずだ。矛盾し、不完全で、一見する
とばかげている。ただ耳を傾けて、ただすべてを受け止めよう。理解する
ことによって学ぼうとしても、半分も学べない。あなたという有機体の全
体で受け止めれば、頭で理解できるよりもずっとたくさんのことから恩恵
を受けられるのだ。

ただし、読み手が「どのように」話しているかは理解を試みよう

　有益な情報がすべて何の苦労もなく手に入ると思わないように。読み手
があなたの言葉をどう体験したかについて、どのように話すかに注目しよ
う。読み手が「あなたの言葉を読んで、あなたにイラっとした」とは言え
ないときもある。だが反応を聞いているだけで、自分の言葉が相手をイラっ
とさせた／気分を上げた／上から目線に感じさせた／まともに聞く気にさ
せなかったことがわかるだろう。それを受け止めよう。

読み手に言われたことを拒絶しない

　読み手の言うことがすべて本当であるつもりで耳を傾けよう。フクロウ
がネズミを食べるように。フクロウはネズミをまるごと食べる。良い部分
と悪い部分を仕分けしようとはしない。自分という有機体が良い部分を利

用し、良くない部分は排出すると信頼しているのだ。読み手の伝える内容が間違っているケースは、次に挙げるようにいろいろある。それでもすべて受け入れることはあなたにとって有益だ。

1. 読み手が伝えるのが単なる評価、「こう変えたら」というアドバイス、ライティングについての理論である場合、それ自体はあなたにとって何の価値もない。でもやめさせようとしないように。相手を一方的にさえぎることになり、その人があなたの言葉をどう捉え体験したのかに話を進められなくなってしまうからだ。また、もしあなたが感覚を研ぎ澄ませて聞いていれば、相手の評価、アドバイス、理論の裏にあるその人の他の反応や、あなたの言葉を読んでいるときのその人の心境が感じ取れる。

2. 読み手が自分自身の反応について間違うこともありうる。例えば、作品に本当は脅威を感じたのに、その感情を認めたくないばかりに「くだらないと思った」「退屈した」「理解できない」と考えてしまう場合がある。このような誤りは排除できず、最小限にすることしかできない。最小限にする方法は、できる限り心を開き素直な気持ちで耳を傾け、相手が自分の本当の反応を自覚して受け入れるのを手助けすることだ。

3. 作品の中にあるとあなたがほぼ確信しているものを読み手が見たり体験したりできなかった場合、その観点からいえば読み手は間違っている。その人は何かを見落としている。その人には目の前にあるものが見えなかったのだ。でも、だから「読み手が見えると言っている内容は間違っている」と結論づける過ちを犯さないように。言葉には通常たくさんの効果があり、矛盾する意味さえはらんでいる。作品に書かれた言葉が秘めている効果と意味に、隅から隅まで光を

当てるのがクラスの効用だ。ある読み手の立場からは最も主要なものとして体験されたのに、他の読み手には見えない——そのようにさせる、ごくかすかな何かが言葉の中にはあるかもしれない。もちろん、そのようなものが存在しない可能性もある。けれども、間違っている部分を分別しようとせずに受け入れなければ、読み手の反応を有益に活用することはできない。

　むしろ一種の、合理性の枠を超えた修業を実践するといい。つまり最も突飛に思える捉え方や体験が、実は最も有益だと思ってみるのだ。それらの有益な捉え方や体験は、あなたが特定の視点を持つがゆえに自分ではおよそ持ちえないものだ。

読み手が反応を伝えるのを止めないように

　読み手の本音の反応があなたにとってあまり学びにならないとしたら、それはおそらくあなたの落ち度だ。読み手の落ち度ではない。読み手があなたの言葉を本当はどのように体験したのか聞くのをあなたが怖がりすぎると、その恐怖心が伝わってしまい、相手は何かしら理由を見つけてあなたに話してくれなくなる。また、あなたが本気で聞かなかったり真面目に受け止めなかったりすると、それも見抜かれて相手は反応を教えてくれなくなる。読み手を単純に類型化してしまえば——「この人は文法マニア、この人は感傷的、この人は論理にこだわりすぎ」とひそかに思ったりすれば——やはりあなたは読み手に本気で耳を傾けていないことになる。読み手の体験を本気で自分のものにしようとしていないのだ。相手はそれを感じ取って話してくれなくなる。

とはいえ、読み手の言うことに支配されないように

　あなたは心を開いて耳を傾けて受け入れる必要があるが、読み手の話にすくみ上がって動けなくならないように。でないと相手が遠慮して話してくれなくなる。良いフィードバックがおこなわれる場には一種の暗黙の了

解がある。相手がすべてをあなたに伝えてもいいと思うのは、あなたがそれを聞いても当惑しないと思える場合だけだ。

あなたの書いたものが完全な駄作だと読み手の意見が一致したとする。その意味を誤解しないように。それはそのクラスの読み手には効果がなかった、ということだ。読み手が作品に入り込めなかったか、作品が読み手の心に届かなかったのだ。これは必ずしも作品自体が駄作だという意味ではない。作品は良い出来かもしれない。最も優れた作品の中には大半の人に嫌われるものもある。読み手にあなたの言葉の良し悪しを判断してもらおうとしないように。探ってもらうのは、あなたの言葉が相手のリアルな意識に何を引き起こしたのかだ。自分の言葉が読み手の意識にどう作用したか、その感触がつかめるようになればなるほど、あなたは自分の言葉の良し悪しを自分で判断できるようになる。

読み手の中にあなたの作品を感傷的すぎる（あるいはぼんやりしすぎている／知に走りすぎている／凡庸すぎる／○○すぎる）と考える人がいたとしよう。これは何を意味しているのだろうか。おそらくその人たちは感傷的なところが気になったということだろう。だが同じ人たちが、倍も感傷的なもの（あるいはぼんやりしたもの、など）を気に入る場合は必ずある。彼らの不評はあなたが何か別の変更——感傷とはまったく関係のない、ごく小さな変更——をすれば消えてなくなる可能性がある。だからすべてを解明しようとしてもムダなのだ。素直にまるごと受け入れよう。別の作品を書くときに——あるいは同じ作品を書き直すときに——それをどう書くかというあなた自身の選択にとって、いまその人たちの発言を聞いたことが肥やしになる、そう思おう。

それぞれの役割を肝に銘じておこう。自分の体験をあなたに伝えるのが読み手の役割。次にどうするかを決めるのはあなたの役割。決める権限を読み手に委ねてしまったら、あなたの居場所はなくなる。

あなたの頭の中にあるものを——ページの上にあるものさえも——判断するのは読み手の役目ではない。読み手が判断するのは自分たちの頭の中

に何が届いたかだけだ。公正であることは読み手の役目ではない。厳しい捉え方や不正確な捉え方からあなたを守るのは読み手の役目ではない。役目でないことをやろうとしたら、読み手は自分の体験をあなたに伝えるという本来の役目が果たせない。先生か神様になって、ここ／あそこを変えたら言葉にどんな効果がありえたかをあなたに教えようとするのは、読み手の役目ではない。別の言葉にありえた効果をあなたに教え始めてしまったら、読み手はいまある言葉の実際の効果をあなたに伝えられなくなる（教師はここで失敗する）。

欲しいものは求めよう、ただし教師のように振る舞わないように

あれば助かると思う具体的なフィードバック、例えば前述の「見えるようにする」のリスト上の間接的なメタファーを使った感想が欲しければ、読み手に求めよう。あるいは特定の一節や作品のある側面を読み手がどう体験したかが気になるのであれば、それを聞こう。相手が断りやすいお願いの仕方をするといい。

ただし教師のように振る舞おうとするのは逆効果だ。例えば誘導質問をする、助け舟を出して言葉を促す、相手に対して「指揮棒を振る」ような振る舞いだ。自分の頭の中に流れる映画をうまく共有できなかった人がいたら、相手にそう言おう。しかしどうすれば改善できるかを教えようとしないように。それは相手の役目だ。何週間もかかるかもしれないが、最善の解決策を見つけられるのはその人なのだから。

あなたは常に正しく、常に間違っている

読み手としてだけでなく書き手としてもこのパラドックスを踏まえて耳を傾ければ、得るものを最大化できる。

作品に関して最終判断を下すのはあなたである、という意味ではあなたが常に正しい。読み手は自分の体験をあなたに伝え、それをどうするかはあなたが決める。責任はあなたにある。決めるのはあなただけだ。

　しかし読み手の体験に文句をつけられない——体験の伝え方にすら文句をつけられない、という意味ではあなたは常に間違っている。そして自分の先入観をゼロにし、読み手の捉え方を相手と同じ立場で完全に体感できることは絶対にない、と思っておく必要がある。

　読み手のときと同じように、自信を持ちつつも謙虚でいるよう心がけよう。

クラスの進め方

　私は長い時間をかけてティーチャーレス・クラスを発展させてきた。自分のクラスでいろいろ試したり、本書の初版を使った実験的なティーチャーレス・クラスの録音を聴いたりした。うまくいったクラスもあれば、まあまあのクラス、うまくいかなくなるクラスもあった。

　次に紹介するのは、今後のための万全な、あるいは十分な地図ではなく、私が知るすべてをお伝えしようとしたものと受け取ってほしい。それでもあなたは迷子になったと感じるときがあるだろう。ティーチャーレス・クラスに参加するとき、私はいまでもよくそう感じる。

クラスの構成要素
　次のことを実行すれば、最も頻出する問題は避けられるだろう。

・最低7人に10週間、責任を持って参加してもらう。
・必ず全員に毎週作品を書いてもらう。
・必ずすべての作品を2回朗読し、各朗読の後に1分間の沈黙の時間を設ける。
・すべての作品に指摘と要約をしてもらう。
・最初の4回は、必ず全員が反応を伝えるために2個の「見えるよう

にする」エクササイズを使う。

・毎週、10分間のフリーライティング・エクササイズを3回おこなう。
・毎回、最後の5分間はクラス自体への反応を伝え合うことに使う。

モチベーション

　このクラスでいちばん求められるのは、あなたに本気で自分のライティングに取り組む意欲があることだ。通常のクラスでは、教師に対してこんなふざけた態度が許される。「先生、私はライティングがうまくなりたいんです。でも努力したくありません。私にやる気を出させてください。それができないなら、せめて私に強制して、そのことで私に恨まれてください」。お試しクラスには真剣に取り組まない人も来るかもしれないが、参加条件を明らかにしておけば、10週間の本番クラスには参加しないだろう。やがて本気の人しか残らなくなる。喜ばしいことだ。

やるべきことがある

　ここではやるべきことがあるということが有益なコンセプトになっている。主にメンバー間の反応を活用するので、このクラスがエンカウンターグループのようだと思う人もいる。しかしエンカウンターグループにはやるべきことや議題設定がなく、出てきたものが何でもやるべきことになる。時間の浪費という概念はない。しかしティーチャーレス・クラスは違う。ティーチャーレス・クラスには明確なやるべきことがある。作品の一つひとつが反応をもらわなければならない。なすべきことがあるおかげで、一種の枠組みと中身ができている。

＊1　メンバーが互いに心のうちをさらけ出す集団心理療法。

▌忍耐

　結果を求め、真剣に取り組む必要はあるが、あせらないように。ライティングが上達するには必ず時間がかかるし、そのプロセスは右肩上がりではない。ティーチャーレス・クラスは必ずしも通常のクラスより時間がかかるわけではないが、たいてい時間がかかるように感じられる。教師がいれば、水面下でゆっくりと学びが生まれるのを待つあいだ、あなたにやるべきことを与えてくれ、あなたは教師を信じていればいい。

　例えば、教師はあなたに「形容詞が多すぎる」「一文が長すぎる」と注意し、もっと具体的なディテールを入れ、一段落にもっとまとまりを持たせるようにと指導してくれるかもしれない。あなたには考えるべきこと、挑戦すべきことが生まれる。ある意味、それは優れたアドバイスだ。あなたはその目標に向かって進歩すらするかもしれない。5週目には「よし、私の作品はまだ完璧とは言えないだろうが、形容詞の贅肉が取れ、一文を長くする癖はなくなったし、具体的なディテールと段落のまとまりを持たせられるようにはなった」と言えるようになるかもしれない。全員が進歩を実感できる。

　問題はあなたの作品が実際にはまったく良くなっていないかもしれないことだ。むしろある意味では悪くなっているかもしれない。たしかに誰かにとっての名文のモデルに近づきはしたが、現実の読者の心に実際に何かを届けられるようになったかといえば、その可能性はきわめて低い。それに、このような「上達」は講座が終わればおそらく止まってしまう。[3] あなたが言葉を生み出す本当のプロセスはおそらく何も変わっていない。言葉を生み出すプロセスが変わっていないのにこれから新しいことに挑戦しようというのだから、書くことはいままでよりも難しく、苦痛で、悩ましいものになるかもしれない。良い文章の書き方を教わるようになると書くのをやめてしまう人が多いのは偶然ではない。

　人間という有機体が言葉を生み出す新しい方法——言葉を本当に他者に届かせるためのより良い方法——を学ぶには長い時間がかかる。長い日照り

167

の季節と低迷期を経て、まったく予想していなかったある日に突然、堰を切ったように言葉が出てくるようになるものと思ってほしい（学習プロセスについては次の章で詳しく扱う）。しかしここで、教師があなたにしてくれることを思い出そう。教師はあなたに発破をかけ、励ます。「あきらめるな。あなたが自信をなくしているのはわかるが、頑張れ。力はついているのだから」。この教師は信頼できる相手だ。学びの状況によっては、強制的に続けさせてくれる力となる。ティーチャーレス・クラスではこのような支えと励まし——必要とあらば強制力——を自分と仲間から得ることを覚えよう。教師がいるときよりも難しいが、いざできるようになったら百人力だ。とてつもなく強力で効果的な新しいエネルギー源を手に入れたことになるのだから。

　そして取り組んでいるあいだは楽しめるようになろう。仲間のことがわかってくる過程を楽しもう。仲間たちの目を通してものを見ようとするのは優れた方法だ。フィードバックのプロセスをゲームのように楽しもう。クラスのことを、週に１度集まって一緒に楽しむために演奏するアマチュアバンドみたいなものだと思おう。

▎相互作用のさまざまなスタイル

　このクラスでは、あなたにとっておそらく慣れない方法で他者と協力することが求められる。いくつか大事なギアチェンジができなければ、クラスは失敗する。観察した多くの実験的なティーチャーレス・クラスがそうなるのを私は見てきた。変えなければならないギアが何かを、いまなら具体的に挙げることができる。

　ある意味、その要点は「議論しない」ということだ。議論によって、誰かを間違った知的立場から脱け出させることは（ときには）できる。しかし議論によって誰かを間違った捉え方や体験から脱け出させることはできない。相手はそれに代わる別の捉え方や体験をすでに持っている場合にしか、間違っているほうを手放さない。しかも新しいほうはその人がすでに

持っていて信じているものでなければならない。他者から無理強いされた
ものではダメなのだ。要するに、誰かの捉え方や体験を改善したくても、
議論ではそれはできない。相手を説得してあなたの捉え方や体験を感じ
取ってもらうのがせいぜいだ。そしてその唯一の方法はほぼ例外なく、自
分から歩み寄って相手の捉え方や体験を感じ取ることだ。

　だが議論よりも注目すべきもっと大事なものがある。それは議論の原因、
つまり物事を解決したい、決着をつけたいという衝動である。私たちはク
ラスや会議に出ているとき、目的は合意に達することだと感じがちだ。話
し合っていて意見が大きく分かれ、合意に至らないとフラストレーション
を感じる癖が私たちにはある。

　ティーチャーレス・クラスではこの癖から決別することが求められる。
クラスでは意見の相違が最大限に引き出されるが、戦って決着をつけたり
真実をめぐって合意をとろうとしたりしないように。物事に決着をつけた
いという強迫的な衝動を禁じることによってしか、最大限の意見の相違は
引き出されない。ほとんどのクラス、会議、話し合いでは——特にうまく
機能しているティーチャーレス・クラスと比べると——たいがい意見の相
違の乏しさ、異論の乏しさが目立つ。きっかり50分間で物事を丸くおさ
めるのがその場の目的である場合、波風立てたい人などいるだろうか。落
としどころの見えている場で、わざわざ新しい問いを立てたり反論したり
したい人がいるだろうか。白熱した議論が交わされたとしても、それはた
いてい2つの対極的な、狭い可能性をめぐる争いだ。物事に決着をつけな
ければという雰囲気があるから、たくさんあるはずの興味深い視点が出て
こない。多くのことを長いあいだ曖昧なままにしておき、多くの矛盾を容
認して、決着を急ぎすぎるのを禁じなければ、まともなデータは十分に手
に入らない。

　だから次の2つの危険信号を頭に入れておこう。物事に常に決着をつけ
ようとする衝動を制御できない人が多すぎると、クラスは2つの方向に流
されることが多い。

1. 議論することにこだわる。メンバーの頭に血がのぼってしまい、何が真実か決着をつけようとして多大な時間をムダにする。あるいはあからさまな議論は自制しても、腹の中ではまだ議論しているのが感じ取れてしまう。頭の中でメンバーはこう言っている。「あの阿呆はなぜこうも間違ったことを言い、ものが見えないのだろう。まったくどうしちゃったのかね。なぜあいつは自分が間違っていることを認めて私が言ったことに同意しないんだ。本当にバカだな！」。腹の中でこんなふうに息巻いていると消耗し、エネルギーをムダに使い切ってしまうので、クラスが立ち行かなくなる。

2. あるいは議論しない。議論をやめると、人は屈伏し降参したように感じる。勢いが削がれてしまうのだ。クラスが単にとりとめのない、くつろぎすぎていて、頼りない活動のように感じられてしまう。「議論を尽くそうとしないんだったら、誰でも言いたいことを言いっぱなしにしてしまえるなら、ばかげた発言をしゃべり散らす奴を誰も止めないのなら、自分は言いたいことを言うだけだし、他のみんなも言いたいことを言えてしまう。だったら意味なくない？」。通常のエネルギーのはけ口が閉じてしまうために、メンバーたちはエネルギーを出そうとしなくなる。クラスはただゆるいだけで、緊張感がなく、退屈で、焦点が定まらないものになる。そうしてクラスが死んでしまう。

　そこで私がようやく中心に据えることができたのは、このクラスが求める特殊な性質のエネルギーと集中力だ。これには大変な努力を要する。しかしそのエネルギーは、議論して決着をつける、つまり収束に向けるのではなく、自分を開き続け、耳を傾け、他者の体験を体感しようとする――いうなれば全員に一度に同意しようとするという正反対の方向に費やさな

ければならない。これがうまくいったときには、集中し、緊張感をみなぎ
らせ、知覚し体験する筋肉に膨大なエネルギーが注がれている感覚が味わ
える。その一方で、頭は本能的にかたく閉じようとする状態から解放され
ている。

勇気

　順調なティーチャーレス・クラスの録音を聴いていて目立つのは勇気で
ある。つまりリスクを恐れない姿勢だ。ティーチャーレス・クラスは参加
者を不安にさせる。自分しか頼るものがない。「あなたのやっているこ
とは正解ですよ」と教えて安心させてくれる経験者は誰もいない。誰かのこ
んな心の声が聞こえるようだ。「うーん、誰かが代わりにやってくれるの
を待っててもしょうがない。リードしてくれる特別な人なんていないんだ
から。誰かが始めないと。私がやってみるか」。そしてその人は自分の捉
え方と体験を実際に共有するリスクを冒す。これは他の人が後に続けるよ
うにする一種の砕氷船の役割だ。他のメンバーは、口火を切った人が恐ろ
しい目に遭うわけではないのを知る。クラスが前に進めないときは、誰も
が尻込みして他の誰かが動くのを待っている様子が感じられる。

　ひとりが口火を切っても、それで一気にクラスが動き出すわけではない。
人はいきなり心をさらけ出そうとはしない。私の見るところ、うまくいく
クラスには長い時間かけて小さな突破を続けるという特徴がある。メン
バーは薄紙を剥ぐように、共有する自分の反応を少しずつ増やしていく
のだ。

　クラスを確実に軌道に乗せたいなら、勇気のある人を探して参加しても
らおう。自分の見たものや感じたことを、他者からどう思われるかあまり
気にせずに、自分から言える人だ。子どもをクラスに入れると活躍してく
れる。

171

責任

　通常のクラスでは、クラスの仲間ではなく教師に対して責任を感じるものだ。クラスに出ようか出るまいか心が揺れているとき、「出席しなかったら先生は何て言うだろう、どう思うだろう」と葛藤することがどれだけあるか考えてみるといい。教師の目だけを気にしてクラスに出ることが私たちはあまりにも多い。

　このような背景があるため、クラスの仲間への責任感は身につきにくい。私が10週間の積極的な参加を重視するのはそのためだ。大半のメンバーが責任を覚える相手を教師から自分自身と仲間に変え、自分の学びはお互いにかかっていると感じ、そう伝えられるようになるにはそれだけ時間がかかる。

　クラスが機能しているときは、メンバーが自主的に参加しているのが感じられる。自分の時間をムダにせず、何かを学ぼうと心から思い、他の人にもそう期待する。うまくいかないクラスでは、メンバーが責任を負おうとしていないのが感じられる。「私に何ができる？」「私は無力だ」「私に選べるのは辞めることだけだ」と言っているようなものだ。

　世の中や人々を一度に変えることはできなくても、週2時間だけ、自分に対する8〜10人の行動を即座に変えることはできる——それをこのクラスはありありと教えてくれる。ある人がしゃべりすぎたり場を仕切りたがったりする気質だったとして、その人の性格を変えることはできない。だがこのクラスで週に2時間、その人がおしゃべりや仕切り癖であなたの学びの機会を奪うことはやめさせられる。やめさせたいと思い、礼儀正しく、でも毅然とやめてくださいと求めるという行動を自分のためにとればいいだけだ。このクラスの怖いところは、参加者が自分で思いたがるほど無力ではないという事実を突きつけてくることである。クラスには必ず教師がいなければならない、という思い込みは無力感を強める。

クラスの隠れた失敗要因

ティーチャーレス・クラスが破綻する最もよくあるパターンは次のとおり。

みなが少しそわそわし、怖がってさえいる。このクラスがそれほどなじみのない、人を不安にさせる企てだからだ。これはほぼどうしようもない。こういう場合いちばん楽になるのは、話し好きな人が見つかることだ。例えば自分の話をいくらでもしゃべれる人、演説が好きな人、沈黙が落ち着かないので間をもたせるためにひたすら話す人。あとは簡単だ。その人にしゃべってもらえばいい。その人に話を促そう。ただしそれとなく。その人の話の流れに逆らわない。何より、退屈しても相手の話を中断しない。非常に礼儀正しい人になったふりをしよう。

みながひそかに思い始める。「あーあ、なんて退屈なクラスだろう！あの人がずっとしゃべってばかりだ。あの人のせいでクラスが台無し。もう耐えられない」。そんな気分が漂うようになり、何人かが脱落するようになる。きっぱりと辞めてしまうわけではないので問いただすわけにもいかない。どういうわけかクラスのある日に大事な用ができて来られないということが続くのだ。やがて全員がこう言い始めるかもしれない。「このクラスは張り合いがない！　バラバラになってきた気がする。みなやる気をなくしている。本当にがっかり。ところでたったいま思い出したんですが、次のクラスの日にはずせない用事がありまして」。

とうとうクラスは崩壊する。もしかしたらあなたはすでに脱落したかもしれないし、嫌な気持ちを抱えたまま、なぜ他の人はやり通せないのかと思いながら最後まで残っているかもしれない。そして、あなたのそれとない促しで協力させられ退屈な人に仕立てられた気の毒なお人よしに、都合よくすべての罪をかぶせるのかもしれない。あなたは自分には怖すぎてできなかったことを他の人が享受するのが我慢ならず、クラスの崩壊に加担したのだ――ただし隠れた形で。みながそのお人よしを非難する。本人までもが自分を責める。だがあなたは誰にも非難されない。

この顛末の教訓は、クラスで起こることにはあなたも責任を持たなければ

ならないということだ。本気で止めようとしないのであれば、あなたはそれを望んでいるはずなのだ。

多様性

　機能するクラスは個人間の違いを利用して、個人の内部にある多様性の扉をこじ開ける。全員が他のみんなの捉え方と体験を体感しようとすれば、クラスという土壌に豊かな養分が供給され続ける。体験の多様性はたえず成長する可能性を秘めている。

　ただし、これは誰にでも失敗なくできるものではない。残念ながら、あるティーチャーレス・クラスが正反対の方向、つまり周りに合わせようとする意識、集団イデオロギーに向かって流されるのを見たことがある。特定の種類の感情や文章のほうが他よりも望ましいという暗黙の考えに流されないよう、気をつけよう。例えば簡潔さが良くて複雑さは悪い／強い感情が良くて強い感情に欠けているのは悪い／真面目なのが良くて軽薄なのは悪い、など。それはひとえに間違いである。不安感や恐怖の産物だ。グループだからこそできるのは、「何でもあり」という、ライティングについて唯一信頼に値する理論を強化することだ。ｅ・ｅ・カミングスによる古い軽喜劇のセリフの真意はそこにある。

「赤ん坊を"連れた（with）"女性を殴ってくれ」

「どうしてもというなら、赤ん坊じゃなくてバット"で（with）"殴るよ！」[*1]

　ライティングでは何でもありだし、「あり」にできれば何でも正しいのだ。

---

*1　Would you hit a lady with a baby?の「赤ん坊を連れた（with）女性」を、「赤ん坊で（with）殴る」とwithの意味を置き換えたジョーク。

第 5 章

ティーチャーレス・
ライティング・クラスを
もっと理解する

理論は信用できない、信用できるのは事実だけだ —— これがティー
チャーレス・ライティング・クラスの背景にある主要な考えである。ただ
ひとつ困るのは、理論からは逃れられないことだ。事実は常に何らかの理
論に染まっている。暗黙のうちに持ってしまっているモデルや理論を使わ
ずに「事実を見る」「本当に起きていることを言う」ことは誰にもできない。
そのうえ、私は理論とモデルに愛着がありすぎて、仮にできたとしてもこ
れらを無視する気にはなれない。

　ティーチャーレス・クラスについて書こうとしながらも、私は理論構築
とモデル形成へと脱線するせいで、行き詰まってばかりいた。ここにその
すべてをまとめるべきだとようやく気がついた。

どうやってこのアプローチにたどり着いたか

　柱となったのは、教師として学生の論文を講評しようとした私の体験だ。
教師になって1年目、私は学生の論文に付ける有益な講評を考え出そうと
して、頭の中で堂々めぐりしたあげく、どうしていいかわからなくなった。
しかし長い年月を経てこの状況は変わった。自分が論文に何を求めている
のかについての、多少はしっかりした、人に伝えられる考えが徐々にでき
ていったのだ。すなわち、明確で言葉数の多すぎない文／明確な個別の論
点を中心に構成された段落／一定の形を持った、あるいは論理的な全体構
造／議論と考証が十分になされていること。これらの基準はおそらく修辞
に関する主要な学術的方針と呼べるかもしれない。つまり、読みやすい文
章——文章そのものよりもメッセージに注意を向けさせる文章であるべし、
ということだ。

　論文に成績を付けて講評するときに自分が何をしているかがようやくわ
かった。暗闇の中を手探りする悪夢から解放された。優れた論文がどうい
うものかがわかるようになったのだ。これらの基準は狭すぎず属人的でも

なかったから、胸を張って使える気がした。論文がどこで失敗し、書き手がどのような変更をすべきかを具体的に指摘できると感じた。私が暗黙の前提としていた基準が首尾一貫している限り、自分は有能で学生の役に立つ評者であると思えた。

ところが私の前提は首尾一貫しなかった。数年経つと、講評を書いている途中でこれは本当に信用できるのか、本当に役に立つのかと迷いが生じるようになった。例えば、ある学生の華美でくどい言葉づかいについて講評を書いている。彼の言葉づかいはたしかにくどくて華美だと言っても間違いではない。だが批判する理由は本当にそこなのだろうか、と私は迷い始めた。気になる点が他にあるのにはっきり名指しできず、華美さのほうが指摘しやすいだけなのではないか、と思うことがたびたびあった。そのときの気分次第では、あるいは論文を読むタイミング次第では、自分は同じ講評をしていなかったのではないか。

あるいは華美さが間違いなく問題点に見えても、それは私だからそう感じるという場合もある。つまり、書き手はそれを楽しんで書き、読み手も好みに合えばそれを楽しんで読んだかもしれない。でも私は、自分が書く文章ではこのような言葉づかいを楽しむことができないし、読み手としてもそれを楽しめるタイプではないようだ。だから華美な文体にいら立つのだ。

あるいはまた、構成や論旨の欠陥を指摘しているとする。しかし自分が実は問題点を探しているのだと何かのきっかけで気づいてしまう。同じ構造の論文でも自分が批判しないものがあったかもしれない。状況が違っていれば、まったく同じ論旨にいたく共感して説得された自分——まったく同じ構成を明快であると評価できた自分さえ想像できる。これらの構造や論旨を欠陥と呼べた可能性はあるが、そのことについて考えれば考えるほど、論文に対する私の対応を左右したのは言葉づかい、段落分け、構成、論旨という専門的で客観的な事柄ではない気がしてきた。

しかし自分が実際にはなぜ、どのように対応していたのかを語ろうとする

と、たちまちお手上げになった。それは私の気分、個人的な癖や好み、気性と混ざり合っていたからだ。それは公正なことではないだろう。私は他に比べて劣っているように見える論文をはっきりと気に入り、きわめて優れているように見える論文が気に入らなかった。

　フラストレーションがつのり、私はとうとうさじを投げた。公正で客観的であろうとする自分の努力にどこか嘘があるのなら、できるだけ主観的になってみたらどうだろう。そう発想を変えたら、主観を追求することが面白くなってきた。論文の言葉を読んだ結果、自分の中で何が起きたかを洗いざらい正確にレポートしてみよう。なぜ自分がそう考えそう感じたのかほとんど理解できなくても、たとえばかばかしく思えてもいい。

　これは客観的であろうとするのに比べて決して簡単ではないと気がついた。それまでの習慣がすべて裏目に出た。自分の反応がわからないときもあった。なぜそんな反応をするのか理解できないのに語ろうとするのが、気持ち悪くて丸腰にされているように感じることも多かった。もちろん自分の反応の真意がつかめないことも多くあった。でも主観的であろうとする今回の努力のほうが、以前よりも報われるように思えた。このほうが書き手と読み手のやりとりがずっと本物になると感じられた。このほうが学生のライティングにもう少し役立つと感じられた。このほうがずっと楽しかった。それに私の知覚力を高めてくれるように思えた。このような主観的な講評を書き始めただけで、公正で専門的で客観的であろうとすることにこだわっていたら気づかなかっただろう論文の非常に興味深い——そして学生に役立つ——点に、しばしば気づけるようになったのだ。

　言い換えるなら、私は教え始めたばかりのとき、学生の論文を体験はしたものの、学生にどう伝えればいいのかわかっていなかった。やがて、私は徐々に自分が論文をどう体験したかということから離れていった。自分の反応に目を向ける代わりに、学生の文章が私の考える優れたライティングのモデルに合致する箇所に目を向けて、その部分をほめ、モデルから逸脱した部分を批判し、学生に改善方法を教えた。自分が論文をどう体験し

反応したかを無視できたのは、うまく機能するモデルをついに手に入れたからだったのだ。そのことにおおいに安心した——学生に役立つことが言えるとようやく感じたからだけでなく、20本、40本、あるいは60本もの論文の山を体験し反応するのは、あまりにも心身を消耗するからだ。全身と五感を総動員するのは負担が大きすぎた。優れたモデルを適用するほうがずっと楽で、ずっと正気を保てる。だがこれに慣れてくると、論文を体験するプロセスそのものを往々にして端折ってしまいかねないと気づいた。単に言葉づかい、段落分け、構成、論旨に目を向けるだけで、論文をまったく体験していないのだ。それでもモデルはうまく適用できてしまう。

　また、私は文章の形式やスタイルだけでなく「内容」に関してもモデルを使っていた。論文の数が多いと、それぞれの論旨まるごとを本当に体験するのが難しい。論旨とはどうあるべきかについての自分なりのモデルに照らし合わせるほうが楽だ。論文の成績づけと講評が、学生の主張する「論点」を教師の中にある一種のチェックリストに照らし合わせて「チェックを入れる」作業になりがちなのは、そのためである。要するに、英語教師は論文の言葉を体験することを最小限にし、論文を照合してチェックするための（たぶん暗黙の）モデル構築を最大限に活用しなければならないという、巨大なプレッシャーにさらされている。だから、学生に伝えられる「自分が論文をどう体験したか」がどんどん減っていく。

　自分が論文をどう体験したかを伝えることにやっと取り組み始めてから、複数の読み手の体験をもらえたほうが学生にとって良いだろうと気づくまでに長くはかからなかった。幅広い反応をもらえば、ひとりの反応の偏りが相殺される。そこで私はクラスの全員にも同様に反応を発表させる試みを始めた。

　このアプローチに確信を持たせてくれる体験がもうひとつあった。この時期に私はエンカウンターグループに2つ、精神分析家が主催するセラピーグループにひとつ参加した。これらのグループで、私は自分の発言に対する他者の反応を知ることがたびたびあり、紙に書いた言葉について

通常学べる以上に、口頭で発言したことについての学びが大きかったことにふと気づいた。このときのフィードバックは、言葉によって自分の中で起きたことを聞き手が話すというものだった。

「は？」という反応

　私は社会の現実についてちょっとシュールなビジョンをひそかに抱くことがよくあった。それはたいていまったく自分だけの、常軌を逸したものに思われた。しかしティーチャーレス・クラスをやるようになって、それがむくむくと存在感を増している。

　誰もが他者とのコミュニケーションからほとんど疎外されて日常を送っている。誰かが音を消し、電線を切断したようだ。あたり一面に霧がたちこめ、静寂に包まれている。私たちが多くの状況で感じていることを本音で話せたら、次のようになるだろう。「何か言いました？　あなたの口が動いているように見えたのですが、自信がありません。あなたはどうも気が高ぶっているように見受けました」。

　このフォークナーの小説のような世界観を私たちは認めようとしない。他者の口が動くのを見ただけなのに、言葉を聞いて理解したふりをする。実は正直なフィードバックが怖いのは、他者から「間違っている」「幼稚だ」「悪意がある」「バカげている」と思われる恐怖ではない、と私は思っている。最大の恐怖に比べればこちらのほうが受け入れやすい。いちばん怖いのは、自分の言葉がまったく聞いてもらえていないこと、あるいはでたらめで無意味な音の羅列としか受け取られないこと、そして、聞き手が唯一の正直なフィードバックとして、口をぽかんと開けてこちらを不思議そうに見つめ「は？」としか言えないことだ。

　「誰も自分をわかってくれない！　自分が言おうとしていることを誰も理解してくれない！」と口癖のように言うのはたいてい、思春期の若者か情

緒不安定な人だ。というのも、自分の気持ちや世界観について複雑なメッセージを発したい、そのメッセージを理解してもらいたいと最も切実に感じているのはそのような人たちだからだ。そうではない私たちのほとんどは、単純で卑近なメッセージしか伝わらないと悟り、込み入ったメッセージを発信するのをあきらめている。「塩を取ってくれる？」「いま映画館で何が上映されてる？」「明日はどこに行くの？」。人生とは何か、私たちはどう生きるか、私たちには何が必要なのか──そういう大事なことはもはや言葉にしようとしない。だから、あなたが言おうとしていることの多くを本当に理解してくれる友人がいたら、それは奇跡だ。そんな友人がいたら、自分の中にあったとは思いもしなかったことも語りたくなる。

　いま述べたことのすべてを私はティーチャーレス・クラスで目にする。最初、参加者は礼儀正しく感じよく振る舞おうとする。自分がメッセージを聞いて理解したと思おうとする。だがやがて、勇気ある何人かがとうとうあの言葉を口にする。

「は？」

　ここに長々と書き連ねられた言葉がある。おそらくは丹念に、苦労して書いた言葉だ。みんな、口が動くのを見て音は聞いているのに、実は一言も理解できていない。

　書き手はフラストレーションを感じるが、ほっとしてもいる。ずっとひそかに疑っていたことが、ついに明るみに出たのだ。コミュニケーションが成立しているという建前が、とうとう取り払われた。やっと核心に斬り込んで、実際に伝わる稀なフレーズや文章を拾い出すことができる。みなが全部伝わっているふりをしているあいだは、雑音と本当に伝わっていることを仕分けられるはずがない。

　コミュニケーションの不成立があらわになったときから、良質なコミュニケーションが始まる。人はようやく、互いの言うことによく耳を傾け始める。これまで私をとまどわせ、不安にさえさせたティーチャーレス・クラスのある要素が、これによって説明できる。

ライティング・クラスを立ち上げたり人に参加を呼びかけたりするとき、私は実用的な文章——報告書、手紙、求人の応募書類、他のクラスに提出するエッセイ——を強く勧めることが多かった。実生活で役立つ言葉を書いてみれば、自分の狙いが果たせたかどうかが具体的にわかるからだ。私は創作系の人間ではないので、創作についてはいつも自信がなかった。しかし、私の勧めに従って実用的な文章に取り組むつもりでクラスに参加した多くの人たちが、しばらくすると当初の目的そっちのけで、もっと個人的、想像的、あるいは創作的な文章に移っていくことに気がついた。いまならその理由はわかっているつもりだ。文章力が上がり始めただけでなく、自分の言葉がふだんよりよく聞いてもらえ理解してもらえるグループの中にいると気づいたとき、人は自分の中に存在していることを忘れていた発信したいメッセージを発見する。これまではいつも聞いてもらえなかったから黙殺するようになっていた、複雑で表現しづらい事柄を語りたくなるのだ。

なぜティーチャーレス・クラスによって書くのが楽になるのか

　ほとんどの人がいままでよりもずっと楽に書けるようになる。だからといって問題がすべて解決するわけではない。おそらく依然としてうまくは書けていないだろう。それでも書けるようにはなった。書くのが楽しくなった。もっと書けるようになり、それもまたライティングの役に立っている。言葉を書き出すためだけに全エネルギーを——１２０％のエネルギーを——必要とする代わりに、うまく書こうとすることにエネルギーを注げるようになった。

　言葉を楽に生み出すのを助ける条件が２つある。この２つの条件は、あなたが書くときにはたいてい欠けているが、ティーチャーレス・クラスによってその条件が整う。

　条件その１は、あなたの言葉に人がどう反応するかを知ることだ。これがわかるのは通常、誰かと会話しているときだ。おかげであなたは意味のある内容をすらすらと話すのを難しく感じずに済む。２つ目の話に入る前に、１つ目に対する聞き手の反応を感じることができる。相手の発言からだけでなく言い方——ちょっとした体の動きや姿勢——から、自分の話を理解してくれているか、はたして同意してくれているのか、それともあなたのことをおかしいんじゃないかと思い始めているかが判断できる。

　自分の言葉に聞き手がどう反応しているかがわからない、という特殊な会話の状況を考えてみてほしい。意味ある発言をするのがずっと難しくなるはずだ。見ず知らずの人に語りかけているときには、このような問題が多少ある。相手の感覚が「読み」づらい。自分が付き合い慣れている人たちとはまったく違った受け答えをするかもしれない。手がかりがまったくないとき、話をするのは非常に難しい。相手はあっけにとられて固まっているのかもしれないし、文化が違いすぎる相手だからあなたには感覚が読めないのかもしれない。あるいは相手はフィードバックを差し控えるという実験をしている社会学者なのかもしれないし、精神分析家かもしれない。こういう場合、あなたは最初はむしろ饒舌になることがある。沈黙が気まずいのでとりとめのないことをしゃべってしまうのだ。でもたいていはすぐに言葉に詰まってしまう。

　しかし書いているときはこれがふつうの状況だ。苦しいのも当然だろう。書いているときは読者がどう反応するかまったく手がかりをもらえない。読者が迷子にならないか、最初の段落を読み終わったところであなたのことを頭がおかしいと思わないか——それらがまったくわからないまま、最後まで書き続けて作品を完成させなければならない。それどころか、誰が読むのかすらわからない。いったん書いてしまった言葉は独り歩きして、簡単に誰の目にも触れてしまう——あなたが相手をどう思っていようが、相手があなたをろくに知らなかろうが理解していなかろうが関係なく（書くのは自分を裸にするような気持ちだ、というメタファーを使う人が多いこと

に注目してほしい)。読む人間を限定する方法はひとつだけある。破いてゴミ箱に捨てることだ。書いたものがおおかたこういう運命をたどるのは何も不思議ではない。

　自分の言葉がどう体験されるのか、真っ暗闇の状態からあなたをできるだけ脱け出させ、意味のある言葉を書きやすくしてくれるのがティーチャーレス・クラスだ。

　言葉を生み出しやすくする条件がもうひとつある。受け手が自分の言葉をどう体験するかについて不安がらないことだ。

　どうしても人前で発言しなければならない状況がある。もうやるしかない。突き進むのみだ。誠実さや自尊心を保つには、そう覚悟を決めるしかない。このような状況でいざ話し始めると、自分の言葉がどれほどなめらかに出てくるか（そして力があるか）に驚くものだ。

　ほとんどの人が、日頃どれだけ書くのに苦労していても、こんなふうに楽に書けた経験が1度や2度はあるはずだ。それは結果がどうなろうと自分の気持ちをいよいよ言わなくてはならない大事な私信を書いているときだったかもしれない。切羽つまってやけを起こし「どうにでもなれ」とタガをはずした筆記試験のときだったかもしれない。遅れに遅れて、ついにどう受け止められるか気にしていられなくなった論文だったかもしれない。だから締め切りを過ぎてからでないと書けない人が多いのだ。ときとして絶体絶命の心境だけが、自分の言葉がどう読まれるかへの不安をなくすほどの力を持つ。

　ティーチャーレス・クラスも、しばらく続けていればあなたをこの不安のない恵まれた境地に導いてくれる。最初、あなたはクラスでもらうフィードバックに頼りきりになる。これまでフィードバックなしにものが書けていたのが不思議に思えるだろう。しかししばらくすると、フィードバックがあまり気にならなくなる。十分な人数から十分な反応をもらったすえに、ついに自分の言葉の効果を信頼できる感覚が備わる。実際の読者の感覚がつかめたのだ。

　クラスのもうひとつの効用として、自分の書いたものが気に入られるか
どうかの不安が小さくなる。全員に喜ばれるのはほとんどの場合無理だと
あなたは気づく。人の反応は十人十色だ。クラスの全員を喜ばせる作品な
ど存在しない。誰かが自分の言葉をどう捉え体験したかを知ることに比べ
れば、自分の言葉に対するその人の評価を知ることはあまり有益でさえな
い、とわかるようになる。だから次第に読み手の評価基準に振り回される
よりも自分で良し悪しの判断をし、他者の感想をその人たちの目標ではな
く自分の目標を達成するために使うようになる。読み手の感想には関心を
持ってそこから学びはするが、それを不安がることはもうない。不安がな
くなれば自由に書けるようになる。

なぜティーチャーレス・クラスによって書くのが上達するのか

　クラスの最大の効用はおそらく、あなたの言葉がひとつの読まれ方では
なく、多様な読まれ方をされる経験ができることだ。しかし読み手がライ
ティングについてあなたと同程度にしかわかっていないとしたら、どう
やって助けてくれるのだろうか。彼らがあなたの助けになるのは、ふつう
の教師よりもある意味で悪い読者、ある意味では良い読者であるからだ。
　教師は通常、次の意味で読み手として優秀すぎる。教師はたいていあな
たよりも読み書きに優れ、あなたの作品のテーマについてもあなたよりよ
く知っている。たぶんあなたが文章を書いているのは教師に言われたから
だろう。エッセイであれば教師は自分が熟知しているトピックを選んでい
る可能性が高い。ライティングが物事を紙に記すだけでなく読み手の中に
届ける練習だとするなら、教師の頭の中にすべて届けるのはとても簡単だ。
と同時に、教師に何かを伝えるのは非常に難しい。どういうことかという
と、たいてい教師はあなたが言おうとしていることを（おそらくはあなた
以上に）すべて理解できるが、あなたの言葉に本当に耳を傾けてはいない。

たいてい教師はあなたの言葉から本当に影響を受けうる立場にいない。教師はあなたの言葉が実際に自分に影響を与えることを期待していない。あなたの言葉を本気の読書と同じには扱わない。課題をこなすように読まなければならないからだ。きわめて稀な、圧倒的なオープンマインドの持ち主でない限り、教師は影響を受ける心構えを持ちえない。

　だから、ティーチャーレス・クラスにおける読まれ方の本当に価値ある要素のひとつは、ある意味でその読み方が下手であることだ。つまりメンバーの読み方には「間違い」があるだろうし、クラスの読み手は教師であればとれた意味を見逃すだろう。最もわかりやすい例を挙げると、クラスの読み手はあなたの文章の不明確な点について、教師よりも優れた証拠を提供してくれる。メンバーは「自分の考える良い文章にそぐわない」という理由であなたの文章の拙く感じる箇所を教えてくれるだけではない。実際に意味がとれなかった箇所を教えてくれる。多種多様な読み手の集団は「あなたのメッセージがどのような経路で伝わるのか」を知るためのサンプル集として理想的だ。雑音が多すぎる箇所、メッセージが弱すぎる箇所が見つかる。この点において、ときとして文章のテーマについてほとんど知識のない読み手がいちばん役に立つ。

　次のようなプロセスを私はよく目にしてきた。誰かが自分が専門とする分野について書く。他の専門家に読んでもらう。相手はちゃんと理解してくれる。少なくとも疑問を持たないし、理解するうえで問題があった様子も見せない。ところがその文章を気に入ってくれない。あまり納得していないか、書き手が意図したようには影響を受けない。書き手は自分が書いたものを重要だと感じているのに、読み手にはそれがわからないようだ。しかしテーマについて何も理解していない人が読むと、問題のありかを教えてくれる。それは、たしかに述べられている考えを理解したと感じた専門家が、実は書き手が意図したとおりの受け取り方、書き手が見たとおりの見方をしていなかった箇所だ。専門家は通読して「ああなるほど、わかります」と言ったけれど、もしそこを本当に書き手と同じ目で見ていたら

強く心を打たれていたはずだ。

　ティーチャーレス・クラスのメンバーはある意味で教師より読むのが下手だが、教師より優れた読み方もする。メンバーはあなたの文章に毎週目を通す。あなたの朗読を耳で聞く。メンバーの文章に対するあなたの反応を聞く。メンバーは評価したり成績を付けたりしようとする必要がないから、あなたの言葉に心から耳を傾ける——つまり素直に聞いて自分に起こる反応に集中できる。メンバーはあなたの文体、言葉の扱い方を知るようになるから、言葉に部分的にしか表現されていない考え、気持ち、ニュアンスを聞き取れる。霧の向こうのメッセージを聞き取ってくれる。

　しかし、「現実の世界」には通じなかっただろうメッセージが通じたとメンバーが言ってくれるとしたら、ライティングの改善にどう役立つのだろうか。この疑問と最初に格闘した夜のことを思い出す。

　私は成人教育の夜間クラスで教えていた。自分のメソッドが「厳格」で「タフ」で「現実に即している」という自負があった。作品に対して読み手が教師よりもいわば意地悪であることの有益性に満足し、実際に気に入っていた。ところが講座が始まって3～4週間経ったこの夜、クラスのメンバーは教師である私よりも優しかった。対象は詩だった。みんなは紙で読んだ。全員がほとんど感銘を受けていなかった。詩は明らかにうまくいっていなかった。

　しかし誰かが作者の女性に朗読してほしいと頼んだ。相変わらずたいした感動はない。だが同じ読み手が彼女にもう一度朗読してほしいと頼んだ——たぶん詩について何も言うことがなくて困ったからだろう。そして今度はみんなが詩に感想を述べ始めた。詩の中に何かを聞き取り、ようやく心を動かされ始めたのだ。

　私にはメンバーに厳格さが足りないように思えた。私から見ると詩の出来は良くなく、朗読したからといってそれ以上良くなりはしなかった。メンバーがこんなふうに詩を気に入るのは予想外だった。私はクラスを優れた

実証的な現実世界の実験室にしたつもりだったのに、みんながお互いに優しすぎる、あまりにも楽で野放図な温室になってしまったように見えた。

　非常に困惑したが、それでもクラスは役に立つと思っていたから、理由を探り続けた。そして私は、こんなことがなければ思い至らなかっただろうフィードバック・プロセスの理解にたどり着いた。

　この女性は詩を書いた——私に判断できる限りではあまり出来の良くない詩を。だがその夜、彼女はもっと詩を書こうという気になる大きな体験をした。自分の言葉が読み手に届いたのだ。彼女は暗闇の中に言葉を送り出し、誰かが叫び返すのを聞いた。そのおかげで彼女はまた書きたいという気持ちになった。これはおそらくライティングが上達する最大の要因だ（クラスのメンバーは「何か優しいことを言おうとした」のではない。実際に詩の言葉から重要な意味や体験を得ていたのだ。世の中には学生の作品を必ずほめるように見えるタイプの優秀な教師がいる。もしこの教師の「テクニック」を真似して必ず良いことを言っても、そらぞらしく聞こえて効果はないように思われる。その「テクニック」の要はほめることではない。この教師は読み手として非常に優れているから、言葉の中に書き手が込めたものの多くを実際に聞き取っているのだ）。

　先の詩の例については次のように言えるだろう。女性の「メッセージ」は良かった（どんな思想や感情も、適切な言葉で伝えれば必ず良い詩になる）。ただ、彼女の詩は霧が濃く、雑音が多すぎた——つまり言葉が適切でなかった。しかし最後に読み手はようやく雑音の先にあるメッセージにたどり着き、詩を気に入ったのだ。

　しかしこのような解釈にはおかしなところもある。結局のところ、雑音などというものは存在しない。人間の行動、特に言語行動はでたらめなものでは決してない。書き手が舞踏病にかかっていてタイプライターのキーをでたらめに叩き続けたか、インクをページ上にでたらめに撒き散らした

＊１　身体に不随意運動が起こる神経疾患。

場合にしか、作文に雑音があると言うことはできない。それ以外の弱点や
誤りは、この人物の言語化における習性さえわかれば理解できると考えな
ければならない。話し手をよく知っている聞き手にとっては、言葉の使い
方が完全に間違っていても理解できる。

　弱く見える文章が実は強いと言おうとしているのではない。文章の中の
弱かったり、雑音や霧のようであったりする要素はすべて、実は解読可能
で、実は意味があり、実はメッセージであると言っているだけだ。そのほ
とんどが、メッセージを盛り込みすぎていて、しかもメッセージどうしが
相反している。言語化が中途半端で順序が整理されていないために、雑音
として機能してしまうのである。

　口頭や文書で言葉を発するとき、膨大なメッセージを出してしまうのは
人間ならふつうのことだ。私たちの言葉の生産がこれほど非力で効果を持
たない理由は、メッセージをすべてごちゃまぜにして互いに邪魔させてし
まうからだ。ひとつのメッセージを相反するメッセージをともなわずに送
り出せることはごく稀である。ライティングの不思議だがきわめて重要な
現象はこれで説明がつく。つまり、独創的でもあっと驚くようなものでも
ないし、文章も流麗ではなくむしろ拙いくらいなのに、率直で純粋なので
読み手の心を強く打つことがある。雑音に思えるもの、すなわち言語化が
中途半端で関連が薄いメッセージや、発した言葉を邪魔するニュアンスや
含みを、書き手は取り除くことができたのだ。

　雑音などというものは存在しないという考えは、作品をどう改善すれば
よいか理解するヒントになる。「ここの雑音を取り除け」と言っても役に
立たない。書き手は雑音など書いておらず、書いたものはすべてメッセー
ジだからだ。しかし、他のメッセージの邪魔をしたり言語化がうまくでき
ていなかったりするメッセージのほとんどに、書き手は気づいていない。

　単純な例を出そう。頼み事をしているが目的を果たせない手紙があると
する。内容は理解できるが効果がない。書き手のことを何も知らない読み
手は、間違いやもっと明確にできそうな箇所は指摘できても、なぜ効果が

ないのかを聞かれると「わかりません。単に説得力がないのです」と言う
しかないだろう。そしてもし手紙の受取人が書き手のことを知らなければ、
その人もおそらく同じフィードバックしかできない。しかし書き手につい
ても書き手の言葉の使い方や受け答えの仕方もよく知っている読み手なら、
もっとたくさんのことが言える。メッセージがたとえ弱くても、くまなく
聞き取れる。例えば書き手が手紙の相手に好意を持っていないとか、恐れ
ているとか、頼みを聞いてもらえると本気で期待してはいないとか、頼み
事の理由を実は自分でも信じていないといった言外の意味を。書き手には
こういうメッセージを送っている自覚はない。自分の言語化の癖をよく
知っている読み手から指摘されるまで、本人は気づかないだろう。

　ここでの大事な学びは、やめなければならないことがあっても——つま
り邪魔なメッセージを抑制しなければならなくても、それをやってしまっ
ている自覚がなければやめられない、ということだ。無意識に筋肉を緊張
させたりガチガチに力を入れたりするのをやめようと思うなら、まず筋肉
の緊張を体感しなければならない。

　だからティーチャーレス・クラスが順調にいっているとき、読み手は霧
の向こうに書き手が意図したメッセージを聞いているだけではない。いか
にその霧が意図せぬメッセージでできているかも聞き取っている。書き手
は自分が込めたつもりのない言外の意味があると何度も聞かされることに
なる。読み手からこんな感想を持ったと聞かされる回数がたび重なれば、
やがて書き手はその感想がもっともなのではないかと嫌でも感づく。自分
があるメッセージを送っていることを認識し始め、やがてとうとう自分で
もそれを体験すれば、そのメッセージを送るのをやめられるようになる。
あるいは逆に、そのメッセージをもっと強く明確に発信できるようになる。
これはライティング上達へのたしかな一歩になりうる。

人は真実から学ぶ、たとえその真実が不可解でも

　優れたライティングの定義や要件は人によって異なる。有望な理論があっても必ず、大多数が良いと認めている作品なのに当てはまらず、悪いとみなしている作品なのに当てはまってしまうことがあるものだ。「真の理論は存在するのに、みんなが愚かなせいで認めてもらえない」と主張したくとも、才能ある人が教われば良い文章が書けるような理論の定式化に成功した人間はいまだかつていない──これは厳然たる事実だ。

　この状況はひょっとすると変わるかもしれない。不可解な現象も否定はしないタイプの懐疑主義者もいるが、私はそうではない。どんな疑問にも答えがあり、答えがないならその疑問には問題がある。疑問を適切に設定し直せば、改善した問いに対して答えが得られ、それは当初の勘違いによる困惑を完全に解消してくれる。私はそう思っている。

　しかしいまのところ、ライティングはブラックボックスだ。ライティングとは紙に記号を書き記し、他者がやってきてその記号を見つめたときにどうなるかを待つ行為である。データやエビデンスはあってもなお不可解なのがライティングだ。人によって反応が違うだけではない。同じ人間でも別の日には違う反応をする可能性が高い。文章への反応のうち、書かれた言葉に左右されるのは一部だけで、読み手の気分、気質、経歴にも反応は左右される。そしてこれらの組み合わせの比重はその時々で変わりやすい。

　そんな不可解なものに学びがあるなどと誰が思うだろうか。そんなふうに考えるのは不合理に見える。だから通常の教育の場では、教師が生徒の言葉に反応を抱いても、ふつうは生徒にありのまま正直には伝えない。その反応は予測がつかず、気まぐれで、プロらしくなく、たいていは公正さを欠くからだ。通常、教師は生徒に単純化した物語を伝える。何が間違っていて、訂正するにはどうすればいいかを教えるのだ。教師は自分の反応と良文／悪文に関する自分なりの理論を組み合わせて、どうにか批評と

アドバイスをひねり出す。問題は、教師の反応がほとんど隠されており、その理論も正しくないことだ。

いつも気づかされるのは、強いこだわりや私見を持つ人から学べるものは大きいということだ。そういう人に私が書いたものを見てもらうとほぼ必ず、非常に思慮分別や節度のある正反対のタイプの人よりもたくさんのことを教えてくれる。度の強いレンズを持つ人の見方のほうがずっと歪んでいる可能性が高いが、使える情報が入っている確率もずっと高い。その情報が使い物になるために必要なのは、精査して有用なものとそうでないものを分けることではない。どんな情報も少しばかり歪んでいるものだ。少なくとも3〜4人の癖の強い人から3〜4種類の感想を並行して聞く必要がある。

Xについてこだわりを持っていて、読んだものの50%にXを見つける人がいたとして（これは誰かの本音の反応がわかり始めたときに実際によくあることだ）、その人があなたの書いたものにXを見つけたときは真剣に聞いたほうがいい。その人はXのエキスパートで、どれほどわずかな量でも検知できるのだ。ごくわずかな量でも、その存在に気づけない他の読み手にも影響を与えるという点で重要だ。

ライティングの学習プロセス

数学では一度にひとつずつの要素を学べるように思える。ひとつの要素に専心してマスターしてから次の要素に移ることが可能だ——むしろそうしなければならないとよく言われる。つまり自分の進捗が目で確認できる。うまくいかなければ、自分がどこでつまずいたかがある程度正確にわかる。

ライティング学習の驚くべき事実は、教えられてきた歴史は数学と同じくらい長いのに、実際にこのような順序立てた階層的な進捗をとげた人が誰もいないことだ。いつか誰かがそれをなしとげるかもしれないが、いま

のところライティングの学習とは、相反するのに依存し合うスキルを身に
つけることであるようだ。それは次のようなジレンマである。ＸとＹを学
んでいるが、ＹができるまではＸができるようにならない。でもＸができ
るまではＹができるようにならない（ライティングの学習は理論的に不可能で
あるという説には真実味がある）。

　このモデルから、ライティング学習の実態と驚くほどよく似た学習曲線
が導き出せる。つまり、まったく力が伸びないように思える長い停滞期が
ある。本当は水面下でいろいろなスキルに上達しようと試行錯誤している
が、その前提条件となる他のスキルがないために常に苦戦を強いられてい
る。しかも進歩をとげてそのスキルのいくつかを発揮できそうなところま
で実際に近づいたとしても、その進歩は決して表に現れない。すべてのス
キルが芽吹くまで、何も芽吹かないのだ。

　最悪なのは長い停滞期ではない。後退期もある。あなたは相関がありな
がら相反するスキル、ＸとＹとＺに上達しようと暗闇の中をさまよってき
た。表面上はわからないし実感もないが、いくらかは進歩したかもしれな
い。しかし学習プロセスにおいて、実際に使い始めてみないとＸＹＺがこ
れ以上は上達しない、というポイントがいやおうなくやってくる。そして
それは、あなたがいま使っているＡ、Ｂ、Ｃという関連し合った総合スキ
ルを手放すことを意味する。しかしこれらのスキルは関連し合って一体と
なっており、いまのあなたはＡＢＣに長けているから、もしＸＹＺを使い
始めたらあなたのライティングはずっと下手になってしまう。それどころ
か、たぶん書けなくなってしまうだろう。要素を個別に分解して一度にひ
とつずつ学べる階層的なスキルでは、このようなことは起こらないはずだ。

　だから、文章が下手になることは上達するための重要な学習ステップな
のだ。実際に、退行したり書けなくなったりすることは、複雑な学習には
重要で、通常は欠かせない一部である。学校は成功を重視しがちなせいで
学習を損なっている。失敗の代償があまりに高いと、学習者はこのよう
な複雑で総合的なスキルを向上させる可能性をみずから閉ざしてしまい

やすい。ＡＢＣを手放さずにいたほうが、ＸＹＺに挑戦するよりも必ずパフォーマンスが良く、優れた成果を出し、良い成績がもらえるのだから。

　このモデルに妥当性があるとすれば、ライティング学習に最もふさわしい方法が、分解したスキル要素を一度にひとつずつ学べる理想的な学習工程を作ろうとすることではなく、一体となっている複雑なスキルに学習者がまるごと取り組み続けられる状況を作ろうとすることである理由が説明できる。さまざまな要素のすべてに取り組まなければならず、理想の順序はないのだから、いつでも好きなように違う部分に取り組んでかまわない。時間も労力もかかり、さんざんフラストレーションにさいなまれるのだから、楽しくてやりがいのある取り組み方を見つけたほうがいい。

文法について

　文法、綴(つづ)り、句読点のようなものには通常、正解と不正解（あるいは「標準的」と「非標準的」）がある。だからといって、ティーチャーレス・クラスのフィードバックがこれらに役立たないわけではない。ティーチャーレス・クラスでは文法のルールを直接教えてくれはしないが、こういうものにあまり足を引っ張られなくなる手助けはしてくれる。実際の読者の反応を知ることによって、あなたはさまざまな間違いから生まれる影響を知るようになる。どんな間違いが気づかれるのか？　どんな読み手に？　この間違いは重要に感じられるのか、それとも些細(ささい)に思われるのか？　そのせいで意味が伝わらなくなるか？　読者にとって不快か？　集中力を削いでしまうか？　面白がられるか？　書き手は無知だと読者に思われてしまうか？　一段下に見られてしまうか？　不注意だと思われるか？　偉そうだと思われるか？　失礼だと思われるか？　ティーチャーレス・クラスは、あなたが文法にどの程度習熟したいか、自分の文章の正確さをあなたがどのレベルにしたいかについて、現実に即した判断をするのに役立つだろう

（文法的な間違いをまったくしない書き手などほとんどいない。この本の出版社は、だいたいの出版社と同様、言葉の使い方の間違い——少なくとも私が修正を望むミス——を直すプロを雇っている）。

　文法で特に助けてほしいと判断したら、そう伝えれば誰もが積極的に間違い探しをしてくれるだろう。ただし、文法の心配がライティングを上達させる努力の邪魔になってはいけない。ライティングに苦手意識がなくなり、ずっとうまく書けるようになるまでは、文法に囚われないようにしよう。それまでのあいだは、文法はかなり後の編集段階で修正するものにしておこう。書いている最中は文法については考えない。自分のために全部直してくれる編集者がついているつもりになろう。最後まで自分にその仕事をさせないように。そしてようやく文法が本当に重要になる段階で、文法が得意であなたが見逃した間違いを拾ってくれる人を見つけよう。このような手順にすれば文法の心配をせずに済む。

　しかし、文法上のひどい間違いをしているあいだはライティングがうまくなれないと感じる人もいる。そんなことはない。こんな極端な例を考えてみてほしい。ティーチャーレス・クラスに文法上の間違いをたくさんする人たちが参加しているとする。母国語が別の言語で英語は片言なのかもしれないし、「非標準的な」方言の話者なのかもしれない——あるいはその両方かもしれない。いずれにせよ、このような参加者がふだん話す言葉は、英語話者のほとんどが大間違いと言いそうなものだらけだ。だが、クラスに提出する作品は「英語として優れているか」という観点からのフィードバックはまったく受けないだろう。

　おそらく参加者はことあるごとに正しい（または標準的な）英語を無視したハイブリッド語を作ってくるだろう（メンバーによって少しずつ異なるハイブリッドが作られる）。そのどこに問題があるのだろうか。それらの文章は他の「言語」や「方言」で書かれたものと同じように、明確さと力を増していく。本人たちにとっては、そのハイブリッドで十分機能するだろう。他の多くの人にも、違和感はあるものの同様に機能するはずだ。どう

195

しても標準的な英語でなければという人に向けて書きたい場合には、誰かに手伝ってもらって適切な修正をすればいい。そしていざ本人が標準的な英語がうまくなりたいと思ったときには、書こうとする段階で高圧的に脅かされるよりも、すらすら書けるようになり言葉の力を操る感覚を知っていたほうが、習得ははるかに楽なはずだ。

　私が思うに、文法上の間違いをなくさなければ上手に書けないという考えのもとになっているのは、重大で極端な間違いのある文章は支離滅裂だという感覚である。しかし誰かが方言を話すとき、別の方言の話者にとって違和感はあるにせよ、話は支離滅裂ではない。本当に支離滅裂になるのは、間違う可能性を怖がりすぎて、何かを書きかけては言葉を止め、あれこれ迷って文章の途中で方向転換する場合だ。

　ライティングを教える場で文法に目をつけられやすいのはたまたまではない。文法はライティングの中で明快に教えられる部分だからだ。

ヨーグルト・モデル

　ティーチャーレス・クラスをうまく軌道に乗せるのは難しいかもしれない——教師がいるいないにかかわらずどんなクラスでもそうだろう。だが、いったん軌道に乗れば勢いがついて続けやすくなる。ほとんどの学生や教師には、最終的にうまく回り始めた学習グループにいた経験があるだろう。グループは「離陸」して、いままでよりも高い新たな水準で機能するようになる。学習と満足度を引き上げる新しい大きな力が働く。メンバーが互いに有益な行動を期待し、妨げになる行動を抑制するようになる。グループに一種の自動制御のメカニズムが備わるのだ。

　このような離陸レベルに達したクラスは、保つべき貴重な文化ができ上がったと考えるべきである。それは種菌が生きていれば牛乳を継ぎ足して作り続けられるヨーグルトのようなものだ。「学期」という期限のあるク

ラスではない。メンバーの顔触れが変わっても持続する生きた文化を自分たちは創造したのだ、と考えてほしい（ヨーグルトがお好きでない方は、警察を避けて移動し続ける不法賭博場と思ってもらえるといい）。辞めるタイミングは人それぞれという事実を活用しよう。短期間で去る人もいれば、長く続ける人もいる。徐々に新しいメンバーを入れていこう。メンバーには、おそるおそる周りの様子を見ながら少しずつなじむというベストな方法で学んでもらおう。コアメンバーとして最低7人が必ず参加することだけは気をつけよう。

　このヨーグルト・モデルを現在の「映画型」の学習構造モデルと比較してみよう。映画型モデルでは、講座やクラスは開始時期と終了時期の決まった「ショー」であり、それが何度も繰り返し上映される。学期ごとに新しい顔ぶれのメンバーとともに、学びの文化を継承しないまま出発し、12週間後、学びの文化がようやく立ち上がったころにクラスが解散して、せっかくできた文化は水の泡となる。

　ヨーグルト・モデルを大学や学校に確立するのは難しくない（実際にレスターシャー方式、別名「オープンクラスルーム」はヨーグルト・モデルをともなう傾向がある）。このモデルは学習グループを開始日と終了日や変更のきかない科目ではなく、学びの文化があるかどうかで定義する。グループに学びの文化がなければ解散してかまわない。しかし学びの文化の創造に成功したグループは、それを死なせてはならない。辞めてよそに移りたい人がいたら、少しずつ離れていくようにしてもらい、新しいメンバーが徐々に参加できるようにする。学びの文化は多種多様だろう。文化はゆるやかに変化していく可能性がある。科目もゆるやかに変化していく可能性がある。メンバー（教師も含め）は変わるかもしれない。しかし、おそらく学習の最も強力な支えである学びの文化は保たれる。

主観的なたわごと

「ああ、このクラスはすばらしい。個性を殺し、客観的に、厳格になろうとするのをようやくやめられる。ようやく居心地のいい場所ができた。羽を伸ばせる場所が」——こんなことを言う人がいる。これはまったくの誤解だ。ティーチャーレス・クラスは実は従来のクラスよりずっと客観的に、私情を交えず、厳格になることを求める。あなたは自分の感想をさらけ出さなければならないし、自分の反応を純粋なデータとして提出しなければならない。擁護も正当化も、それどころか説明すらもせずに、ただ自分の反応を明かして、他者の個人的な目的のために利用させるのだ。

このクラスが楽なはずと思っている人や、批判と助言ばかりの従来型のフィードバックをする人や、私が録音テープで聞くティーチャーレス・クラスで名文の条件についてしゃべりすぎるメンバーに、伝えたい言葉がある。これを特に読んでほしい相手は、正統とされるやり方に縛られ、このクラスを主観的と断じ、実際は厳格さの本質や言語の性質について真剣に考えようとしないため考えが甘いくせに、自分は冷徹で厳格だと思っている教師や知識人だ。

主観的なたわごとはもうやめていただきたい。私の文章が不明確すぎるという説教はもうたくさんだ。あなたの主観で不明確とレッテル貼りした文章を、あなたはどう捉えどう体験したのかを教えてほしい。形容詞が多すぎるなんていう説教はいらない。そんなのは主観的なたわごとだ。形容詞に多すぎるもなにもない。形容詞が2倍多くてもすばらしい文はある。あなたがどう反応し、あなたが何をどこに見たかを教えてほしい。良文・悪文について御託を並べるな。そんなもの誰もわかっちゃいない。信用に値しないナンセンスなことばかり寄こすな。裏データや間違った仮説にもとづく受け売りの結論ばかりじゃなく、信用できる一次データをくれ。

　巻末の補遺は、いま述べたことを節度のある言葉で理路整然と論じよう
としたものである。

学習プロセスを可視化しよう

　書けるようになるためのきれいな右肩上がりの学習法などなく、進歩も
表面上は予測できずとにかくゆっくりなので、ライティングの学習とは
もっぱらこのもどかしいプロセスそのものに耐えられるようになることだ
（別個の認知スキルの学習ではなく全人的な学びには、このプロセスがつきもので
ある）。
　この沼地を進むような学びの心象風景に道しるべを立ててみた。それを
これから紹介する。次のリストを読むと、先に待ち受けているものがある
程度つかめるだろう。ライティングそのものの上達はまったく読めなくて
も、学習プロセスにおいて自分が前に進んでいるかどうかはこのリストに
よってわかるはずだ。リストの項目はほぼ思いつくままに並べた。通常の
順序とか望ましい順序はわからない。多くの項目は通らないこともあるだ
ろう。あなた自身の日記を書き始めてほしい。あなたにとって大事な項目
を書きとめていこう。

　a）ライティングに進歩が見られた。
　b）4週間進歩なし。がまんがまん。あきらめなかった。
　c）書こうとするのをあきらめた。5〜6カ月後に再開。
　d）今度こそいよいよあきらめた。2年間放置。
　e）ずっとひそかに志していたが挑戦する勇気がなかったタイプの文
　　　章に挑戦（実はずっと戯曲を書きたかったが、その勇気が出る前にワーク
　　　ショップで6週間、もっとなじみのあるタイプの文章に取り組まなければ
　　　ならなかった）。

f）長い文章（フリーライティングではない）を書いて大きなスランプ
　　——進まない、空回りする、やめたくなる、書けなくなる時期——
　　は1回しかなかった。私に書くことをあきらめさせようとする悪魔
　　に1得点しか許さなかった、ということだ。

g）悪魔にわずか2失点。

h）絶不調——絶好調が続いた後に、ほとんど空回りが続く。

i）ある作品を書くのをあきらめる。完全にあきらめようかと真剣に考
　　えた。しばらくしてからあるきっかけで再開し、完成させる。良い
　　出来だった。

j）上に同じ。しかし出来はさんざんだった。

k）ある視点を持っていたつもりで書いた作品が完成に近づいた段階で、
　　実は自分の考えが正反対だったことに気づく。書き直し、完成させた。

l）ある作品が完成に近づいた。なんてことのないディテール、例、飾
　　りにしか思っていなかった小さなフレーズが目にとまる。それが少
　　し重要に見えてきた。それを少し発展させる。書き終わるころには、
　　それが作品の本当の中心になっていた。前は中心だと思っていたも
　　のが、相対的に重要ではなくなった。

m）同じ作品をワークショップに3～4回、その都度新しいバージョン
　　で出し直す。ほとんど執念で思いどおりの姿を目指して取り組んで
　　いる。ついに「これだ」という形になった。

n）上に同じ、しかし思う形にならない。

o）変だ、ありえないと思うようなフィードバックを受ける。後になっ
　　てあるきっかけからようやく、彼が言っていた意味を体感する——
　　私の言葉に対する彼の捉え方がようやく実感できた。私の言葉の
　　まったく新しい捉え方だ。

p）書くのが本当に楽しい。

q）書くのがほぼ楽しめた。

r）3作品続けて書くのがほぼ楽しめた。

s） 自分としては傑作を書いた。それが他の人にはわからないらしい。作品を誰も評価してくれないようだ。結局、みんなの評価が正しいとわかった。

t） 上に同じ。ただ、今回は本当に良い文だと私にはわかる。世界最高傑作ではないかもしれないが、私がいままでに書いてきたものよりずっとよく書けていて、私が目指すものに大きく近づいている。みなの感想は聞き流せて、まったく気にならなかった。

u） みなの反応をもとに書き直し、作品がまったく違うものになった。ずっと良い。

v） 上に同じ。しかしずっと悪くなった。

フリーライティングについて

a） 自分が書くものを誰かが読むのだという考えが頭から離れない。言葉がほとんど出なくなってしまった。いくつかの意味のない言葉やフレーズを繰り返すか、まったくのまやかし、嘘、欺瞞に思えるもののばかり。

b） フリーライティングがすらすらと楽にできる。なぜかはわからない。書いたものは上出来に見える。ただ、書いているのが自分だという気がしない。

c） 上に同じ、ただし書いているのはたしかに自分だと感じられる。

d） 同じ文を何度も繰り返すことしかできない。そんな書き方、バカみたいだとわかってはいる。もちろん他のことだって書ける。でもそうしたくない。でも同じ文が違う意味を帯び始める。最後に近づいたとき怒りで爆発しそうになった。でもなぜか、最後の最後に気持ちが落ち着き穏やかになった。

e） フリーライティングの中である人に語りかけるのがやめられない。でもその人に自分でも自覚していなかった思いを語っている。最後にはその人のことが前よりもわかるようになった。

ｆ）自分の書くことはすべて嘘でまやかし。でもなんて楽しいのだろう。

ｇ）フリーライティングの最初のほうでは、明らかに順調に言葉を生み出していた。強く、明快で、心情の込もった言葉——とてもうまく書けていたし、とても自分らしかった。ところがその流れが消えてしまった。取り戻そうとあれこれやってみた——自分から働きかけたり、待ってみたり。ムダだった。

クラスで感想を言う側としての道しるべ

ａ）新しく、難しい方法（衣服のメタファーを使う／音を出す）で反応を伝えた。

ｂ）ある論文にまったく心が動かなかった。何の反応もわいてこない。そう伝えた。それから15分後——あるいは3日後——に、当時の自分が体験していなかったくっきりと明確な反応を抱いているのにふと気づいた。

ｃ）ある作品に反応し、それを伝えた。無意識下でまったく別の反応が起きていたことに後から気づいた（その作品を気に入らないと感じていたが、実は心の奥底では良いと思っていたのに、その作品が自分には挑戦する勇気のないことに挑戦していたため悔しかったのだ、と後から気づいた）。

ｄ）クラスのすべての作品に明確な感想を述べた。

このようなプロセスを追う道しるべも有益で興味深いかもしれないが、もしあなたがライティングに本気であれば、自分のライティングの実質的な上達を示す道しるべを求めているだろう。もう少し時間とエネルギーをかければ、上達の道筋を形にしてみることができる。そうすると、自分についてもライティングのスキルについてもおおいに学べる。必要なのは、クラスの利用について書く連用日記のようなものだ。

　毎週、新しい紙を使って、その週の課題から自分が得たと思うものを簡

単に書き記そう。クラスでおこなったフリーライティング、その他のライティング、クラスの反応など。記載したものが真実を教えてくれるわけではない。そのときあなたが物事をどう見ていたかの記録として書くのだ。

　そうしたら、約6週間ごとに日記とその週に書いた作品を読み返そう。現時点で物事がもっとよく見えるようになったかを確認してほしい。その期間にどんな上達が見られるか。変化やパターンはあるか。とりわけ、何の進歩もしているように思えなかった、長く一見すると不毛な時期に起きていたことがわかるかどうか、確認してほしい。表面上は変化のなかったこの時期に、無意識下で学んでいたことがいまは感じられるだろうか。この期間を、あなたがいわば一度覚え込んだものを捨て去ろうともがいていた時期として見てみよう。この期間にあなたは、自分の言葉の生み出し方に基本的な癖があって、言葉が読み手に届かなかったり逆効果になったりしているのを、他者の反応から学んでいた。それはひょっとしたら聞き手に対するあなたの姿勢の基本的な癖だったかもしれない（傲慢さや恐怖心など）。ともあれこの期間は、その癖に代わるものがなかったために、あるいはその癖に慣れきっていて手放すと不安になってしまうために、あなたが実質的にスランプに陥った時期だった。このような変化は通常、渦中にいるあいだははっきり見えない。しかしライティングを飛躍的に上達させてくれるのはこういう変化だけだ。このような変化には長い時間がかかり、おおむね無意識下で進むことが多いので、2度目、3度目の振り返りをするまではわからないかもしれない。

　ある週に、そのときは気づかなかったけれど何かが起きていた、と判断したら、新しいコメントを日付とともにその週の日記に書き加えよう。将来さらに別のコメントを記すことになるかもしれない。歴史を書き換えていこう。

　クラスに参加する1年前、3年前、10年前の作品を掘り起こしたら、いまの文章がもっとよく見えるようになるかもしれない。

補 遺

ダウティング・ゲームと
ビリービング・ゲーム
—— 知的な営みを分析する

「そんなの信じられません」とアリスは言いました。

「信じられない？」と女王はあわれむように言いました。「もう一度やってみるがよい。大きく息を吸って、目を閉じなさい」。

アリスは笑いました。「やってみたってしかたありません。ありえないことなど信じられないもの」。

「練習が足りないのだ」と女王は言いました。「私がそなたくらいのころにはいつも、日に30分はやっておった。朝食の前にありえないことを6つも信じたことだってある」。

——『鏡の国のアリス』ルイス・キャロル

ティーチャーレス・ライティング・クラスに初めて出合った人は、クラスを反知性的だとよく言う。特に学者からは、他のメンバーがどう読んだかに内容がどうあれ耳を傾け、反論せず、むしろそれを信じようとするという考えは、異端的で自堕落に思われる。

そのそしりを、知的な人なら多くが軽く受け流すだろう。「知性なんてたかが知性！　どうでもいいね」。問題は、私はどうでもいいと思っていないことだ。私は自分を知識人だと思っている。それに反知性的だというそしりをこの数年あまりに何度も浴びせられてきたので、ここでたっぷりと答えてみたい。

ここから先で私は、ティーチャーレス・クラスや他のさまざまな活動に取り組むなかでたどり着いた実践と考え方の多くについて、正当な理由づけをしようと試みている。非常に理論的に書いているのは、私に対する多くの攻撃が理論的だからというだけでなく、私が理論を重視しているからだ。本書のここまでの章は、もっと一般的な最終弁論である本章を読まなくても、それだけで理解できるしお使いいただける。

反知性主義だというそしりは、知的な営みについての誤った理解から発している。知識人とは、可能な限り最善のプロセスを手段として真実を探り出そうとし、思い違いをしないようにそのプロセスを合理的で厳格な方法で用いる人のことだ。ティーチャーレス・クラスの基本的なプロセスは、そのような知的な営みの要となるものだ。

これから展開する私の主張の皮切りとして、真実を探求する際の一般的な状

況を思い浮かべてほしい。あることについて相反する主張が山ほどあり、どれが真実かを知りたい。そのときあなたに使える基本的な方法は2つある。「ダウティング（疑う）・ゲーム」と「ビリービング（信じる）・ゲーム」だ。

ダウティング・ゲームは間接的な方法、つまり間違い探しによって真実を探す。ある主張を疑うことが、その誤りを見つけるにはベストな方法だ。弱点を見つけたいなら、その主張が虚偽であると想定しなければならない。その主張が真実に見えれば見えるほど、強く疑わなければならない。「*Non credo ut intelligam*（知らんがためにわれ信じざる）」──何が誤りかを知るためには、疑わなければならない。

上手に疑うには、対象となる主張から自分を切り離すよう意識するといい──特に自明に映るものには気をつけよう。自我、自分の願望、先入観、経験、その主張にいれ込む気持ちは脇に置かなければならない（記号論理学における思考の形式を使うとやりやすい）。また、主張を論理的に変換することでその前提と必然的な結論を明らかにし、隠れた誤りを洗い出すのも役に立つ。主張どうしを戦わせることにも同様の効果があり、上手に疑うことができる。主張どうしは対立関係にあるので、互いに戦わせれば、それぞれの主張が持つエネルギーと巧みな理屈を利用して弱点を探し出せるのだ。

ビリービング・ゲームも間接的な方法で進む。すべての主張を信じよう（いろいろな主張に目を通して最も真実らしく見えるものを選ぶだけなら、それはビリービング・ゲームではなく推測ゲームか直感ゲームになる。推測にも特別な力があるが、ここでは深掘りしない）[(6)]。

ビリービング・ゲームの第1のルールは、主張を疑わないことだ。そのために、主張を一度にひとつずつ取り上げ、そのひとつを見るときは他の主張を頭から追い出すようにしよう。主張どうしを戦わせようとしないように。ビリービング・ゲームは対戦法ではないからだ。

ビリービング・ゲームでは、テルトゥリアヌスの本来の命題「*credo ut intelligam*（知らんがためにわれ信ず）」──理解するために信じる姿勢に立ち戻る。見出そうとしているのはその主張の誤りではなく真実であり、そのため

＊1　この命題の実際の出典はテルトゥリアヌスではなくアンセルムスと言われている。

207

には信じるほうが役立つ。主張によっては、そこに傾倒したり行動を起こすことで全面的に信じるのは非現実的な場合もある。しかし真剣に、強く、心から信じるという形であれば、悪意ある主張や不合理な主張であっても信じることは可能だ。それには大変なエネルギーと注意力と、一種の内面からの献身さえも必要になる。「こういうものの見方をしている人の頭の中に入ってみよう」と考えるとやりやすい。そういう人物像を自分で作ってみるのもいい。その主張をした人物の体験を自分のものにしてみてほしい。

　そのためには、主張から自我を切り離すのではなく、その主張の中に没入／自我関与する――つまり自己を投影する行為が必要だ。またこのプロセスでは、主張を論理的に変換することではなく、比喩的拡張、類比、連想をおこなうことが助けになる。それによって主張の中に潜んでいる知覚や体験が見つかりやすくなる――主張の中に入り込んで歩き回るための足がかりがつかめるのだ。

　ここまで述べたのが、この章の主役である2つのゲームの概要だ。他の特徴を示すための違う呼び方もあるかもしれない。ダウティング・ゲームは「自我の切り離しゲーム」「論理ゲーム」「命題の弁証法」と呼ぶことができるかもしれない。ビリービング・ゲームは「関与／没入ゲーム」「メタファーゲーム」「体験の弁証法」と呼べるかもしれない。

ダウティング・ゲームの独占支配

　ある意味、この章はダウティング・ゲームに対する長文による攻撃だ。しかしこの攻撃を、私はダウティング・ゲームを評価して傾倒している者としておこなう。ダウティング・ゲームしか認めない人にも説得力のある議論を試みるためだ。私の狙いはただ、ダウティング・ゲームに少し場所を譲ってもらい、ビリービング・ゲームに正当性を持たせることだけだ。

　なぜか私たちの文化では、ダウティング・ゲームが正当性を独占支配するようになった。どういういきさつでそうなったのか、私にはよくわからない。知的プロセスとダウティング・ゲームを同一視するこの傾向は、ソクラテスに見てとれる。彼の「声」に「ノー」の一語しかボキャブラリーがない理由はこれ

だと私は思う。ソクラテスには信じていることもたくさんあったが、彼はそれら以上に、論理——彼が「理性」と呼んでいたものに傾倒していたようだ。ソクラテスの対話は基本的に還元主義的で、不要なものを削ぎ落としていく性質を持つ。ある信念が愚か、空疎、あるいは矛盾しているものである、と証明する性質だ。ソクラテスは、ときには論理によって何か（例えば死後の魂の存在）を肯定しようとしたが、肯定する際にはたいていダウティング・ゲームと論理的弁証法を捨てて、神話、メタファー、寓話に頼った。

　デカルトが私たちの手法に「疑い」つまり「懐疑主義」の名を与えた。彼は、真実を目指す方法はすべてを疑うことだと感じていた。この精神が、西洋文明の理性的プロセスの概念において中心的な伝統であり続けた。ソクラテスは「吟味（ぎんみ）されざる生に生きる価値なし」と言った。デカルトが実質的に言っていることは、「疑われざる思想は抱く価値なし」ということだ。

　ダウティング・ゲームの独占支配には、17世紀以降の自然科学の隆盛も一役買っているかもしれない。科学には懐疑のイデオロギーがあるように思える。科学者は物事をうのみにせず、簡単には信じないことを自負している。「自分はすべてのことを本当には信じておらず、まだ反証されていないものについてそれが真実であるかのように振る舞っているだけだ」という口ぶりの科学者もいる。この考え方からすると、実験的方法とは何かを反証しようとする試みでしかない。[(7)]

　どうしてそうなったにせよ、学術界・知識界ではほとんど誰もが、ダウティング・ゲームをプレイすれば自分は厳密で、厳格で、理性的で、感情に流されないかのように思っているのが現状だ。そして何かの理由でダウティング・ゲームを差し控えれば、自分が知的でなく、非理性的でいいかげんな気がしてしまう。ダウティング・ゲームに実際に反対している少数の人々すら、知的な営みについての同じ見方に届している。つまり、ダウティング・ゲームに反対するなら、知性と理性に反対しなければならないと思い込んでいるのだ。

　これがダウティング・ゲームの独占支配が生んだ罠である。この後のいくつかの節で、言葉の意味に関して明確な真実が存在すること、そして、ダウティング・ゲームはその真実を知る助けにはならないが、ビリービング・ゲームは助けになることの証明を試みて、この罠と戦うつもりだ。

意味と言葉に関する真実

　この節では、誰かが「この一連の言葉の意味は○○である」と言うときに、それが正しいか間違っているかのどちらかであることを示したい。その主張は真か偽のいずれかである（どちらともいえない状況もあり、それについても明らかにする）。

　意味に関する私の説明は、現実の人間が話したり書いたりするときに起きていることを根拠にしている。人が他者にうまく話せたり書けたりするときは、意味の移動が起きているように見える。つまり、話し手が意味を言葉の中に込め、対する聞き手がその意味を取り出している。大きな観点から見れば、この説明は妥当だ。聞き手は話し手が知ってほしいことを知り、それは聞き手が以前は知らなかったことなのだから、その知識が聞き手の頭に入ったのは言葉のおかげに違いない。しかし視点を近づけて、「厳密に言えば、言葉が意味を内包することはできない」と認識することもまた重要だ。

　意味を握っているのは人間だけだ。言葉は、人間によって付与された意味しか持てない。聞き手は、自分自身で言葉に与えていない意味を受け取ることはできない。言語は、その人自身の頭から出てきた意味を構築させるための、一連の指示にすぎないのだ。話し手の言葉を聞いて、聞き手の知識は新しくなったように見えるが、新しくはないともいえる。なぜなら、話し手の言葉から伝わった意味は、聞き手の頭の中にいままでなかった構造を生み出すように見えるが、その新しい構造は、聞き手がすでに持っていた材料から構築する必要があったからだ。話し手の言葉は、聞き手の中にすでに存在する材料の組み立て方を示す指示だったのである。

　別のメタファーで説明してみよう。意味とは頭の中に流れる映画のようなものだ。私の頭の中には映画が流れている。それをあなたの頭の中に入れたい。しかしお互いの頭の中は見えないので、それができない。私にできるのは、なんとか知恵を絞ってあなたにサウンドトラックを送り、それによってあなたが頭の中に正しい映画を再構成できたと願うことだけだ。さらに事態を悪化させるのは、当然どちらもお互いの頭の中の映画を観られないので、自分の頭の中の映画を相手の頭の中に再現させることにどれだけ成功しているかについて、

誤解が生じやすいことである。

　言葉とは、私の頭の中身をあなたの頭に移すものではなく、相手が自身で意味を構築するための指示を与えるものだ——その複雑さを認識する限りにおいて、言葉には「意味がある」、さらには、言葉は「ある人の頭から別の人の頭に意味を運ぶ」と言うことができる。双方が「意味を構築する指示を書くこと」「その指示に従うこと」に長けていれば、お互いの頭の中には同じものがおさまる——つまり意思の疎通が成り立つ。そうでない場合は、互いの言葉を「何の意味もない」か「誤った意味がある」ものとして体験する。

　そこで問題は、このような意味構築のルールが通常の言語においてどう働くのかである。通常の言語、例えば英語における意味は、夢の中の意味と数学上の意味という対極の中間にある。

　夢は解釈が難しいかもしれないが、相手がいないので、意味をめぐる状況の性質は非常に単純だ。夢には「話す」があるだけで「聞く」がない。夢は夢として存在するだけで、解釈は求めていないのだ。だから、夢や夢のイメージは特定の明確な意味をたしかに持っているが、それはどんな意味でもありうる。その夢を見た者が構築した意味が、その夢の意味になる。何でもどんな意味にもなる、これが夢のルールだ（おおげさに言えば、夢の意味の構築ルールは「類似」と「連想」のルールである、ともいえる。しかし、夢に限らず何事も別の何かにある程度は似ているし、何事も何らかの形で別の何かを連想させるものだ。したがって、何でもどんな意味にもなりうる）。銃とか尖塔の夢を見たら、それはペニスのことかもしれないし、そうでない場合もあるかもしれない。また、どんなイメージが出てきても、それはペニスの夢かもしれない。夢に不正解はない。

　夢の対極には数学のような言語がある。数学において、人々は意味を構築するルールを記号に確定しようと苦労してきた。あるものが持てる意味は、公的に認められたルールが許可する意味だけだ。数学には不正解があり、何かが意味するものや間違いの有無についての議論は、疑いや曖昧さを残さずに解決できる（高度な数学研究には例外があるだろうが）。

　通常の言語はその中間にある。夢のように流動的なものにしようとする力と、数学のように固定的なものにしようとする力のせめぎ合いの中にあるのだ。

　通常の言語の個々の使用者は、夢を見ている人に似ている。その人はありと

あらゆる既存の意味を、ありとあらゆる既存の言葉の中に構築する傾向がある。誰もが言葉に対して、イメージに対するのと同じくらい多様な言外の意味や連想を持っている。だから個人が使う場合に限り、言葉はどんな意味にもなりうるし、実際にそうなりがちだ。

　通常の言語がこのような夢に似た流動性を持っている例を示そう。同じ言葉の意味が時代と地域によってさまざまに変わる事実に注目してほしい。「down」はかつては「hill（dune＝丘）」を意味したが、「down hill（off-dune＝丘を下る）」という言い回しがよく使われ、それを略して「adown」と言っていたため、ついには hill がかつての down（丘）を意味するようになった。言語学は子音をほとんど重視せず、母音をまったく重視しない学問であると言われてきた。言葉はいかようにも意味を変える可能性がある。

　しかし秩序を求める数学的な力もまた強い。つまり通常の言語において、言葉はどんな意味を持つ可能性もあるが、実際に意味するのは、その言語を話す共同体がそのとき認めている意味だけだ。だが数学の場合とは異なり、その合意は明示的に取り決められて合意されているわけではない。つまり、言葉の中に意味を構築する私たちのルールは不文律であり、他者の話を聞き、自分自身の発言を聞くことによって実践的に覚えていく。ルールを知らないままゲームが始まり、気づいたらルールに従っていて、後から少しずつルールを理解していくことがむしろ楽しみの一部であるパーティーゲームのようなものだ。ルールがわかると遊べる——ルールを知っている他の人たちとメッセージのやりとりができる。意味を構築するためのルールは辞書に書いてある、と思われるかもしれない。しかし辞書は昨日のルールの記録にすぎず、今日のルールはどこかしら違う可能性がある。それに、辞書は話し手が言葉で伝え合うすべての意味を教えてはくれない。

　通常の言語における夢的な性質と数学的な性質の力学は重要だ。たえず両者の綱引きがおこなわれている。個人は言葉にどんな意味でも与えがちだ——夢のイメージに、自分が構築するどんな意味でも与えるように。それは勝手気ま

＊1　古英語において、「from the hill（丘から来る）」を「of dune」と表現し、丘から来る者は高いところから低いところへ移動するため、短縮形の「adune」が「下りる」を意味するようになり、それが「adown」・「down」と変化・省略されるようになったという説もある。

まだからではなく、人間が意味を構築する生き物であり、出合うものすべてにたえず新しい意味を構築せずにはいられないからだ。

　しかし言語共同体は、このような野放しの自由をたえず抑制している。個人の話し手がある言葉で意味したことを共同体の聞き手が「聞き取る」ことがなければ、話し手は共同体に妥協して、言葉にその意味を持たせるのをやめる傾向がある。つまり、話し手が構築した意味を聞き手側も構築しなければ、話し手は言葉にその意味を構築するのをやめるか、あるいはその意味を構築していることに無自覚なままになる。いずれの場合も、話し手はそれを言葉の本当の意味として扱わなくなる。個人の聞き手の場合も同様だ。ある言葉の中に聞き取った意味が共同体の話し手が意図したものでなかった場合、共同体に妥協してその意味を聞き取るのをやめるか、言葉にその意味を見出したことを意識しなくなる傾向がある（次のような例外を見てみると、このプロセスがよくわかる。溺愛している子どもやウィリアム・ブレイクのような詩人が相手なら、相手の考えていることを知りたくてたまらない聞き手は、相手の話し方が夢を見ている人のようであっても、その言葉を解釈できるようになるだろう。話者の発信量と聞き手の注意力が十分にあれば、暗号は必ず解ける）。

　言語における意味の歴史は、この夢的な性質と数学的な性質の勢力争いの歴史だ。話し手に力があって、ある発言によって人々が聞いたことがなかった意味を「聞かせる」場合、相手の意味構築ルールは変化する。さらには聞き手でさえも、このような巧妙な形で力を持ち（自分は揺るがずに相手を動かす）、以前ならその発言に話し手が意図しなかったような「意味を持たせる」ことがある。逆に共同体の側が動かされない場合は、意味は変わらない。それをハンプティ・ダンプティは次のように指摘している。

　　「でも『名誉』は『圧倒的な論破』という意味じゃないでしょ」とアリスは反論しました。
　　「おれが言葉を使うときはな」とハンプティ・ダンプティは軽蔑するような口調で言いました。「その言葉はおれが意味させたい意味になるのだ——それ以上でも以下でもない」。
　　「問題は」とアリスは言いました。「言葉にそんなにいろいろな意味

を持たせることができるのかです」

　「問題は」とハンプティ・ダンプティは言いました。「どっちが主<ruby>主<rt>あるじ</rt></ruby>か
──それだけだ」

──『鏡の国のアリス』ルイス・キャロル

　しかしひとつの言語共同体を取り上げるだけでは話が単純化されすぎてしまう。なぜなら実際は、個人にはそれぞれたくさんの重なり合う言語共同体があり、それらが合わさって、例えば英語話者全体の言語共同体のような最大のものになるからだ。その下に属する小さな共同体は勢力争いの渦中にある。かたや小さな共同体は、個人の話者が込める意味に備わっている夢のような流動性を安定させようと働きかける。他方で小さな共同体は、もっと大きな言語共同体ほど意味を安定させる力が強いわけではない──例えば、私は大きな共同体に対してよりは、友人に対してのほうが意味の構築ルールを早く変えられる。したがって、小さな共同体は大きな共同体に対しては、むしろ流動性を強める力になる。

　このモデルが示唆しているのは、通常の言語における意味が、重なり合う言語共同体の中にいる人々の繊細で柔軟なやりとりから成り立っているということだ。そのやりとりは、「どの言葉やフレーズに、どの意味を構築するか──そのルールは明示されておらず、たえず変わるものだが、守らなければならない」という暗黙の合意によって支配された特殊なものである。参加者全員が「他のみなも同じルールと合意を守っている」と想定してこのやりとりを続けているにすぎない。そのため、言葉は優れた参加者のあいだではきわめて正確にやりとりされるが、それにもかかわらず、言葉は常に流動的に漂い流されているといえる。

　これでようやく、発言に込められた意味に関して真実が存在する──つまりテキストの読み方には正解がある、と言ったときに私が意図していたことを明確にお伝えできる。すなわち、正しいのは言語共同体がその言葉に構築する解釈である。どちらともいえない状況もあり、それはある言語共同体にとってふさわしい解釈が別の言語共同体には合わない場合だ。例えば、16世紀の使用法ではふさわしいが現代の使用法には合わない読み方や、スラングにはふさわ

しいが標準的な英語には合わない読み方がある。

このモデルは、個人による異端な読み方がときとして正しかったり間違っていたりするという、常識ではあるがわかりにくい考え方を裏付ける。それはいままで見てきたように、各個人は言葉に対して、言語共同体が暗黙に合意しているのとは異なる、もっと夢に近い意味を抱いているのが自然だからだ。したがって、異端な解釈は通常は間違っているといえる。ひとりで夢を見るのはかまわないが、通常の言語においては、私たちが考える意味は共同体や他者とのコミュニケーションと無関係ではいられないからだ。

しかしある個人がテキストに対して、共同体の誰も思いつかなかったがその共同体のルールに従っている読み方を思いつくこともあるかもしれない。そのような解釈は、たとえ共同体の誰もこれまで思いつかなかったものだとしても、正しいといえる。それを証明する理想的な方法は次のようなものだ。

その読み方を共同体に伝えて、みなが「もちろんそのとおり！　その解釈は思いつかなかったが、あなたに指摘されてみると明らかに正しい。意味に関する私たちのルールから発展したものだとわかります」と言えば正解。みなが「はあ？」とか「ばかばかしい！」と言ってくれれば、理想的な状況においてはそれは間違った読み方である印といえる。しかし現実には、それでもその読み方が正しくて、共同体のルールに従っている可能性がある。ただテキストが難しく読解しがたかったために、みなの読む力が追いつかず、正しいことがわからなかったのだ。そこで次のようにまとめることができる。言語共同体が自分たちのルールを破らずに構築する／構築できるはずの読み方は、正しい。

このモデルを使うと、「テキストに正しい読み方は複数あるのか」をめぐる議論につきものの難しさを克服できる。正しい読み方は複数あると言うとき、人は「どんな読み方も同じように正しい」という意味合いで語ってしまいやすい――あるいはそう理解するように説得されている。しかし前述のモデルによれば、テキストの読み方が言語共同体の意味構築ルールに従っているなら正解は複数ありうるし、それ以外の読み方は明らかに不正解である、とわかる。

ひとつの発言に複数の意味がありうる理由は単純で、これもまた現実の人々の言葉の使い方から導き出せる。つまり、人間にはエネルギーを節約したがる性向があるためだ。もし私が３つの作業をするために３つの動作をしており、

ひとつの動作で3つの作業をこなせる方法があったら、可能ならば動作を節約する後者のやり方に移る。単純な話で、1回の発言だけで複数のメッセージを送信できるのだ。送信コストを節約しよう——人はおのずとそうするものだ。一連の言葉で誰かの頭の中に2本の映画を観せたり、2人の相手にそれぞれ別の映画を観せたりすることは可能だ。繰り返すが、これは先ほどの「正しい解釈とは何か」に関する分析を取り消すものではない。この2本の映画は何でもいいわけではなく、言語共同体のルールによって認められた映画に限られている。共同体のルールが——柔軟でゆとりのあるものであるために——ひとつの発言からルールに従った映画が1本ではなく2本できるのを許したというだけだ。それ以外の映画がルール違反だという事実は変わらない。

ニュークリティシズムの批評家についての短い脱線

ニュークリティシズムの批評家は本物を追求している。彼らはテキストの意味に関する本当の真実を求めている。それを求めるのは正しいと私は思う。私も同じものを求めている。しかしそれを手に入れるには、彼らの実践的手法——誤解を招く形で神聖視されるようになった手法から離れなければならないと感じている。だが私は彼らと同じ目標を目指し、彼らの伝統にのっとって取り組んでいることも強く自覚している。

意味に関する本当の真実の追求を進めるために彼らが主にしたのは、問いを演繹的にではなく実証的にしようとすることだった。彼らは意味の追求を、テキストの意味を決める独占権を持っていると思われていた特別な人々、すなわち著者と学者の手から取り上げた。彼らは「著者は自身のテキストの意味について間違っている可能性がある」と主張し、それは正しかった。また、「学者は著者のテーマや当時の時代精神に関する自分の研究を根拠にテキストの意味を決めつけてはならない——テキストが意味するはずのものを決めつけてはならない」と主張したのも正しかった。

＊1　文芸作品を時代や社会などの背景から切り離して、テキストだけをもとに批評する動き。

ニュークリティシズムの批評家は、意味はテキストの中にあるとみなし、著者や学者が意味についていかに間違いうるかを説得力を持って示すことによって、この戦いに勝った。しかし彼らは、テキストの中だけに意味があるとみなす誤りを犯した。ばかばかしいものを恐れ、高い水準を求めるあまり、著者の頭の中に立ち戻ったり、現実の読者の頭の中をのぞいたりすることに耐えられなかったのだ（Ｉ・Ａ・リチャーズはそれらをのぞき見て、ただぞっとするばかりだった）。他者の頭の中という混沌とした場所に入り込むのを避ければ快適には違いないだろうが、言語共同体の意識の中で起こることにこそ、意味は依拠している。意味をめぐるルールは、共同体と時代の中をたえず漂流しているのだ。

　ニュークリティシズムの批評家たちは冷徹な真実を望むあまり、言葉の実態が許容しているよりも整然とした真実を、もうひとつの方法も使って主張した。一連の言葉の意味はひとつである、としたのだ。ところが彼らは誰よりも優れた読者で、頭も非常に良かったから、常にテキストの正しい意味を数多く、あるいはすべて見つけてしまう。だからほぼ何にでも皮肉、緊張関係、矛盾を見つけるのが習性になった。実際にテキストに皮肉や矛盾が存在する場合もある。しかしときには、各要素をそれぞれ正しく読み取れていたとしても、それらの要素がひとつの複雑なメッセージを構成するわけではなく、ひとつの作品内でメッセージが一致しないというわけでもない――単にそれぞれの要素が異なっているだけ、という場合もあるのだ。

　しかしこのような傾向はあるにせよ、彼らが皮肉を偏愛するのには好ましい面もある。というのも、彼らが批評の対象としたのは主に文芸作品であり、文芸作品の特徴は要素間の一貫性であると考えるのは（不可欠ではないが）理にかなうと私は思っているからだ。作者が成功している――すべての意味が一貫している――という前提で読むと、捉えにくいが作品の中に実際に存在する一貫性が見つかる可能性が高まる。ニュークリティシズムの批評家は、優れた一貫性を数多く見出している。ただし一貫性を見つけるのにあせりすぎると、ニュークリティシズムの読み方に特有の欠点が出る。それは、一貫しているように見えない読み方――特に、強くて単純な感情に対する異端な読み方や素朴な読み方――を許容できないことだ。テキストに実際に存在する一貫性を見出

したいなら、暫定的な作業仮説として「テキストには一貫性がある」と想定しなければならない。しかしまずはテキストの中に存在するすべての意味を見つけなければならないはずで、それには仮説を検証するために「知覚した意味は、どれほど一貫性がないように見えてもテキストの中に存在する」と想定するのが助けとなる。ニュークリティシズムの批評家は、一貫性のなさと皮肉の欠如への寛容さが足りないのだ。

意味の主張に対してダウティング・ゲームが効かないのはなぜか

　このように、発言やテキストに備わった意味に関する本当の真実——厳然たる、常識的で、実証的な真実は存在する。すなわち、言語共同体が自分たちのルールを破らずに構築する／構築できるはずの読み方は正しい、ということだ。

　しかしダウティング・ゲームではこの真実が見つからないだろう。批評家が詩の意味について誤った主張をする場合も、学生が本の意味について誤った主張をする場合も、私が発言の意味について誤った主張をする場合も、ダウティング・ゲームにはその誤りを示す力がない。意味についてのその主張は誤っている、と特定するためのルールは存在しない。誰かがある発言に「こういう意味がある」と言うとき、その人に反論するのは常に時間のムダだ。相手の言うことを否定する議論は役に立たない。

　例えば、私が読み取って提案する意味には本質的に自己矛盾がある、とあなたは言うかもしれない。しかしテキストの意味が本当に自己矛盾していて、私はそれを正しく読み取って解釈した可能性もある。あなたが正しいと覚え込んでいる、あるいは正しいと信じるだけの理由がある意味と、私の読み方は矛盾している、とあなたは言うかもしれない。しかしテキストには矛盾する２つの意味が含まれていて、どちらの読み方も正しいという可能性もある。私の読み方は詩の３連目に出てくるものと矛盾する、とあなたは言うかもしれない。しかしそう感じるのは、３連目においては別の正しい読み方のほうが優勢なため、それと比べると私の読み方は劣勢だというだけなのかもしれない。私の読み方は「黒」を「白」と受け取る解釈に拠っていて、本来の意味とは逆だとあなた

は言うかもしれない。しかし実際にその作品では、共同体の意味構築ルールにのっとった文脈において、かすかではあるが黒が白も含めて示唆している可能性がある。私の読み方は、その作家が他に書いたすべて、あるいは時代の特徴すべてと矛盾している、とあなたは言うかもしれない。しかし私が見出した意味は新しくて、従来の特徴とは異なっているということなのかもしれない——もちろん、作家がそれを自覚しているとは限らないが。私が自分の読み方を裏付ける証拠を何も出そうとしない、とあなたは言うかもしれない。それを根拠に私に耳を傾ける必要はないと思っているかもしれないが、だからといって私の読み方が間違っている可能性が高いわけではない。私はテキストの中に実際にあるのに、あなたにも他の誰にも聞き取れなかった意味を見つけた可能性がある。それは「合法的」、つまり言語共同体の意味構築ルールに従っているのに、何らかの理由で共同体のほとんどのメンバーにとって構築しづらい意味なのかもしれない。その意味は難解でかすかなだけでなく、テキスト内のもっと目立つ意味とは矛盾していることがよくある。私がその読み方をした根拠を示せないのは、私にとってあまりに聞き取りづらく、私の考え方に大きく逆らうものであるからかもしれない。

　もちろん逆に、いま挙げたいずれの場合も、私がまったく間違っているかもしれない。

　たしかな事実は、相手の言うことを否定する議論（ダウティング・ゲーム）には論理と証拠が必要で、それらは意味をめぐる議論においては役に立たないということだ。不一致点や矛盾を発見しても、「ある読み方が正しい可能性は低い」と証明されるわけではない。

　この事情は現在の慣行や言説とは折り合わないが、実は常識にかなっている。なぜなら意味の主張は、「強引」あるいは排他的ではなく「控えめ」である場合にのみ、ダウティング・ゲームから反証されることがなくなるからだ。もし私が「それが意味するのはXではなく、Yだ」と言ったら、あなたに鼻であしらわれてもしかたない。Xに対する私の否定には説得力がないからだ。しかし、もし私が「それが意味するのはYだ。ただしXに関してはわからない」と言うにとどめれば、私に対して有効な反論はできない。

　私が語っているのは、文学の中でしか発生しない、一般的な解釈から外れた

特殊な意味についてだと思われるかもしれない。文学研究において、テキストの中にある正しい意味にできる限り目配りする必要があるのは本当だ。明白な意味だけでなく、もっとかすかな意味にも注目しなければ、多くの文学作品は一貫性を持たず、意味があるものにすらならない。しかし同種のかすかな意味は、日常の言葉の中でも働いている。精神医学の功績は、ごく「かすか」で「象徴的」な意味、つまり文学的なものも含む意味に対して、私たちがいかに注意を払っているかを示したことだった。

　ここまで来てようやく、私たちは人生の困った現実、つまり、英語教師や精神科医には絶対に議論で勝てないことを理解できる。ある意味の主張が誤りであると証明するルールなど存在しない。だからこそ、こうした領域における議論の多くは、どちらに権威があるか、どちらにお金が支払われているか、ある観点においてどちらの声が大きいか、どんな答えがいまの流行りか、のようなことで決着がつく。だからこそ、厳密にダウティング・ゲームをプレイする習性のある人々（科学者や実証主義の哲学者）が疑うことが役に立たない領域にやってくると、ナンセンスな領域、つまり真実などというものが存在しない完全に相対的な領域に入り込んだように感じてしまうのだ。

信じる筋肉

　ダウティング・ゲームの独占支配のせいで、人々は疑う筋肉——不一致点に対する敏感さ——だけが頭脳の筋肉であり、信じることは疑いの欠如でしかないと思い込んでいる。信じるという行為は、疑いを差し控えること、あるいは疑おうとして成功しなかったことなのだと。

　だが信じる筋肉は存在し、それは疑う筋肉とは別物だ。信じる筋肉は何らかの対象に自我を入り込ませる。信じる筋肉が真実にたどり着く方法は、視覚にまつわる次のよくある出来事に表れている。

　遠くを眺めていて牧草地に動物がいるのが見えるが、何の動物かわからない。馬のようにも犬のようにも見える。他にもいろいろ考えられるかもしれない。しかし判断のもとになる特別な知識（例えば誰の所有地か）がないし、近くに

は解決のヒントになる他の物もない。だが、ものの30秒でそれが馬ではなく犬だとわかる。何が起きたのか？　なぜ犬だとわかったのか？

　それはたいていの場合、例えば馬の写真と見比べて不一致点や矛盾点を見つけるといった反証テストをするからではない。もちろん、それが可能な場合もある。尻尾の動きを確認するなどだ。だが私たちはふつうそうしない。たいていの場合は、犬と馬の可能性の両方を「信じ」ようと（この場合は「見」ようと）してみて、犬のほうが信じられたということなのだ。馬を反証するのではなく、犬を是認する。馬として／犬としての対象に自分を入り込ませようとしたとき、犬の場合のほうがもっと深く入り込める、ということだ。主観的な体験としては、対象を犬としたほうがより鮮明に見える。対象を馬として見ようとしても、ぼやけたままだ。対象を馬よりも犬と考えたときのほうが、視覚情報がたくさん入ってくると言うこともできると思う。馬よりも犬のほうがより多くのものが見えるのだ。

　ある主張を信じることによって、私たちはその中によりいっそう入り込み、その主張に関連して、あるいはその主張を「通して」、より多くのものが見えるようになる。そして、その主張を仮説として利用しながら、もっとたくさんのことが見えて理解できる地点へと、どんどん高くのぼっていく。ついには、それが真実であるという確信が深まる（ときには完全に確信できる）地点に到達する。これはダウティング・ゲームを禁じなければできない。もし疑うことから始めていたら、穴や愚かな前提が見つかりすぎて、その主張を却下していただろう。その主張の中に深く入り込むことによってこそ、それがたしかに真実であることを示す十分な証拠を発見でき、理解に至る地点にたどり着ける。それはその主張を信じなければ不可能だったことだ。

　テキストの正しい読み方を見つけるための、ビリービング・ゲームの典型的な使い方を想像してみよう。あなたはテキストがXを意味していると信じている。他の人はYを意味していると信じている。結局あなたが間違っていてその人が正しいのだが、最初は当然、どちらもそれを知りえない。問題は、あなたがどうやってその真実にたどり着き、自分の誤りを手放すかだ。もしダウティング・ゲームをプレイしていたら、2人の議論はどこにもたどり着かないだろう。互いの主張に説得力を与えているのはそれぞれの修辞的なスキルだけで

あり、どちらが真実なのかとは何の関係もない——ある段階でどちらもそのことを認識するが、頑として自分の立場を譲ろうとしないだろう。疲労か、いまの流行りか、権威が勝つまでにらみ合いが続く。

　Xが間違いだとわかる唯一の方法は、Yを信じようと精いっぱい試みることだ。あなたが信じるのが上手なら、どこかの時点でYのほうが真実らしく見えるか感じられるかするだろう。それは犬と馬のケースとそっくり同じだ。Yと想定したほうがテキストから多くのものが見えてくるし、より一貫性を持ち、鮮明に見えるだろう。

　これが、信じる筋肉が持つ梃子の力だ。2つを信じることによって、片方がもう片方よりも良いと信頼できる感覚が持てるようになる。しかし、両方を信じなければ梃子の力（信頼性の高まり）は生まれない。これは、ふたたび典型的なシチュエーションを考えるとわかる。

　今回は、あなたはもっと難しい立場にいるとしよう。あなたはYを信じていて、あなたのほうが正しい立場からスタートする。しかし当然、あなたは自分が正しいことを知らない。この場合の問題は、どうすればYが真実であると信頼できる知識にたどり着けるのかだ。唯一の方法は、先ほどの典型的な梃子の力のシチュエーションを再現しようとすることである。自分自身に本気でXを信じさせてはじめて、Yを信じることがもっと信頼できるようになるだろう。本気でXを信じてみることができ、それからYに戻ってあらためてYのほうが良いとわかって、ようやく梃子の力を手にできる。Yについてのあなたの知識がついに、より信頼性の高いものになる。

　自分ひとりでこの一風変わった小さなダンスを踊るのが、ビリービング・ゲームをプレイするということだ。文学のように反証が不可能な分野で優れた判断ができる人々——判断が結果的に正しかったとわかることが大半の人に比べて多い人々——がずば抜けているのは、信じるのが特別に上手、ひとりでビリービング・ゲームをプレイするのが特別に上手であることだと、私は断言したい。彼らが真実にたどり着くことが多いのは、大半の人よりもたくさんのことを信じられるからだ。そして信じるのが上手——つまり本気で信じられるからだ。先ほど説明したゲームの中で、もしあなたがXを信じようとするのがうわべだけだったら——Yを信じるための裏付けとしてやっているだけだったら——X

の中にある真実を何ひとつつかめなかったかもしれない。実はXが正しくてY
が間違っている可能性があったのだから、あなたは「Xを信じる力が不十分だっ
たという理由でYを信じる」という誤りを犯していたことになる。

　ダウティング・ゲームに特別に長けている人々がいる。巧妙に隠れていても
矛盾や論理の破綻に必ず感づくことができる人たちだ。彼らには非常に精密で
よく発達した疑う筋肉が備わっているように見えるだろう。ビリービング・ゲー
ムについても同じことが見てとれる。たくさんの人物になりきってみること、
カメレオンのようになること、まったく異なる矛盾した前提や捉え方の中に真
実を見ること、メタファーを思いついたり斬新なモデルを構築したりすること
に、特別に長けた人たちがいる。

　2つのゲームの違いはおそらく、ダウティング・ゲームが物事の種類（例え
ばXに分類されるものすべて）を対象にしているのに対して、ビリービング・ゲー
ムは特定の個別のもの（例えば他のどれとも異なるこの特定の発言）を対象に
しているところから生まれている。普遍的な前提（すべてのX系はYである）に
取り組む場合、有効な手段は「反証」の一択だ。普遍的な前提に対して唯一で
きる信頼性の高いこと、それが正しいか間違いかをもっとよく知るために唯一
できることは、反証を試みることである。しかし「ある意味の主張」という特定・
個別の物事を対象とする場合、役に立つのはもうひとつの手段、「是認」だけだ。
意味の主張に対して唯一できる信頼性の高いこと、本当に○○という意味がテ
キストの中にあるのかどうかをよりよく知るために唯一できることは、相手の
捉え方を自分も持ってみようとすること、つまり、その意味を自分も体験しよ
うとすることである。

　ビリービング・ゲームの土台となるのは、自分の間違いがなんであれ、それ
を直すには是認する、信じる、反論しないことしかないという原則だ。あなた
の間違いには、「意味が見えていない」か「自己を投影している」かの2つが
考えられる。あなたに見えていない、つまりそこに存在する意味を見落として
いる場合は、当然ながら唯一の修正法は、見えていなかった意味が見えるよう
になるまで、他者の意味の主張を信じようと努めることだ。

　もしあなたが自己を投影している場合、つまりそこに本当は存在しない意味
を見ている場合も同様に、テキストがもっとよく見えるようになって錯覚を

持たなくなるまで、他者の意味の主張を信じようと努めることが、唯一の頼みの綱である。もちろんこれは絶対確実な方法ではない。それでも是認のプロセスしか頼れるものはない。実際、たいていはテキストをよく理解できるようになれば、囚われていた幻想から解放される。

　このビリービング・ゲームのモデルを使うと、文芸批評の実態がよくわかると私は考えている。まず一方で、この世界特有の欠点が理解できる。つまり、何があろうと自分の解釈に固執するか、流行りや発言者の地位の高さをもとに意見を変えるという欠点だ。他方で、文芸批評は必ずしも恣意的なわけではなく、一群の読者がYよりもXのほうが優れた読み方であると同意し、それが正しいこともある。たいてい議論に邪魔されるが、その読者たちはビリービング・ゲームをプレイしたのだ。Xという読み方をした場合、彼らはそれに同意し、その中に入り込み、その視点で見て、その豊かさに驚いた。「犬」を見る場合と同様に、テキストをXとして見るほど、ディテールや一貫性がよく見えたのだ。Yという読み方をした場合、彼らは誠実に精いっぱいそれに同意し、その中に入り込み、その視点で見たが、努力は報われない。「馬」を見る場合と同じく、対象はぼやけたままだ。

　こうしてみると、優れた批評の役割は、間違った読み方を否定することではなく、優れた読み方をもっとできるようにすることだ。優れた読み方は高品質のレンズのようなものだ。「レンズそのもの」を見るのではなく、レンズを通してテキストがよく見えるようになる。正しくない読み方は、間違いを証明されたり、根拠を掘り崩されたりするわけではない。テキストの「解像度」があまりよくないために使われなくなるだけである。

ゲシュタルト構築としての意味の構築

　話の対象を広げたい。ここまでは言葉の意味だけについて話してきた。間違った解釈に対する反論を不可能にするのは言葉の特異性だけだ、というかのように。意味の主張のケースにおいてのみ、ダウティング・ゲームが挫折しビリービング・ゲームが求められるかのように。だが私が言っていることのすべては、

人文学と社会科学のほとんどの手続きにも（トマス・クーン[9]が自然科学のパラダイムと呼ぶものどうしの論争にさえも）当てはまると私は考えている。

　ビリービング・ゲームを説明するために、私は犬／馬を見るという視覚の例を用いた。一連の言葉に意味を見出すことと遠くにいる動物を見ようとすることはまったく違う、と異議を唱える人がいるかもしれない。しかしどちらもゲシュタルトを見出す／構築する例だ。

　ゲシュタルトとは私たちが何か——例えば絵や光景——に見出す形状、形態、または組織構造のことで、それが対象を単に支離滅裂で雑多な大量の記号ではなく、一貫性のあるものに見せてくれる。錯視はゲシュタルト構築という現象を例証するものだ。例えば、ある見方をすれば「杯」に、別の見方をすれば「向かい合う２人の人物の横顔」に見える線画がある。しかし、同時に両方を見ることはできない。ゲシュタルトを変えたときにいきなり切り替わって、まったく別のものに見えるのだ。ここには２つの対立するゲシュタルトを誘発する視野があるといえる。

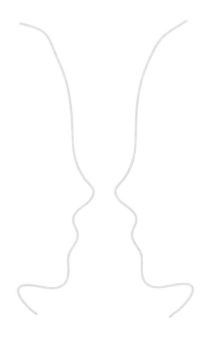

物事を見ることの要は、ゲシュタルトを構築する／見てとることだ。私たち
は通常の光景や絵にだけでなく、壊れたものや支離滅裂なものを目にするとき
でさえ一貫性を見出す傾向があることを示したのが、ゲシュタルト心理学者の
功績だった。視覚の間違いが対象の一貫性をはぎ取ることがあるのと同じくら
い、一貫性を加えることも多い。見るという行為は、本質的に断片から全体を
作り上げる構築行為である。音についても同様だ。私たちはバラバラの音を形
にし、メロディーとして聴く。

　一連の言葉の中に意味を見出すことについても同様だ。言葉には冗長性と
曖昧性がたくさん入っているので（そのおかげで意思疎通の媒体として有効であ
る）、例えばある発言が17語で成り立っているとして、その一語一語に３つ
か４つの意味がありうる。それを聞いているとき、あなたは各部分の無数に可
能性がある意味を――全体の意味さえも――保留しておき、その後で最も筋の
通る全体を見出さなければならない。読んだり聞いたりすることは、見ること
と似ている。曖昧な意味領域から最も筋の通るゲシュタルトを構築しなければ
ならないのだ。したがって一連の言葉の中に意味を構築することは、ゲシュタ
ルト構築という人間の普遍的な活動の一部である。一連のデータから解釈を見
出すことも同様だ。

　ダウティング・ゲームがゲシュタルト構築や解釈構築の機能を果たせるのは、
次の２つの特殊なルールを採用する場合だけだ。

　１．ゲシュタルトや解釈はひとつだけ認められ、データをすべて使わなけれ
　　　ばならない。
　２．正しいゲシュタルトや解釈は、別のゲシュタルトや解釈と矛盾してはな
　　　らない。

　この２つのルールを採用すれば、矛盾律が成立する。つまり、データの一部
を使っていないことを示すか、別の正しいゲシュタルトや解釈と矛盾するとい
う理由によって、あるゲシュタルトや解釈を反証したり誤りを立証したりでき
るのだ。

　しかしこのような特殊なルールを採用する必要はないと私は考えている。私

たちは物理世界を取り扱おうとするとき、あるいは文学作品を読もうとするときでさえ、これらのルールを使っていないだろう。ひとつの解釈ですべて説明がつくデータ群などほとんどない。ひとつのゲシュタルトに限定される意味領域も同様だ。

実験用ラットの神話

　人間の人生のイメージとしてプラトンは洞窟の神話を持ち出したが、私は心理学実験をおこなう実験室の神話を持ち出そう。私たちは長方形と円を見るように教えられたラットのようなものだ。では楕円を見せられたらどうなるだろうか。長くて先の尖った楕円であれば、私たちは長方形と見る。円に近い丸みのある楕円なら、私たちは円と見る。私たちに楕円は見えない。私たちにとって楕円は存在しない。物理学者が光を「波／粒子（波でもあり、同時に粒子でもある）」として語るときにしていることは、この神話によってわかりやすくなる。物理学者はまだ楕円を考案できてはいないが、少なくとも対象を「円／長方形（円でもあり、同時に長方形でもある）」と慎重に呼ぶだけの分別はあるのだ。

　だがここで、立ち止まって考える必要がある。物理学者にこうするだけの分別がある理由は、文芸批評家や政治学者よりずっと賢いからではなく、物理学者たちがダウティング・ゲームの効果が高い領域で活動しているという事実があるからだ。物理学者は光に対する捉え方を反証可能な命題（少なくとも文学においてよりは反証可能な命題）にできる。そのため、自分たちが見ているのが単なる長方形や単なる円ではないこと——光が単なる波や単なる粒子ではないことがわかるのだ。彼らは矛盾律を活用して、「波／粒子」という新しい見方を発明するための力とした。あきらめずに続ければ、ついには自分たちがずっと見てきたものに対して「楕円」という見方を「発明」できるという見込みもある。

　ところが文芸批評家や政治学者には間違いを証明するためのルールがないから、自分たちが見ているものが長方形か円かをめぐる議論は永遠に終わらない。

物理学者は波モデルと粒子モデルの両方に、どこか間違いがあることを示せる。しかし文芸批評家や政治学者の場合は、それと同じようにはいかない。相手のモデルの間違いを示すことが、どちらの側にもできないのだ。ビリービング・ゲームを始めるだけの分別を持つまで、ひたすら長方形と円を見続けるだけである。

弁証法としてのビリービングとダウティング

どちらのゲームも真実にたどり着くための強力で重要な方法だが、上手におこなわなければならない。疑う筋肉や信じる筋肉を単純に使うだけでは、誤りをうまく避けられないだろう。真実にたどり着くゲームの潜在力を引き出すためには、それぞれのゲームを数多くの段階からなるシステムに作り上げなくてはならない。疑う筋肉は不一致点に対して敏感に反応するが、論理のルールを理解し、主張をできるだけたくさんの型に論理的に変換し、対象から自我を切り離し、合理的に見える主張を特に疑い、対立する命題どうしを戦わせるまでは、あまり信頼できない。同じように、信じる筋肉は自己を投影する力を持っているが、その力を秩序立ったゲームとして使えるようになり、次のようなルールに従うまではあまり信頼できない。そのルールとは、「議論しない」「すべてを、特になじみがなかったり不愉快に思えたりするものを信じる」「別の捉え方をしている人の立場に身を置こうとする」「相手の身になりやすくするために、相手の主張をメタファーに変換する」などだ。最も大切なのは、他の人にもあなたに対して同じことをしてもらい、長期間続けることだ。

要するに、私はどちらのゲームも弁証法、つまり試験の場、市場、実験室として見るべきだと考えている。どちらのゲームも数多くの段階を踏むプロセスであり、その段階は自己修正すること、それによって人間の脳が生来持っている間違いを犯す性向を克服することを意図して配列されている。

ビリービング・ゲームでグループが果たす機能は、もっと多くのものを信じ、もっと多くのものを体験し、それによって多数決にありがちな最大多数の考えから離れるようにお互い助け合うことだ。例えば、グループのほとんどの人が、

第4と第5の主張が最も信じられ、真実である可能性が高そうだと思ったとする。そして第8の主張はとても信じられないと思っている。しかしある人は、自分も第4と第5を信じられるが、第8がいちばん信じられてそれが最も真実だと思っている。ビリービング・ゲームの主要なプロセスは、この人が第8の主張についての自分の捉え方と体験を他の人も体感できるように助けることだ。この人は、みなに自分が見ているものについてさらに伝え、みながその中に入り込むのを手伝うことができる。第8が最も優れた主張かもしれないが、みながそれを理解するためには、議論を差し控えて同意か肯定に徹さなければならない。このように、グループの存在や、相手の感覚に自分を投入し、自己を投影し、肯定する態度を重視することが、隠れていて最初は理解しづらい真実にたどり着くための、そして陥（おちい）りやすい誤りを避けるための梃（てこ）の力になる。

　しかし、ビリービング・ゲームが真実に至るための弁証法としての力を十全に発揮するのは、時間の次元が加わってからだ。練習を始めて3カ月経つと、主張の中にある最初は理解しづらかった隠れた真実を理解し、信じ、発見できるようになる。他者の捉え方と体験を自分も体感しようとする練習を続けることで、人々は自分の「型」と偏見から脱することができるようになる——かたくなな姿勢がほどけ、従来どおりの、型にはまった、あるいは個人の殻（から）に閉じこもった感想が減るのだ。悪い意味での「自己投影」をしなくなる、つまり自分の先入観や偏見だけを見ないようになるには——そして良い意味での「自己投影」をする、つまりすべての対象に自分をもっと入り込ませることによって本当にそこにあるものがもっと見えるようになるには、時間をかけた練習が必要だ。

　私はダウティング・ゲームを命題の弁証法として考えている。というのも、アイデアや知覚を命題の形に落とし込むほど、ゲームがうまく機能するからだ。そしてビリービング・ゲームを体験の弁証法と考えている。アイデアや知覚がめいっぱい体験されるようにすればするほど、このゲームはうまく機能するからだ。

　この2つの弁証法が誤りを防ぐ方法を比較してみたい。そのために、人間による誤りの3大要因——人間が認知面で「つまずく」3つの形——だと私が考えるものを特定し、それらにそれぞれの弁証法がどう対処するかを見ていく。

1. 利己心。思考は構築行為であるというのは昔からわかっていたが、いまでは知覚も構築行為である（したがって思考と知覚は似た活動である）ということが、心理学者によって示されるようになっている。つまり、思考とはコンピュータに問題を入力して回答を得ることよりも、頭の中で推定することに似ている。同様に、知覚は写真を撮ることよりも絵を描くことに似ている。思考と知覚は能動的で構築的であるため、利己心が答えをごまかす余地が大きい。人に貸したお金を頭の中で3件足し合わせる場合、答えは自分の望む方向に偏る可能性が大きいのだ。そして心理学者たちは、人がいかに自分の見たいものを見がちか（つまり、写真に表れているものに忠実であるよりも、いかに自分が見たい絵を描くか）を示すことに長年勤しんできた。

　　ダウティング・ゲーム、すなわち命題の弁証法は、自我や、自我の願望や、偏見を取り除くことで利己心の問題に立ち向かおうとする。思考を頭の中で推定することよりも、コンピュータを使うことに近づけようとするのだ。そのため、ダウティング・ゲームはできるだけ人格を排したシステムを組む。それは論理であり、合否を決めるルールであり、自我を関わらせないほど好ましい。ダウティング・ゲームでは知覚や体験を「紙の上に書かせる」、つまり命題化して、頭の中から出させようとする。推定ではなく筆算せよ、対象から自我を切り離して、人格を排した変換をせよ、ということだ。それに加えて、ダウティング・ゲームは人々に常にあなたと議論させ、あなたが間違っていると想定させ、あなたの利己心から生じた議論の穴を見つけさせようとけしかける。

　　それに対してビリービング・ゲームは、自我は排除できない、完全な客観性は不可能だとする考えに基づいている。利己心からは逃れられないので、自分の利己心の感触をつかみ、できるだけ多くの他者の利己心を自分ごととして感じようとする練習を常におこなわせる。ビリービング・ゲームは、知覚や思考を描画・推定するモデルを最小化しようとするのではなく、逆に活用しようとする。あなたはたえず他者の絵を描き、他者の推定をおこなうよう求められるのだ。

2．人間が生来的に犯してしまう誤りの２つ目は、自己投影だ。自己投影とは、自分の外部に本当は存在せず、自分の内側から「投影した」だけのものを見た気になることだ。食べ物のことを考えていると、どこを見ても食べ物だらけに見えてしまいやすい。なぜこのようなことが起こるかというと、知覚と思考は構築行為であるだけでなく、それまでの構築行為をもとにした構築行為だからだ——つまり、古い分類をもとにして新しい素材を分類しているのだ。私たちには自分がすでに理解しているものしか見えないので、外部にあるものについてもすでに頭の中にあるものしか見えない。だから、新しいものについては常に間違いやすい。なじみのあるものに見えてしまうか、まったく見えないのだ。

ダウティング・ゲームは自己投影から逃れようとする。ダウティング・ゲームは自己投影による誤りをたえず警戒する練習、自我をたえず排除しようとする演習だ。しかし自己投影による誤りには、システムの外に出てまったく異なるモデルの視点から眺めない限り誤りに見えない、という特徴がある。自分が見ている対象に対する、自分とは異なる視点——最終的にはそちらのほうが正しいとわかっても、最初はどうしても間違いに見えてしまう視点を取り入れられない限り、自分が自己投影していることがわからないのだ。

ビリービング・ゲームは、自己投影とは知ることと見ることのメカニズムそのものだから、それからは逃れられない、悪いのは自己投影そのものではなく柔軟性に欠けた偏狭な自己投影だ、という考えに基づいている。目新しいものと上手に付き合うとは、過去の分類を頭から捨て去ることではなく——それでは愚かになるだけだ——、過去の分類を新しく独創的な配列に作り変えるのが上手になることだ。ビリービング・ゲームは、新しく、これまでと違う、異質なものを頭の中に見たり考えたりさせる不断の練習である。

ダウティング・ゲームは、判別行為としての知識モデルを重視している。つまり、対象を試験して水準に達しているかどうかを見定めるということだ。そして知覚のカメラ／雛型（ひながた）モデルを重視しているように思わ

れる。モデルに当てはめてテストするのだ。

　ビリービング・ゲームは構築行為、相手の感覚に自分を投入する行為、関与行為としての理解モデルを重視している。それはマイケル・ポラニーが「信用的なやりとり（fiduciary transaction）」と呼んでいるものだ。知覚とは制御された自己投影である。ウルリック・ナイサーは、信じることと幻覚を見ることをプロセスとして区別する方法はないと指摘している。前者が正しく後者が間違いではあるが、どちらも過去の分類に基づいて刺激情報から作り上げた同種の構築物だ。[13]

3．人間の頭は、単に精度を欠くために誤りを犯す傾向もある。人間の頭はデジタルコンピュータよりもアナログコンピュータに似ている。人間の頭の自然言語は「〜のようだ」程度の精度にすぎない。これを正すのはダウティング・ゲームのほうがビリービング・ゲームよりも得意だ。ダウティング・ゲームは人間の頭をできるだけコンピュータに近づけて、不正確なものや誤りをたえずチェックしようとする。

　ビリービング・ゲームはダウティング・ゲームよりは精度が落ちるが、ここで強調したいのは、規律のない思考に比べればビリービング・ゲームの精度はずっと高いことだ。そしてダウティング・ゲームが機能しない領域でダウティング・ゲームを使うことは、規律のない思考に他ならない。

ゲームとしての２つの弁証法

　ビリービング・ゲームを他者に強要できないのはたしかだ。心からすべての主張を信じ、議論をやめ、他者の知覚と体験に入り込もうとする気が本人にないのに、無理やりやらせることはできない。これはおそらく残念なことだろう。しかしまた、他者に論理のルールを受け入れさせてダウティング・ゲームをプレイさせることもできない。できるように見えることもあるが、それは知識界が、ダウティング・ゲームのルールを守る意思を入会条件にしたクラブとして

定義されているからにすぎない。そのクラブの会員ではない多数の人々のほとんどは、はじめは子どもとしてルールが支配する真実発見のプロセスを楽しんでいたが、人生のどこか（たいていは学校）で、そのゲームに眠気を覚えるか腹を立てるようになった。このような人々が、本人の望まないゲームは強要できないという事実の証拠だ。

ダウティング・ゲームの参加者が不必要に脱落していくのは、これがゲームだという自覚なくプレイしている人々のせいだ。本書でビリービング・ゲームを徹底検証したことによる最大の成果は、ダウティング・ゲームはたかがゲームであり、ゲームはこれひとつではないという理解が深まったことである。

もしバスケットボールをやっていて、誰かがドリブルせずにボールを運んだり間違った得点の付け方をしたりし始めたら、それに対してあなたがやることはゲームではなく、実生活に属するものだ。つまり、あなたはそいつを撃つかもしれない、相手を閉じ込めるかもしれない、泣くかもしれない、明日はお前とはプレイしないと言うかもしれない、相手と話をしてプレイの再開を説得しようとするかもしれない。この場合、ビリービング・ゲームのほうがダウティング・ゲームに対して本質的に有利であると私は思う。ゲームが破綻したとき、ダウティング・ゲームの活動（相手のものの見方の穴を見つけようとすること）よりもビリービング・ゲームの活動（知覚と体験を分かち合おうとすること）のほうが、当事者に話し合いの意思を放棄させない可能性が高い。

私はルールに反対しているのではない。ルールに賛成するからこそこう言っているのだ。ゲームの力と面白さはルールを守るところにある。ゲームの楽しみは最終的な目的や内容よりも、儀式化されたプロセスそのもの、その一貫性と構造にある。ゲーム特有のエネルギーと精神の解放も、ルールと構造を守ることによって生まれる。ルールに縛られた構造の中にいるからこそ——現実の生活ではないからこそ——多少は鎧を脱ぐことができ、解放感があるのだ。

どちらのゲームもたぶん本質的に社会的なものである。言語と推論とはおそらく、そもそもは人間どうしのあいだで発生するプロセスをひとりの頭の中でシミュレーションすることなのだろう。ソクラテスは推論を必然的に社会的なプロセスだと考えた。それが、彼が文字で書き残すことを拒んだ理由のひとつだろうと私は考えている。そしてダウティング・ゲームはひとりよりもグループ

でプレイするほうがいっそう有益だ。しかし、私たちはダウティング・ゲームをあまりに長いこと当然のものと考え、あまりに親しんできたために、ひとりのときもダウティング・ゲームのほうがビリービング・ゲームよりも得意な傾向がある。ビリービング・ゲームも、もっと練習すればより多くの人がひとりでもうまくできるようになるだろう。だがそれでも、ビリービング・ゲームは本質的にもっと社会的なものであることは変わらないだろうと私は思っている。ビリービング・ゲームの信頼性を最大限に引き出すのはグループだけだからだ。

　知識界に入る条件として、ダウティング・ゲームをプレイする意思を私たちは求めがちだ。だがそれも、ビリービング・ゲームをプレイする意思も求め、拒む人にはダウティング・ゲームを拒む人に対してと同じように、こう言うのであればかまわない。「あなたはなんと愚かで不合理で自堕落なのか。お気に入りの自己欺瞞を安心毛布として手放さないようにしているんだな」と。

　このように見ると、２つのゲームを学校や大学の活動の実情にどう適用すべきかのヒントがわかる。２つのゲームは補完的な関係にあって相互に有益だが、同時にプレイすることはできない。「できるだけ批判的になり、同時にもっと信じるようにしよう」とは言えないのだ。それが実は最終的に求めていることであっても、目先の目標にしてしまうと中途半端なだけの結果に終わる。つまり、疑いやすいものを疑うだけで、疑いたくないものについては問わないし、信じやすいものは信じるが、異質なものをうのみにするリスクは冒さない。それぞれのゲームは厳密に範囲を決めた方法でプレイするべきである。すなわち、人為的に構成と構造とエネルギー消費の水準を高めたうえでおこなわなければならない活動なのだ。立ち止まって休憩できるように、明確な終わりを定めることも重要だ。週に１〜２時間、ビリービング・ゲームをしっかりルールに従って本気でプレイし、もう１〜２時間、ダウティング・ゲームを本当にしっかりプレイする——これが大変革になるはずだ。

ビリービング・ゲームの実践：結論を出したい欲求との戦い

　ティーチャーレス・クラスは、ビリービング・ゲームをプレイするための理想の実験室だ。しかし私は、学校、大学、一般的な知的活動でも実践されることを願っている。それを目指すうえで特筆しておきたいのが、結論を出すことについてである。

　私がビリービング・ゲームを推すのは、楽しいからとか和気あいあいとできるからというだけでなく、ダウティング・ゲームがどんな場合にも機能するわけではないから、というだけでさえない。ビリービング・ゲームが真実を導き出すからだ。ビリービング・ゲームは正しい答えにたどり着く方法である。ただし、ビリービング・ゲームをプレイする際のアドバイスとして最も強調しなければならないのは、答えを出したい衝動を抑えるすべを覚えなければならないということだ。

　まずひとつには、ビリービング・ゲームを始めたグループは2カ月かそこらでは、信頼に値する答えを出せないのがふつうだ。これは時間をかけてゆっくりと成長し柔軟性が増していく、修練のプロセスなのである。

　しかしまた、答えを出そうとする衝動は、議論、弁明、独占欲に最もつながりやすいものでもある（「私のアイデアや捉え方が正しい答えだとわかっただろうか？」のような発言につながるものだ）。結論を出したい欲求は、議論したい欲求を連れてくる。ビリービング・ゲームをプレイするとは、結論を出したい欲求と戦うことである。

　だからビリービング・ゲームをプレイする際は、自分がどんな真実を求め、いつまでに得たいのかを、何が何でも見定めておこう。そこに正直に答えられれば、真実の追求が習慣になってしまっていたときほどは過大なものを求めなくなっているだろう。

　あなたはどんな真実を求めているのだろうか。真実には汚いものときれいなものがあり、ビリービング・ゲームはたいてい汚いほう、つまり誤りが混じった真実に落ち着く。「誤りのないものでなければ、あなたが手にしたのは真実とはいえない」という人は多いだろう。「真実」という言葉に私たちは確実性を感じるからだ。しかしこの感覚が私たちを惑わす。答えを3つ持っていてその

ひとつが真実であれば、どの答えが真実かはわからなくても、あなたは真実を手にしているといえる。詭弁に聞こえるかもしれないが、そうではない。

1．この汚い混ざりもので妥協しなければ、そこに含まれる真実さえ獲得できないかもしれない。もしあなたが潔癖すぎて、入り口で必ず主張に真偽の証明をさせようとするなら、あなたの（そしてあなたと一緒に取り組んでいる他の人々の）最も優れた、最も正確な知覚の一部を取り逃してしまう。

2．あなたには、この真偽の入り混じった袋の中の真実から得るものがある。3つの答え全部を見て、熟考し、消化すれば——たとえそれでもどれが正しいかわからなくても——正しい答えから学べるだろう。意識できなくても、あなたの体は選別ができる。ネズミをまるごと食べるフクロウのように。

　あなたは真実をいつまでに得たいのだろうか。知的活動と呼べる多くの活動——特に学校の活動のほとんど——は、もし最終的な答えを出すことを急がず、参加者の知覚と知性の活性化に勤しめば、目標を完璧に達成する。ビリービング・ゲームは急ぐのではなく、待つ、耐えるという形をとる。答えは後からやってくる。思考や知覚が方向転換することで、ずっと前に提起されていた問題に対する明確な答えが、ついに訪れるのだ。この時点で、答えは議論を必要とせず、不確実さもなく、明確なものとなる。もっと前の段階であれば、ある答えを支持するために議論しなければならず、間違った答えを手にしていただろう（議論の相手もそれぞれの答えに不必要にいれ込んできただろう）。待つことによって、正確な知覚が場で共有され、結論が自然に生じるのだ。週を追うごとに、あなたが選ぶのを差し控える知覚と主張のストックの質が上がっていく。
　だから、ビリービング・ゲームをプレイして3カ月後に答えが欲しいなら、最初の2カ月半は答えを求めずに過ごそう。1時間しかなければ、最初の50分間は答えを求めずに過ごそう。
　ゲームのあいだはずっと、結論を出したい欲求を意識するといい。いかにほ

とんどの人に、クラスや会議が終わるまでに結論——少なくとも何らかの決着——に達しようとする癖があるかに気づいてほしい。なんであれ30分の会議ですら、最後に私たちは「そろそろ結論を出しましょうか」と言いたがる。この衝動がいかに愚かなものかを感じ取ろう。結論を出したがる欲求が、思考や体験がもっとゆっくりと大きく組み変わるのをいかに阻害しているか、実は現状を維持したがっている頭の欲求にいかに従っているかを感じ取ろう。

異なる性格特性を強化する２つのゲーム

私はそれぞれの弁証法に、次に挙げる（認知と情動の両方における）一連の性格特性が関連づけられることを見出した。それぞれが、相互に関連するネットワークのようなもの、つまりスタイルの複合体を形成している。

ダウティング・ゲーム	ビリービング・ゲーム
切り離し、離脱	関与
距離を保つ、俯瞰	自己投影、傾倒
新しいものの拒絶、回避	新しいものを探求する積極性
閉鎖、硬直	開放、弛緩
散文的	隠喩的
強硬	柔軟
頑固、執着	従順
安全志向	リスク志向
中心がある、動かない自我	浮遊する自我
より鋭く、精緻に、辛辣に、硬く、強くなることを学ぶ	より大きく、より網羅的に、柔らかく、吸収することを学ぶ
攻撃的：打ち負かすことによって脅威に対応する	非攻撃的：屈伏し、受け入れることによって脅威に対応する。非暴力的
萎縮させる	サポートする
競争的	協力的
単独でおこなう、または対立する活動	グループで作業する
話す、音を立てる、議論する	聞く、沈黙する、同意する

もちろん私はページの右側の特性に大きな価値を見ている。しかし左側の特性がダメだと言いたいわけではない。補完する要素とのバランスがとれている限り、これらも必要で価値がある。ところが、私たちの文化における知性の概念では、左側だけが強化されている。両者の心理学的な対比を、別の見方を3通り指摘することでまとめてみたい。

1．ここには「確実性への欲求」と「不確実性および曖昧さの受容」の対比がある。ダウティング・ゲームは確実性への欲求を体現するあまり、確実性を真実と混同しやすい。この誤解が蔓延しているために、多くの人が両者を同一視している。だがこの2つはまったく異なる。ある命題が確実かどうかと、ある命題が真実かどうかは、まったくの別物だ。あなたがどれだけ確実性にこだわるかによって、あなたの振る舞いと立てた問いの結果は大きく違ってくる可能性がある。

　　オセローを確実性を求める心理に追いやりさえすれば、イアゴーの目的はほぼ果たされる。そうすれば、受け入れられる答えは「不貞があった」のただひとつしかなくなるからだ。相手に不貞がなかったことは、確実に判断することができない。だから確実性を求めると、調査方法も結論もおのずと特定の方向に流されやすくなる。世の中には、不確実性を抱えたまま取り組むことに耐えられなければ恩恵を得られない類のデータと命題と洞察があるのだ。

2．ここには、私たちの文化が定義する男性と女性の対比もある。ダウティング・ゲームの独占支配は、文化が男性的とも定義する「攻撃的」「押しが強い」「戦闘的」「競争的」「率先する」といった個人のスタイルを強化する傾向がある。女性がダウティング・ゲームで生き生きと力を発揮すると――つまり議論を仕掛けて勝ったり、相手の論拠に穴を見つけたりするのを好むと、女性らしくないと思われがちだ。男性の知的スタイルがダウティング・ゲームのスタイルではないと――つまり男性がし

<hr>

＊1　シェイクスピアの作品『オセロー』の例を挙げている。オセローは側近のイアゴーによって、事実ではない妻の不貞があったと思い込まされ、悲劇的な結末に向かう。

238

なやかで、相手の考えを吸収し、自分から議論を始めず、攻撃的でない
やり方をすると、男性らしくないと思われがちだ。

　ダウティング・ゲームの対立的なプロセスを表現する英語には、こう
したジェンダーとの関連づけが表れているものがある。例えば「意見を
出す（advancing points）」「主張する（making points）」「主張に説得力
があるか確認する（seeing if a point stands up）」や、相手の論理展開の「穴
を見つける（finding holes）」「あら探しをする（poking holes）」などだ。
文化全体が、なかでも知識界は、この偏った考え方のせいで損失を被っ
ている。

3. 性質の異なる2種類のエネルギーの対比もある。ダウティング・ゲーム
　──対立する手法──には、筋肉を緊張させる、つまり血流を筋肉に送
　り込んで収縮させるような闘争的なエネルギーが関わっている。「緊張
　感のある」とか「ハードな」などの言葉は、良い議論におけるエネルギー
　の特徴を表している。そこには「率先」や「切断」を想起させる性質が
　ある。議論の上手な人は実際に切る──問題を一刀両断し、霧の中を切
　り進み、贅肉を削ぎ落とし、物事の核心に斬り込むのだ。

　　ビリービング・ゲームに属するエネルギー──特にビリービング・ゲー
　ムを始めようとするときのエネルギー──は、積極的に心を開いた状態
　に保つために必要な、特殊で繊細なエネルギーだ。それは──生理学的
　にどういうことかは置いておいて──筋肉を収縮させないために送り込
　むエネルギーに似ている。たぶん筋緊張のようなものだ。筋肉がゆるん
　でいたり力が抜けたりしているわけではないが、張りつめていたり硬直
　していたりするわけでもない。このようなエネルギーを出そうとするの
　は難しい。何かを「しようとする」と筋肉が収縮せずにはいられないよ
　うだからだ。開いたままでいようとするのは、何かをしないようにする
　ことである。人々が議論している部屋の中は高レベルのエネルギーを発
　している。しかし、その人たちに議論をやめて互いの主張に同意するよう

＊2　point（先端）やhole（穴）という単語が使われる点に、ジェンダーとの関連づけが表れている。

頼めば、エネルギーレベルはぐっと下がるに違いなく、ほとんどの人は活気のない退屈なことをしろと要求されていると感じるだろう。特に知識人は、もし議論して誤りを一刀両断しようとできないなら、ただ弱腰になり骨抜きになるだけだと感じがちだ。

　ビリービング・ゲームに成功しているときに発生するエネルギーは、もっと説明しやすい。それは、方向転換やゲシュタルト転換という「アハ」体験によるエネルギーの解放だ。他者の見方でものが見られるようになると——それがいままでの自分の見方とは異なると——、ほぼ例外なく、自分の中でエネルギーの小さな爆発や解放が起こる。子どもが何かを「会得」するとき——方向転換や「アハ」体験の瞬間に——、彼らはほぼ例外なく体を急に小さく動かしたり、緊張を解くしぐさを示したりする、という実験結果がある。[14]

ビリービング・ゲームへの恐怖

　ビリービング・ゲームが正当なものであると言いきるためには、その前に、このゲームに存在するすべての恐怖について語っておかなければならない。ダウティング・ゲームは真実の追求を邪魔するさまざまな散漫な思考や自堕落な思考を防ぐものだ、と人々は自然と感じている。ビリービング・ゲームを正当と認めると、例えば唯我論や集団思考や軽信を招くように思えるだろう。

　唯我論。最初のうちは、ビリービング・ゲームが参加者に自分のもの以外の思考と知覚を無視させるのではないか、と思えるかもしれない。なぜならビリービング・ゲームは他の人にあなたと議論させないからだ。しかし議論を避けるのは、たえず自分の知覚と思考から脱して他者の知覚と思考に入り込ませる、という肝心のプロセスを促すために他ならない。ビリービング・ゲームは唯我論から脱却するためのツールなのだ。

　意外にも、少なくとも私たちの文化において、唯我論を助長するのはもっぱらダウティング・ゲームのほうだ。知識人や学者が他者の知覚、体験、思考を持つことに抵抗するために議論と弁証法を使うことは、実際によくある——唯

我論者が伝統的に使ってきた、自分の意識の外にある存在をほとんど無視するやり方ではないにせよ。ダウティング・ゲームを濫用するこのような人たちは、自分の頭の中に閉じこもることを自分に許している。なぜなら、自分とは違う見方に対して猛攻撃を仕掛けられるような隙が残っているとしたら、その見方は誠実に考慮する必要がないものだと感じるからだ。

　集団思考。唯我論と同じく、これも真実を追求するコミュニティにとって深刻な病弊だ。そしてまた、ダウティング・ゲームこそが集団思考に対する最も優れた防御法のように思われている。ダウティング・ゲームの目標は反証であり、反証とは、賢い個人や少数派が、間違っている多数派の考えを変える方法だからだ。問題は、反証可能なのは重要な問題のうち比較的わずかな割合しかないことである。それ以外は、相手にひたすら反論し続けるか、相手の論拠に対して「誤りを証明したぞ」「圧勝したぞ」「こっぱみじんにしたぞ」「大きな穴を見つけたぞ」と言い張ることしかできない。だが実際は反証していないので、相手が納得しない可能性は非常に高い。個人はおろか、自分たちのほうが正統で権威があると思っている多数派を説得するのは、なおさら難しいだろう。だからダウティング・ゲームは集団思考に味方してしまう。なぜなら、「新しい考えや少数派の考えが真剣に考慮されるためには、まず多数派の考えを反証しなければならない」という感情をダウティング・ゲームが助長しており、そのような反証はたいてい不可能だからだ。

　ビリービング・ゲームは小さな個人に多数派への対抗力を与えるが、その力はダウティング・ゲームが与えてくれるものよりもはるかに大きい。ビリービング・ゲームの本質は、多数派がひたすら個人に反論せず耳を傾けるだけでなく、本当にその人を信じようとすることだ。

　軽信。軽信の問題は、「批判的思考」が不十分という問題のように見える。批判的思考とは、軽信しやすい人が信じるようなことを人々に信じさせないためのものだと考えられている。大学案内の原稿を書いたり、特定の研究を正当化しようとしたりするとき、その人たちはよく、批判的思考を教えているのだという。私はダウティング・ゲームの価値を否定するつもりがないのと同様に、批判的思考の価値を否定したいわけではない。

　しかし軽信、つまり人々が信じるべきでないものを信じてしまう問題について

は、別の見方がある。誰かについて軽信しやすいと言うときはふつう、その人が「Yを聞いたことがないためにXを信じてしまう」という意味ではなく、「XもYも聞いたことがあるのに、信じるべきでないXを信じてしまう」という意味だ。建設的な問いは、なぜその人がXを信じてしまうのか、だろう。理由はたいてい次のいずれかだ。親や教師や政府などの権威にXを教えられたから。Xがいまの流行りだから。自分で考え出したのがXだから。自分自身や自分が置かれている現実の概念そのものに不可欠な見方がXだから。Xが、その人が特に受け入れやすい種類の思考の実例で、その人の思考構造（例えば呪術的思考や科学的思考）に合っているから。他にも理由は挙げられるだろうが、ひとくくりにしていえば、その人にとってはXのほうがYよりも信じやすいのだ。人間だれしも、「真実であるもの」よりも「信じやすいものの」ほうを信じる性向を持つ。その傾向が最も強い人のことを、私たちは軽信しやすい人と呼ぶ。

　この診断は、私たちが曲解して間違った病名を付けさえしなければ誤りではないだろう。「軽信しやすい」人の症状は、信じやすいことではなく、信じにくいことである。複数の主張を示すと、その人は必ず、信じるエネルギーの消費が最も少なくて済む主張を信じる。信じる筋肉が弱いために、信じやすいものしか信じられないのだ。あらかじめ噛み砕いてあるものしか消化できないのだ。この病気が本当は「不信」なのに「軽信」と呼ばれてしまう事実には、私たちの文化にある信じることへの恐れが如実に表れている。

　唯我論、集団思考、軽信（不信）の問題——これらはまさしく真実を追求する人々のコミュニティの病弊だ。その裏にあるたったひとつの問題は、自分の考えを変えられないことだと私は考えている。真実の探求を阻む最大の要因はおそらく、もっと良い信念が現れたときに、たとえ信じがたくても、自分が間違っていたと認めなくてはならなくても、自分が同意したくない人物から出たものであっても、いまある信念を捨ててそちらを採用することができないことだ。

　考えを変えることについてはすでに分析を済ませている。私自身を例に使おう。私は頑固で議論好きであると自認している。だが、そこがいかにも知識人と学者の典型だと思っている。

　ダウティング・ゲームが期待どおりに機能するときもある。つまり、私が信

じるべきでないものを信じていると、誰かがそれに反論してくれる。これが批判的思考の追加接種の役目を果たし、私は自分がそれを信じるべきではなかったと理解して、信じるのをやめる。だが、実際にはこのようにうまく運ぶことはめったにない——私にとっても、相手にとっても。

　多くの場合、ダウティング・ゲームは逆効果になる。私は反論を激しい攻撃として体験し、ますます自分の考えに固執してしまう。

　ダウティング・ゲームに効果があったように見える場合も多い。私は論破されて自分の間違った立場から離れたように見える。だが本当は違う。私は形だけは自分の間違いを認め、考えを変えたつもりになるが、心の奥底では初恋の相手、つまり表向きは捨てた考えへの忠誠を持ち続けている。私の行動をよく見れば、私がいまだに間違った考えをもとにしているのがわかるし、それは言葉の端々からもにじみ出ている。

　そして、もちろん数はずっと少ないが、私が本当に考えを変えた場合もある。しかし思うにそれは、実は完膚無きまでに反論されるプロセスを経たからではない。少なくともそれだけでは不十分だった。私が本当に考えを変えたときは必ず、私が争うのをやめて間違いを認め、うわべだけでなく本当に考えを変える前に、別の何かが起こらなければならなかった。その何かは少々謎であるが、どのようなときにそれが起きやすく、どんな感じのものかは言える。それが最も起きやすいのは、私と言い争っていた人が少し攻撃の手をゆるめ、私が愚か者であると証明するのをやめ、私が信じているものを信じる理由に理解の片鱗を示したときだ。相手は私の捉え方を体感する意思を少しだけ見せる。すると私も相手の捉え方を体感する気になる。そして相手の感覚が主観的に非常にはっきりと芽生え、考えを変えられるようになる。それは何かを手放すような、放棄するような、頑固な心の一部を捨てるような感覚だ。ある意味で、自分のひとかけらを捨てるような感じでさえある。まだ終わらせたくない恋にさよならをするような感覚だ。

　考えを変えるこのプロセスには、ビリービング・ゲームのほうがダウティング・ゲームよりも役立つ。ビリービング・ゲームは吸収したり組み入れたりする性質のものだが、この取り込むという作業のおかげで手放すことがもっと可能になる。他方、ダウティング・ゲームは執着を強める。あらゆる攻撃から

243

何かを守ることは、自分が持っているものに何が何でもしがみつく万人共通の性向を助長してしまう。手放すには受容と信頼の雰囲気が必要であり、ビリービング・ゲームはダウティング・ゲームよりもずっとこの雰囲気を醸成しやすい。

　学問と知識の世界（特に人文学と社会科学）の人々は、自分の考えを変えられないというこの世界特有の重い病にかかっていると私は考えている。この問題はダウティング・ゲームへの過度な依存のせいだと思う。ダウティング・ゲームが上手な人ほど頑固になり、自分の考えを変えようとしたがらないように感じる。

　ダウティング・ゲームの独占支配を強めているものには、もっと個人の感情に根ざした恐れがあり、ここでぜひ掘り下げなければならない。みな誰しも多かれ少なかれ、悪いもしくは間違った考えに乗っ取られたり、感染したり、操作されたりするのを恐れていると私は考えている。ビリービング・ゲームとは、あえて言うならば、目の前に登場するどんな考えとも枕をともにすることを私たちに求めるものだ。節操をなくせと。私たちは嫌と言えず何でも承諾し、服従し隷属する存在になる。何でも信じさせられ、何でも流し込める穴に。無理やり食べさせられ、侵される状態に置かれるのだ。

　誰でも自分の自我はどこか脆弱だと感じている。心的な面で、ダウティング・ゲームの主要な機能はこのような自我への無差別な侵入を防御することだと私は思う。自分は異質なものに毒されたり感染したりしやすい、と私たちは本能的に感じている。生きていればそんな異物との接触を頻繁に受け入れざるをえないが、内面に取り込むのまでは抵抗がある。そしてそれは避けることができる。デカルトは、すべてを疑って明晰判明になった観念だけをあらためて受け入れた、ダウティング・ゲームのプレイヤーの典型ともいうべき人物だ。彼が何にもましておこなっていたのは、清めの儀式だった。新しい箒で家の中を掃き清めて悪霊を追い出すという寓話を再現していたのだ。それとは形が変わっても、知的な言説においてダウティング・ゲームがよく使われるのも同じことである。ダウティング・ゲームという儀式によって「清め」られてからでなければ、どんな考えも本気で耳を傾けられ、受け入れられはしない。

　人間の感情と認知の機能に関する理解が増すにつれ、ようやく明らかになり

つつあるのは、あなたの箒がどれほど新しかろうが強力であろうが、十分な安全調査は絶対にできないということだ。間違った考え、不快だったり脅威を与えたりする考え、前の住人の色に染まった考えを——感染を——すべて寄せつけないことなど絶対にできない。この問題に対する唯一の解決法は、コンラッドの『ロード・ジム』の一節に「破壊的なものに身を委ね」と隠喩的に述べられている。考えを寄せつけないことはできないのだから、受け入れなければならない。とてつもなく広範で矛盾するものだらけの分類があるつもりで物事を検討し、そこにあるものの正体を感じ取ろう——さまざまな分類がつかませようとしてくる誤解や目くらましを感じ取るのだ。[15]

この恐怖はある意味、当然のものだ。自我が脆弱であるという感覚——自分の境界線をしっかりと定めておきたい欲求——は軽々しく扱っていいものではない。本人にとって受け止めきれない考えに身を委ねることは他者に要求できないし、おそらく要求すべきではない。しかし同様に、侵入への恐怖に敏感すぎる人の判断を信用すべきでもない。必要なのは、危険と捉えたものに徐々に自我を委ねられるようになる練習であり、ビリービング・ゲームはまさにそのようなプロセスなのだ。

ビリービング・ゲームの歴史についての考察

なぜダウティング・ゲームが独占的な地位にあり、ビリービング・ゲームの正当性を否定しようとしてきたのか、それにはおそらく歴史的な理由がある。過去には状況が逆だったのではないだろうか。かつて人々は、おそらくビリービング・ゲームに類するものを用い、ダウティング・ゲームはまったく使っていなかった。疑う筋肉を使って主張から自分を切り離し、それを誤りと想定するよりも、信じる筋肉を使って主張に自分を入り込ませるほうが楽だし自然だ。自己を投影したり、入り込んだり、参加関与したりするのは、知覚と思考のまさに本質だ。何かを知覚し理解すると同時に、間違いが見えてくるようにそれ

※1 『ロード・ジム』コンラット著、柴田元幸訳、河出書房新社、2011年より

が誤りだと想定してみる——そんな人為的で矛盾した力業を人類ができるようになったのは、何百年にもわたる知的発展にともなう奮闘があったからだろう。何かを疑うとは、相反する2つのこと、つまりアイデアを持つこととそのアイデアを退けることを同時にするようなものだ。多くの言語で「疑う (doubt)」という言葉は「2つ (double)」という言葉と起源が同じで、「2つの心」を表す。だから、いまの私たちは信じるのが苦手で困っているが、かつては疑うのが苦手で困っていたに違いない。

　実は、私が構想するビリービング・ゲームの完成形——多くの段階を備えた完全なシステム——は、ダウティング・ゲームが発展するまではありえなかった。筋肉の運動をどうやって完全な弁証法に変えるか——考えるという行為をどうやって、座って歯を食いしばり眉根を思いきり寄せる以上のものにするかは、ダウティング・ゲームのおかげでわかったのだ。ダウティング・ゲーム——論理的弁証法——の発展は、人為的で系統立った、たくさんの段階を踏むプロセスの史上初の発展だった。そのプロセスにおいては、プロセスの人為性こそがまさに、あなたが（いかに頭が良かろうと）「ただ考えただけ」のことを修正する手段として機能する。いまの私たちには、ビリービング・ゲームをこれと同種の弁証法に変えるすべがわかっている。しかし、ビリービング・ゲームは長い時間をかけて発展し、生まれようとしてきたと私は思っており、その過去の形態を見ておくと参考になる。

1. 最も新しいのは——そして私が影響を受けたのは——グループ・プロセスの発展だ。セラピーグループとエンカウンターグループは、ビリービング・ゲームについて私が述べたのと似た原則に従って運営されることが多い。主張の間違いを証明しようとする代わりに、自分の捉え方と経験を他の人たちが体感しやすい形で述べたほうが有益である、という基本原則があることが多い。

2. 全員一致しなければいかなる決定も採用しないクエーカー教徒の会議。これはまさしくビリービング・ゲームを完全に厳密に使っているように思える。もちろん、クエーカー教徒の会議は異論の否定を原則とはし

246

ていない（むしろクエーカー教徒は人一倍、異論を述べたり疑ったりする。彼らには特に強い疑う筋肉、つまり不一致に対する感受性がある。クエーカー教徒が全員一致のプロセスを発展させたのは、彼らが私たちよりもずっと議論し異論を述べる人たちだからかもしれない）。

　クエーカー式の会議の作法は、最小の共通項で手を打つことへの明確な拒絶——議論や反対が最も少なそうな決定で手を打つことへの拒絶である。つまり、重大な反対意見が必ずひとつはあるもので、ひとつでもあれば決定はできない。クエーカー式は、グループ全員が最も共鳴もしくは賛同できる決定に達することにこだわる。要するに、「最も疑わしくない行動はどれか」ではなく「全員が最も信じられる行動はどれか」が重視されるのだ。

3. 陪審。法廷は究極の対決の場、ダウティング・ゲームの実践、相手の議論の穴を見つける競争である。しかしダウティング・ゲームだけの場だとしたら、なぜ陪審員がいるのだろうか。事実の主張にせよ法の主張にせよ、弁護士と裁判官のほうが疑って矛盾を見つけるのにずっと長けている。陪審員を参加させるとは、ダウティング・ゲームに最も不適任な人々を招き入れることだ。しかも、陪審員はダウティング・ゲームのプロセスをはっきりと禁じられているだけでなく、ビリービング・ゲームのプロセスを強いられてもいる。つまり、証人と弁護士に話しかけたり質問したりしてはならず、裁判官に対してもめったにそれができない。黙って座って聞いていることしかできないのだ。耳を傾けること、黙っていることはビリービング・ゲームの特徴だ。インプットするだけでアウトプットができない。そして最近出た異例と思われる最高裁の判決まで、陪審員は全員一致の判断に達しなければならなかった。だから、クエーカー教徒の会議と同じく、陪審員はいくらでも疑っていいが、彼らが最も十分に任務を果たせるプロセスは、一致協力した是認のプロセスなのだ。

　陪審とクエーカー教徒の会議でも、みなが疲れ果てたあげく、誰も賛同はしないが唯一誰も反対しない決定で手を打つ、という状況はもちろん

ある。しかしそのようなときは、何かがおかしいと感づける。会議の構造が、本当は逆のプロセスを醸成しようとしていたことを感じ取れる。逆のプロセスとは、人々を党派的な観点や当初の考え方から脱け出させ、成長と変化を促す、もっと前向きな弁証法だ。通常であれば意見の一致に至るのは、グループ内に有機的な作用が起きたときだけである。この種の会議の強制的で、緊張を生み、疲弊させる要素——「意見が一致するまで誰も家に帰ってはいけない！」——でさえ、自分の「型」や習慣的な視点から脱却するのを助けてくれる。これがビリービング・ゲームの本質的なプロセスだ。

4. トマス・クーンや（先に引用した）マイケル・ポラニーのような人々は、科学史について次のように説明している。科学者たちは、ほぼ例外なくダウティング・ゲームを実践していると自認しているが、それでも重要な難題はビリービング・ゲームによく似たものによって解決される、と（ただしビリービング・ゲームをプレイできるのは大物だけだが）。科学革命の時期——競合するパラダイムやモデルが入り乱れている時期——は、詩の読み方と同じようなことが起こる。つまり、「間違った」パラダイムが間違いと証明されるのではなく、その職業において影響力のある人々が、別のパラダイムのほうが有益で真実であると捉えるのだ。彼らはその真実を、パラダイムの外部からではなく内部から知覚する。

5. 文芸批評家が優れた批評をするときにビリービング・ゲームをプレイしていることは、私がすでに示そうとしたとおりだ。

結論：２つのゲームの相互依存性

ビリービング・ゲームを支持する私の論証は、２つの主張にまとめることができる。

1．言葉の解釈とゲシュタルト構築の分野において、ビリービング・ゲーム
　　は真実に至る唯一のプロセスである。

2．ビリービング・ゲームは実践することによって人々の知覚を鋭くし、考
　　え方を柔軟にし、概して知性を高める、厳格な知的弁証法である。しか
　　も、私たちの文化に非常に不足している性格特性を強化してくれる。

　この問題を考える際、私はおおむねダウティング・ゲームを悪者として見て
きた。私はさまざまな悪いことがダウティング・ゲームに関連づけられると考
えている。例えば、人々を知覚から切り離す手助けをすることによって、自己
欺瞞を助長しかねない。人々を体験から切り離す手助けをすることによって、
私たちの文化の特徴である異常に冷淡な非人間性を助長し、例えば人々の頭上
に爆弾を落とすようなことを容易にしてしまいかねない。
　しかし本書の初版で書いたことが、ダウティング・ゲーム自体は悪者ではな
いと私に示してくれた（また、私自身がダウティング・ゲームにいかに深く傾倒
しているかも示してくれた）。なぜなら、考えから自分を切り離し、体験を命題
に凝縮し、命題を論理的に変換し、物事から距離を保った境地に至り、ナンセ
ンスな考えを切り捨て、戦闘的で押しが強くなり、すさまじく頑固になり、確
実性を渇望し、すべてを疑い、あくまで譲らず揺るがない自我を持てる――こ
うした資質はすべて非常に価値があるからだ。これらなしに優れた業績を上げ
る人はめったにいない。
　2つのゲームは相互依存的だ。ダウティング・ゲームのためにだけでもビリー
ビング・ゲームを正当化する必要がある、と述べて結論とすることもできる。
というのも、ひとつには、ダウティング・ゲームに対する反感の動きが高まっ
ており、それはビリービング・ゲームに同等の正当性を与えなければ沈静化し
ないだろう。もうひとつとして、ダウティング・ゲームがあまりにも多用され
すぎて、プレイを徹底的にやり通さなくなっていることがあるが、この状況は
ビリービング・ゲームもプレイされるようになれば大幅な改善が見込める。私
たちはダウティング・ゲームを、ゲームという認識もなく「通例として」プレ
イすることをいつのまにか覚え込んでいる。つまり、私たちは批判的思考を

「通例として」身につける——言い換えれば、通例として警戒を強め、通例としてすべてを疑い、通例としてカモにされまいと努めることを覚えるのだ。だがすべてにこの慣習を適用するわけではない。本当に大切なこととなれば、人々は本気では疑わない。「結局、何かは信じなければならないのだから」と、私たちは無意識に自分に言い聞かせている。だがそれは間違いだ。私たちがダウティング・ゲームを理解していないことがそこに表れている。あなたは何も信じる必要はない。たかがゲームなのだから、そのゲームのためには、あなたは完全にすべてを疑って、そこから何がわかるかを知らねばならない。

　要するに、2つのゲームは思考という円環の半分ずつにすぎない。人間の機能は有機的で発達していくものなのだから、例えばあなたは多産な作家になることを学ばなければ冷徹な編集者になることを学べないのだから、ダウティング・ゲームもビリービング・ゲームも、もう片方を上手にプレイできるようになるまではうまくプレイできないのだ。

付録①
私のライティングに関する初期のメモ

　私が自分のライティングを観察しようとしていたときに書いたメモを、例として3つ紹介する。本書の執筆に使った例のフォルダーに入っていたように思うが、記憶がさだかではない。ほとんどを処分してしまったので、いまではわずかしか手元に残っていない。しかしここで紹介するメモは、大学院時代にずっと使っていて本書執筆直後に捨てた、特徴ある字体の古いタイプライターで書かれている。メモは私が本書のために利用したライティングの典型だ。勢いよく書き飛ばし、「まるで話すように」、自己観察と理論化およびモデル構築のあいだを素早く行き来している。

（1）次に紹介する最初の例は、4×6インチサイズの青い紙にタイプされて[*1]
いた。片面がほぼびっしり文字で埋まっている。一行の長さや言葉づかいとス
ペリングのミスまで、ほぼそのままをここに再現した。ただし読みやすさを考
慮していくつかのタイプミスは直している。

考え：

　　――「心にとどめるべき重要なことは」「われわれが見逃すべきで
ないのは」「多くの読者が気づくだろうことは」「次のことに気づくべ
き」「ここで重要な点は」「次のことを強調する／次の事実を付け加え
るのが重要と感じる」みたいな文句から始めないと自分は文章を書け
ないようだな。

　　――その根っこにある型が「重要な点は～」だ――だったら自分は
いまからはこういう言い方はぜんぶ取り除かなくちゃ。自分が言いた
いと思ってることにさくっときりつめればいいだけの話。

　　**こんな人は他にもたくさんいる。なんでそうせずにいられないん
だろう。なんで本気で単にそのまま言えないんだろう。もう笑えるし、
丸裸で、場違い、無防備で寒空に放りだされた気になる。ウォーミン
グアップの、送り出す準備が必要なんだな。**

　　**はじめはナシですます勇気がないこのもしものときの足場を取り
払うのに耐えられるようになるのは自分の考えが明確になって練ら
れて確信めいてからなのだろうか。**

　　**これは一種の偽装なのか。論点から力と強さを奪い去るための。そ
う、それだ。人が話しててこういうことをするとき――えーと、ちょっ
とそうね、あのー、と言うとき、その人は明らかに自分の論点を骨抜
きにしたがってる――強くなりすぎるのを<u>防ごう</u>としてる。強くなり
すぎるのが怖いんだ。ライティングを弱めてしまう効果には、それな
りのわけがある。あいまいにして、文の勢いを削ぎ落としたい。万が
一でもその文のせいで面倒に巻き込まれないように**

＊1　10×15センチメートル

（2）次の文章は同じサイズの黄色い紙にタイプされている。

モデルとメタファー

　　――ライティング、そう、記憶術、廃車プレス機、ペンがインク切れ
かタイプライターのインクリボンが切れたときの裏技としての。頭の
中に大量のものが、大量の考えと感情がぐるぐるしてて、覚えておく
とかつかんでいられない。ってのをあと15秒でひとに話さなくちゃ
ならない。おまえは書いて書いて書きまくって――料理して料理して
煮詰めて――しまいには書きとめるがものが必要がなくなるほど短
くなる。すべてが一文に凝縮される

　　――月に届くくらい書いたころには楽に書けるようになっている

　　――悪い空気が内側に。中に閉じ込めておこうとすれば、うまく書
こうとすれば、悪い空気に侵されて毒され悪臭を放つ。すべて書き出
してそいつを追い出さなくちゃ

　　――わずかにいいものはクソにまみれてる。指を汚す覚悟が必要
（本当にリズム）

　　――池に水を溜めようとしてはならない。絶えない水の流れの出入
りをつかむ――水を通す――ように。池の中身が自分の欲するものと
なるまで

［自分がどういうつもりで「本当にリズム」と書いたのかも、このメモが本書
の柱である「料理」のメタファーを使った初期の例なのか終盤のほうの例なの
かもわからない。］

（3）次に紹介するメモは、2枚の紙いっぱいに1行空けでタイプされていた。だからたぶん、これは別のものを書くかたわら自分のために走り書きしたメモではない。たぶん実際に本を書こうとして下書きした散文だ。おそらくは本書執筆後に書いたものだが、本のためのアイデアをじっくり考えようとしたとおぼしき手書きのメモが裏にある。

　　人が脳の中にそれまでなかった何かを抱くようになるのは、本や人や何かを見ることによるインプットのおかげだ、というのは学校教育と学習の忌まわしい神話のひとつだ。この法則に例外があるからだけじゃない（「頭の中にあるものはすべて、まず五感で捉えたものだ」）。だって人は誰にも教えられていない考えを持つじゃないか。私たちはたしかに、自力で新しい考えを持つのは例外的と考える。が、多少例外的でもそうじゃない気がなんとなくしている。きっとものごとがどうやって頭の中に入るかのモデルは[*1]

　　そう、ものごとがどうやって頭の中に入るか──他の人、本、あるいは知覚から──の正常のモデル──これをインプット＝インプット・モデルと呼ぼう──は誤解を招くもので、オリジナルな考えを持つというモデルのほうが有益に違いない気がする。これをアウトプット＝インプット・モデルと呼ぼう。十分にものごとを口に出したら、頭に新しいことがインプットされるのだ。

　　というのも、頭の中の新しいものごとのほとんどは本、人、知覚からやってきた結果であるように見えるが、実はこれは偶然の産物で誤解を招く見方だから。私たちは人や本や知覚に囲まれすぎていて、それらが頭の中に新しく入ってくることの源と考える──特に学校では──ために、実際のプロセスはもっとアウトプット＝インプット・プロセスに近いことがわからない。つまり、たえず新しい材料を浴びているが、ものごとを口に出し始め──自分か他の人に──アウトプットし始める（より根源的なレベルでは運動活動。ピアジェを参照のこと。

━━━━━━━━━━━━━━━━━━

＊1　原書でもここで切れている。

論文あり）まで、新しい材料が実際にはなにも頭に入ってこない。だからもし教師が私たちの前に立って新しい考えを学ぶよう教えても、その新しい考えが**もしも**本当に私たちの頭に植えつけられる——短期的に記憶されるのでなく——としたなら、そこにはアウトプットのプロセス——自分自身に語りかける、運動活動をおこなう、別の誰かに語りかける——があり、それがその考えを頭に植えつけている。そのアウトプット活動の本質がいちばんよくわかるのは——いままで聞いたことのない新しい考えを持つことにある、というパラダイム

　ひとつとても実用的なことがここから導き出される。ものごとを記憶する——ものごとをしっかり学ぶ——本当に優れたインプットをする——ためにいちばんいい実践法を求めるなら、それはアウトプットすることだろうと。

　私はこの5〜7年ずっとこの方向に流されてきた。単純に取り込むインプットの量が減ってきたように思う。昔の読書量に比べると本が読めない。自分ではこれを、自分の尻を叩いてようやく博士号を取得することに成功した反動で、反知性的になるのを自身に許しているだけかと思っていた。けれど、もっと建設的な何かが作用していたのだと思う。これについて考えて、自分なりの結論を出したいと思ってきた。**しかしわかったことは、実際に**ものを読むとき、誰かから何かを聞くとき、何かの現象を見るとき、自分が実はかつてよりもはるかによくそれを理解し咀嚼しているということ。昔読んでいた本のすべてを振り返って、どうやっていたのだろうと不思議に思う。どうやってあの本たちを吸収していたんだろう。ほんとうに吸収していたのだろうか。たしかにある程度は学んだ——が、読んだ量にはまったく釣り合わない。でもいまは、優れた考えを本当に吸収するのにすごくくたびれる。まる一日、まる一週間かけて咀嚼しなければならない。自分の中のすべてが、ある種のふるいにかけられ、もう一度整理されねばならない。

　私の頭に浮かぶモデルは——あまりにも粗削りなのはわかってる——比率がポイントだ。1ポンドのインプットを処理する、つまり

本当に自分が変わるほど吸収するためには、10ポンドのアウトプットを出さなければならない。読書——インプット——かつてやっていた——や自分の周りの情報量を考えると、私は閉塞への恐怖に襲われる——詰まったトイレや詰まった流し台のような——吸収しきれないほどの情報を取り込もうとするシステムをイメージしてしまう。

　単純化しすぎているのはわかってる。左右する条件はたくさんある。パラダイムを持っていれば——クーンの言う意味で——そのパラダイムにおさまるか違反しない限り、材料を無限に吸収できる。しかしパラダイムを採り入れようとしたり、パラダイムに疑問を抱く場合は、私の提案するモデルがあてはまるのではないか。

　科学の学習において、フォアグラ用のガチョウさながら、学生に知識を詰め込めると思われている理由はこれで説明がつくだろう。科学を学ぶ学生はパラダイムを受け入れてその中で勉強するよう求められる。**ふつうは**パラダイムに疑問を持てとは言われない。だから相対性理論は難しい（他にも理由はあるが）。相対性理論はかつてMITで物理学の必修課程に入っていたが、あまりにも面倒が多いと判断され、いまでは選択科目になっている。

　だが他の科目では必ず、さまざまなパラダイムを見比べてあれこれ考え、疑問を持つよう求められる。

付録②

ティーチャーレス・ライティング・クラスの際に覚えておくべきこと

不可欠な要素（この節は 1998 年に少し改訂した）

　6 人程度が望ましいが、定期的に集まって作品を共有し支え合うことに本気で取り組もうという仲間が 1 〜 2 人しか見つからなくても、順調なスタートを切ることはできる。

　最低 10 分間、一緒にフリーライティングをすることを勧める——これが最も有益なのはクラスのスタート時だ。一緒にものを書くと、みなが心を開き、支え合いの感覚が生まれる。一緒に書かずに共有し感想を言うだけだと、脅威を感じさせ、競争のようにさえ感じさせてしまう。

　実のところ、あなたや他の人たちが作品を書き、それを素材としていろいろ取り組みたいと思っているのに、作品を完成させられずに苦労しているなら、書くという活動そのものにクラスの主眼を置いてもまったくかまわない。他者の前でものを書くとは変に聞こえるかもしれない（学校時代の嫌な思い出がよみがえりさえするかもしれない）が、みなに支え合おうという気持ちがあるときにはすばらしいものになる。定期的に集まるおかげで、書くための時間も確保できる。

　みなが、あるいは一部の参加者が、自分の作品を共有するだけで感想をまったくもらわなかったとしても問題ない。応援してくれる仲間たちに向かって

朗読するプロセスが、ライティングを徐々に、しかし大きく上達させることにつながる。

　みなが、あるいは一部の参加者が、指摘と要約以外のフィードバックを求めなくても、これもまったく問題ない。重要な原則は、本人が望まない限りいかなるフィードバックも感想ももらうべきではないことだ。

　毎回最後の５分間は、その日のクラス自体に対する感想と考察に使おう。

頭の中に流れる映画を共有する（pp.141 〜 149）

・指摘する
・要約する
・話して伝える
・見えるようにする（声、動き・移動、天候、服装、地勢、色、形、動物、野菜、楽器、体、何から進化したか、何に進化するか、書き手の本当の意図、途方もない意図、何の代わりに書かれたものか、書く直前に書き手が何をしたか、何者かわからない書き手を想像してみる、粘土のつもりで書く、別人になったつもりで反応する、絵を描くかいたずら書きをする、音、口で再現する、身体の動きで表現する、10分間のフリーライティング・エクササイズをおこなう、瞑想する）

読み手へのアドバイス（pp.149 〜 159）

・作品をしっかり読む機会を確保する
・読み手がひとりずつ反応を伝えるか、同時に伝えるか
・他の人の反応に対して争わない
・パートごとに反応を伝える
・間違っている反応というものはない（「スタイル」と「中身」、風変わりな反応、アドバイス、評価、理論、的外れな反応）
・間違った反応というものはないにしても、よく読む努力をしよう
・反応を伝えたくない場合もある
・あなたは常に正しく、常に間違っている

反応を聞く書き手へのアドバイス（pp.159〜165）

- 黙って耳を傾けよう
- 読み手が話すことを頭で理解しようとしない
- ただし、読み手が「どのように」話しているかは理解を試みよう
- 読み手に言われたことを拒絶しない
- 読み手が反応を伝えるのを止めないように
- とはいえ、読み手の言うことに支配されないように
- 欲しいものは求めよう、ただし教師のように振る舞わないように
- あなたは常に正しく、常に間違っている

　他の人に自分の作品を共有してフィードバックを送ったり受け取ったりする
プロセスについてさらに知りたい方は、私と同僚の共著である『共有と応答』(未
邦訳：*Sharing and Responding*, Peter Elbow and Pat Belanoff, McGraw Hill)
を参照されたい。

監訳者解説

本書と著者ピーター・エルボウ氏について

著者ピーター・エルボウ氏は、教育学者であり、英語圏の作文教育の中心人物のひとりです。なかでも表現を重視する考えを持つことで知られています。

自身の大学生活での論文執筆の挫折、書き方がわからない自身が学生にライティング指導をおこなう矛盾、その後の執筆の成功、さらにアカデミズムの人々や満足に教育を受けられなかった方々との試行錯誤を経て、一般向けの書籍として本書『*Writing Without Teachers*』の初版をオックスフォード大学出版局から刊行します。従来のライティング方法に対する挑戦をおこなった初版は反響や批判を巻き起こしました。それらに回答し、発展的に加筆された第2版の「25周年記念版」が本書です。各国で長く読み継がれ、思考のラディカルな転換を誘う本書は、現代の日本においても広く読まれる価値を有すると考え、このたび翻訳出版する運びとなりました。

原書の刊行は、小学校から大学まで英語圏におけるライティングの教え方に大きな影響を与えました。以降も本書のエッセンス（教師が生徒に一方向的に教えるのではない、水平で有機的な関係性の効果）を取り入れ、既存の作文教育のカリキュラムに改善を加える活動を展開してきました。本書とその続編『*Writing With Power: Techniques for Mastering the Writing Process*』(1981年) によって「ライティングの民主化」というテーマを確立し、『*Vernacular Eloquence: What Speech Can Bring to Writing*』(2012年) では、正式な書き言葉を学びながらも日常的な話し言葉を活かす方法を探求しています。

エルボウ氏はこれまでに、修辞学とライティングに関する分野で100本以上の学術論文と10冊以上の書籍を発表しています。

ライティングの民主化

著者公式サイトには「The Democratization of Writing」という文字が掲げてあります。直訳するなら「ライティングの民主化」。民主化とは、ひとりが強い権限を持つ体制から、多くの人が平等に権利を持つシステムに変えることを意味し、本書のビジョンを要約した言葉としてふさわしいものに感じます。

ここで使われている「民主化」には、2つの意味を読み取ることができると考えます。ライティングを権威から、そして個人から解放することです。

権威からの解放：「書く」とは専門家だけに閉ざされたものではない

書くことは、専門家だけに独占されたものではありません。誰にも言われた覚えはないのに、何かを書いたり、書いたものを人に読ませるという行為は、言葉の専門家に任せるものと思い込んではいないでしょうか。

この感覚の背景には、幼少期からの正解主義の教育が関係していると私は考えています。まず手本となる文章や言葉が「規範」として提示されます。同時にそこには「これが解答である」と定められた正解もセットで付属しています（そのルールとゴールの設定にあなたは関与できなかったでしょう）。後は、規範をどれだけ正確に読み取れたのかが、あなたの文章の能力として採点され続けることになります。いつも優先されるのはあなたではなく規範（あるいは評価する側の「教師」）のほうであり、あなたを規範に適合させていくことが自然な態度として内在化されていきます。大人になってからでは意識することの難しいこの「書くことに関する初期設定」が、書くこと全般に対する苦手意識につながっていくのです。

やがてこの設定は、本来、採点が適用されないはずの「自分の内面を言語化

＊1　https://peterelbow.com/about.html より

する試み」に対しても適用されていきます。思いや考えを言葉にしようと試みた瞬間、ためらいや恥の意識が引き出される。しまいには、自分が何を考えようとしていたのかさえ意識しづらくなってしまいます。規範の改変や摩擦を忌避する日本社会のコミュニケーション特性も、この言語化への抵抗を後押ししているかもしれません。

　ですが、高速ネット回線のインフラ化で情報発信のコストが劇的に下がり、個人が自分を表現する自由と機会が後押しされて、すでに20年ほど経っています。そんな環境下で、本書はあなたが何かを書き、自分の内側の表現を妨げる「初期設定」を更新する方法を具体的に提案するものです。本書の提案に乗ってみれば、意識にかかったネガティブな雲が晴れていくのを実感できるでしょう。

　機会と方法は出そろいました。ライティングの初期設定を更新する最後の鍵は、あなたの手の中にあるのです。

個人からの解放：「書く」という孤独だった作業に他者の声を取り入れる

　これまで「書く」という営みは個人でおこなうものだという認識が強かったのではないでしょうか。ですが個人作業では、往々にして堂々めぐりとなってしまい自分の内側にある思いは見えてこないことが多いものです。

　そこで本書が提案しているのは、まずフリーライティングによって個人から始め、次にティーチャーレス・クラスで個人どうしが集まって言葉を交換するというプロセスです。フリーライティングという個人作業にとどまっていると、出てきた言葉がどう受け取られるのかがわからずに、どうしたらよいかとまどいが晴れません。ですが、ティーチャーレス・クラスとの往還を続けていくと、次第に、当初の自分がそもそもどうして自分の内側にある「言葉未満のそれ」を言葉にしたいと思ったのかまでもがわかるようになっていきます。これは言葉の向こうに自分のメッセージの核心部を感じられるようになるということなのです。

　なぜこのようなことが起こるのでしょうか。ティーチャーレス・クラスの時間を重ねるなかで、隣り合う他者から受け取るフィードバックの言葉の中に、具体的で替えの利かない固有のメッセージを感じ取れるようになります。そう

してこの世にふたりといない「他者」への理解度や解像度が更新されると、同じように固有の存在である自分自身への解像度も上がっていくのです。これは言葉が自分の中で滞留し続けるのではなく、外にとびだして他者と出会い、ふたたび自分のもとに帰ってくるというダイナミックな運動によってあなたに引き起こされた変化なのです。

　自分の声を聞いてもらうことと、誰かの声を聞くこと——この両立にとって最適なバランスを見出す姿勢が「ライティングの個人からの解放」の鍵となります。

　ですが注意すべき点もあります。健全な民主的プロセスは、独裁的な声を絶対視しないことはもちろん、「みなの声を聞いたうえで多くが賛成したから」という理由だけで多数派の声を盲信することもありません。ティーチャーレス・クラスは民主的な場であるため、みなの声に耳を傾けます。けれども、「多くの人がこういう感想を持ったのだから」という理由で自分の表現を方向転換するようなことはしません。大切なことは、多くの声を聞ききったうえで、「自分が採用する意見は自分で決める」ということなのです。

＊　　＊　　＊

　専業作家の、洗練され鍛えられた言葉の用い方も美しいでしょう。ですが、日々の生活と人生に根ざしたあなただけの言葉は、誰にも真似のできない唯一の美しさを備えています。多様な美しさに出合うことで、あなたの言葉もさらに磨かれていくでしょう。

　それを叶える鍵となるティーチャーレス・クラスをどう活用するかについて、もう少し詳しく見ていきましょう。

ティーチャーレス・クラスをより活かすために

　まえがきでお伝えしたとおり、本書の特徴は垂直（自分と言葉の関係）と水平（自分と他者の関係）を行き来し、書くことと聞くことを往復することで、自分の声が実際にどう聞こえるのかを確かめ、本当に届けたい声に気づいていけるところにあります。

　そしてティーチャーレス・クラスの特質は、水平な場ならではの率直なフィードバックが得られる点にあります。二枚舌や空気の読み合い、よいしょやへつらいといった上下関係のノイズが除去された信頼に足る反応を与え合うことで、あなたの発したメッセージが実際の読み手にどう響いたのかが判明します。その反応を取り入れる／参考にとどめる判断を繰り返すことで、あなたが本当に届けたいメッセージと目的、そして目的に最もふさわしい表現が磨かれていくのです。

　書くことと聞くことの往還で形作られる本書は、言葉とは交換を前提にした共有物であるという性質に即応しています。その考えの土台にあるのは、書くことは聞いてもらうことによって育まれるものだというビジョンです。

回数を重ねる意義

　ティーチャーレス・クラスは、回を重ねるほどに効果を増していきます。互いの関係性が醸成されるほど、心理的安全性が高まって、より率直なフィードバックが現れやすくなるのです。また、各人の反応の傾向への理解が深まるため、フィードバックの受け取り方に軽重を加味することができるようになり、受け取る際の精度も向上します。例えば、特定のアウトプットに対する特殊な（少数派の）反応をどう扱えば今後の自分の文章のグローイングやクッキングに活かせるだろうか、といった視点が新たに生まれるのです。

　言葉のキャッチボールのプロセスに決められた終わりはありません。言葉がボールの役割である以上、受け手が変化すればボールの軌道も変わらざるをえません。さらに、ボールを投げ、あるいはキャッチもする自分の体勢も毎回変わっていきます。ボールと自分の関係性がしっくりするには何度も往復が必要になります。相手がキャッチするさまを見ることで、自分の球速や球質が

わかる——それによって、このままでいいのか／どう変えたらより届きやすくなるのかが判断できるようになります。大切なのは、ボールと相手と自分の感覚をその都度観察すること、そして自分自身で次のアクションを判断することです。

　本書にはフィードバックがたくさん出てきますが、フィードバックが一周まわって、ふたたび自分や言葉に返ってくる「フィードバックループ」の存在を意識し、その影響を確認することも重要です。

▎なぜ書き手にとって他者の文章を「読むこと」も重要なのか

　書き手としてフィードバックを受けること＝聞くことの大切さはわかりやすいかもしれませんが、なぜ「フィードバックをする＝読む」ことも経験する必要があるのでしょうか？　実は、読むことと書くことは言葉を扱う際には欠かせない両輪、呼吸における呼気と吸気のような関係にあります。

　フィードバックすること、つまり他者の言葉を読んで自分が感じた反応を言語化することは、簡単なことではありません。はじめは、自分の内側の1割も言語化できないかもしれません。ですが、フィードバックのために言語化しようと何度も試みていくことで、少しずつ言語化の能力がついてきます。フリーライティング時のように、言葉が新たな言葉を、連想が思いもよらなかった連想を連れてくる感覚を感じられるようになっていくのです。自分の好きな言葉とそうでない言葉の癖が明らかになったり、自分と他の参加者で同じ箇所に与えたフィードバックが違うことを何度も目撃することがきっかけとなり、自分の個性を発見する場面も出てきます。

　こうして読みの精度と筋力がつくにつれ、同じ言葉から得られる自分の解釈に幅と深さが加わっていきます。すると、今度は自分が書く際に、自分の内側の感覚を外に表すために使える言葉や感覚の選択肢が増えていることに気がつくでしょう。このように、読むことは書くことと密接に結びついています。他者の言葉にフィードバックを与える経験を積んでいくことによって、自分の読みの成長が蓄積する。すると読みの成長に連動するようにして、書く筋肉が養われていくのです。

　また、受け取ったフィードバックだけでなく自分が贈ったフィードバックも

記録しておくことで、自分の読み方の変化の軌跡を可視化することも役立ちます。フィードバックの蓄積や変遷を記録しておくと、後でひとりになってからも、そこから「読むこと→書くこと」の学びを強化できるのです。

　こうした「書くこと」と「読むこと」を往還する際に拠りどころとなるのが、本書に掲載されている「付録②　ティーチャーレス・ライティング・クラスの際に覚えておくべきこと」です。ここには、実際にクラスをおこなう際の精妙なバランスについての指針を語った第4章のエッセンスが一覧化されています。矛盾するように見える項目が並ぶのは、あなたが主体的に判断しなければならないポイントがあるためです。

「読み手へのアドバイス」では、書き手の文章を読んでフィードバックを贈る側が、フィードバックの質を上げるために考慮するとよい点が書かれています。常に立ち返るべきは、フィードバックは何のためにあるのか、そして相手が受け取りやすいようにフィードバックの届け方をどう工夫するかというところです。

「反応を聞く書き手へのアドバイス」では、読み手の言葉をさえぎることも誘導もせず、読み手が話すことを無理に理解しようとはせず、読み手が話す言葉に左右されないことが確認されます。むしろ読み手がその言葉を話す態度（話さないということも含む）をこそ、注視する必要があります。クラスを重ねることで、同じ言葉や態度でも、誰がそれをおこなったのかによって発生する意味合いが変わっていきます。クラスを重ねるあいだじゅう、あなたと言葉の関係性は変化する可能性に開かれ続けています。だからこそ、「あなたは常に正しく、常に間違っている」という言い方に象徴されるように、正誤のどちらかに安易に着地するのではないどこか、グレーの部分にとどまることがポイントになります。万人に理解され歓迎されることへの誘惑からどう距離をとるのか。それは、あなたが自分の言葉をどこに届かせたいと捉えているのかに連動しているのです。

本書の応用事例（ベーシック）

　書くことと聞くことの有機的な発展プロセス。自己と他者のコミュニケーションが創造的なものを生んでいく。これが本書の強いメッセージです。このメッセージに背中を押されながら、私は本書のメソッドや思想をさまざまな活動に応用してきました。ここからはそんな立場から、メソッドの応用方法や実践例を便宜的に３つのレベルに分けて説明していきます。ライティングの分野に適用する「ベーシック」、単にライティングや表現にとどまらない活動に適用する「ミディアム」、そして、そんな活動が発展して活動どうしが化学反応を起こして人生にまで波及する「マキシマム」です。

　本書で語られることを突き詰めていえば、「自分の内側に深く入って見つけた声を表現すること」「要素どうしの化学反応を起こし、成長させること」「自分の声と他者の声を撚り合わせてメッセージを磨くこと」です。このような要素は、活動の規模や分野を超えて普遍的に活用できるため、応用範囲が広いのです。

　著者のエルボウ氏自身、「ライティングの研究」から「教育カリキュラムの変革」へと活動が発展していきました。このような変化は、本書の有機的なメソッドの実践を重ねることで自然と起こることではないでしょうか。

　まずは、本書のベーシックな応用例から説明していきます。

分野ごとの活用例
・教育分野

　　　知識の暗記や再現の正確性を競うタイプの教育では物足りなさを感じる多くの方に。答えのない問いやテーマについて、自発的に考えるための教育に取り入れやすいでしょう。一方向でなく双方向のコミュニケーションに触れることによって、他者とともに問題解決を図っていくダイナミズムが体感できます。また、問題解決までのプロセスに宿る価値も経験できるでしょう。既存のカリキュラムと相補的に組み合わせる工夫が鍵となりそうです。後述するように、言葉以外にも映像や美術作品をアウトプットとして活用することもできます。

・場作りなどの集合的なプロジェクト

　　リアルタイムでの発言が得意な声の大きい人でなくても、フリーライ
ティングやグローイングによってアイデアや自分の気持ちが育てられま
す。そして、正しく実践されたティーチャーレス・クラスでは権力勾配
が生じにくいため、多数決的な合意では得られないアイデアの掛け算や
洗練が起こりやすくなります。参加メンバーで本書を読み合って水平な
フィードバックを知ると、既存の意思決定システムを相対化することが
でき、それだけでも創造的な場のイメージの共有が促進されるでしょう。
生活とひも付いた話題の際には、発言と発言者の線引きを意識できると
場の空気が柔らかくなります。

・創作

　　「孤独な部屋でひとり、傑作を一直線に創造する」というアーティスト
像のオルタナティブがここにはあります。自己検閲をゆるめ、フィード
バックによって作品を磨く経験を一度体験されることをお勧めします。
また、映像や絵画作品において本書のメソッドを実践する人もいました。
鑑賞者たちに、メンバーが創作した作品に対する感想のフリーライティ
ングをしてもらってティーチャーレス・クラスをおこなうと、生々しい
感覚からの有意義なフィードバックを得ることもできます。

・論文や企画書

　　従来型の「精度の高いゴールを事前に設定し、そこから逆算して項目
を立て、後はそれを埋めていく」のとは違った書き方が実現できます。
筆が止まることなく、事前の予想を超えた実感や創造性が生まれること
でしょう。そしてティーチャーレス・クラスを導入することで、従来の「壁
打ち」よりも精度が上がり、読み手の感触を知ったうえで書き継ぐこと
ができます。何より、フィードバックを与え合うことで相互に気づきや
成長、アイデアの化学反応が起こります。締め切りが決まっている場合
は、論文執筆に困りごとを抱える仲間を早い段階で見つけてスタート

するほどに効果が実感しやすくなるでしょう。企画書の場合は、意見や感覚の異なる人に参加してもらえると、ティーチャーレス・クラスに多視点が盛り込まれアウトプットがより精度を増すでしょう。

・日記や日誌

　　フリーライティングによって自分の声は自由度を増し、アウトプットが大きく変わるでしょう。またグローイングやクッキングのステップを取り入れたなら、近しい他者に届けることを視野に入れることもできます。実際に、日記を読み合うといったユニークな試みをおこなう人もいます。例えば文学フリマのような不特定多数に開かれた場での発表をゴールとして設定すると、次のライティングへの動機が生まれ、ライティングを持続しやすくなります。プライベートな内容まで書くことを考えている方は、ティーチャーレス・クラスのメンバーと信頼関係を築き上げることにどれだけエネルギーを割けるかがポイントとなります。

ライティングにおけるツールの活用例

　原書の発刊時は、紙に直筆するかタイプライターでの入力が前提でした。2023年現在では、パソコンでのタイピングや、スマホやタブレットのフリック入力、さらには音声入力も選択肢に入ってきます。各人の選択した文章の入力環境によって、出力される文章の質に差が出てきます。そのため、自分の目指す内容や質と、ライティングに使える時間や場所といった物理的な制約を天秤にかけて、あなたのベストな選択が見つかるとストレスが減り、ライティングがスムーズになるでしょう。

　ご参考までに、シーンに合わせた使い分けの例をご紹介します。

・ライティングのステップ別の使い分け

　　フリーライティングにはリラックスできる音声入力、グローイングは移動時間を利用してスマホで、クッキングには大きな画面の使えるパソコンで、ティーチャーレス・クラスでは相手の表情を感じながら手書きでメモするなど、自分の環境に応じた使い分けが考えられます。文章の

表示形式も、初めて書くときか修正時かによって、原稿用紙やディスプレイに抱く感覚が個人の特性に応じて変わってくるはずです。例えば自分の書き間違いを修正する際に、どの方法を使えば心理的な抵抗が少ないのか、試してみるとよいでしょう。

・書き方ごとの使い分け

　　スマホによる音声入力は後戻りができないため、ライブ感や疾走感の強い言葉が記録できます。集中して大量の文章を書きたい場合はキーボードでタイピングするとよいでしょう。ディスプレイが大きいほど、どれくらいの量が書けたのかという通覧性が高まります。ですが一方で、書いた文字を修正したくなりやすいので、慣れるまでは意識的に書きながらの修正を控える工夫が必要です。寝転がって気楽に書くほうが出てきやすい方の場合、タブレットで書くという選択もありそうです。アナログな手段として原稿用紙やノートに直筆で書くと、頭で考えるスピードに近い速度でアウトプットしやすく、誤字や言い換えなどの修正も逐次可能です。鉛筆かペンか万年筆かといった筆記具の選択は、個人の好みに強く依存するので楽しみながら実験してみましょう。

ティーチャーレス・クラスのアレンジ方法
・開催形式

　　本書が前提とする対面で開催したほうが、お互いのフィードバック時やそれ以外のときの非言語の情報量（表情／言いよどみ／間など）が多いため、得られるものが多いでしょう。ですがオンラインでの開催ももちろん可能です。オンライン開催であれば参加者の日程調整がしやすく、居住地域の制約もほとんどないために開催のハードルが下がります。対面に比べて疲労度が少ないという人もいるようです。また、「初回だけ対面で以降はオンライン」「対面が可能なときだけ対面で、参加者の都合がつかない場合はオンラインにする」などのハイブリッド方式もあります。関係性が構築されてくれば、対面とオンラインを併せて同時におこなう（対面の場にオンライン画面を持ち込む）という方法も可能です。

開催メンバーの物理的な状況や各人の好みと特性によって、ベストな開催形式が決まってくるでしょう。

・フィードバックの準備方法

各人のアウトプットは、オンラインで事前にデータ共有されることが多いかと思います。私の場合は、毎回全員のアウトプットを印刷し、気になった箇所に直筆で線を引きながらフィードバックを書き込んでいます。時間のないときは、スマホやパソコンのディスプレイ上で任意の場所をハイライトし、フィードバックをメモしていくこともあります。

・持ち寄るアウトプットのアレンジ

持ち寄るアウトプットは映像や絵画でも可能です。ただし、フィードバック時に特定の部分を指定しておこなう際、作業が煩雑になる点に注意が必要です（「映像の冒頭○秒〜○秒の、この登場人物とこの音の組み合わせが〜〜」など）。

他にも、開始時に前回の振り返りを入れたり、「今回は沈黙を大切にする」といったテーマ設定を毎回おこなうといった工夫も考えられます。かたく考えすぎず、場作りを楽しむつもりで工夫を重ねていきましょう。

各メソッドの組み合わせ方

個人のライティングとティーチャーレス・クラスの行き来の仕方にもさまざまなバリエーションがありそうです。各メソッドを部分的に取り入れたり、バランスを工夫することで新たな活用法を見出すことができるでしょう。

本書の流れに素直に従うなら「個人ワーク：フリーライティング→グローイング→クッキング」→「ティーチャーレス・クラス」という順番で取り組み、クラスで受け取ったフィードバックをもとにこの流れを繰り返すルートが基本となります。ですが私の経験上、クラスの前後でおこなう個人ワークでは、グローイングとクッキングは必ずしも毎回おこなわなくても成り立ちます。

例えばあえてフリーライティングをしただけの文章をクラスに持っていくこ

とで、編集前の生々しいあなたの声に対するフィードバックを受け取ることができ、「ここは編集しなくても十分に響くんだ」という発見があるかもしれません。あるいはグローイングやクッキングまでおこなったアウトプットと、その前段階のフリーライティングを両方持っていくことで、自分の修正／切り取り／編集の癖に対してフィードバックをもらえる場合もあります。

　クラスに持っていくアウトプットに対してどこまでプロセスを進めるかは、あなたのライティングの目的やクラスのフィードバックを受けた感覚から判断していきましょう。

本書の応用事例（ミディアム〜マキシマム）

　さらに視点を広げ、ライティングにとどまらない「ミディアム」なレベル、そして活動が進化して人生が動いていく「マキシマム」なレベルまで本書の内容が活きた例を説明していきます。

　私はこれまで、さまざまな活動において「自己検閲をはずした感情や思考の表現をサポートする（フリーライティング）」「強みや課題といった素材どうしを有機的にかけ合わせて化学反応を起こす（クッキング）」「困りごとを安全に聞き合う場を立ち上げる（ティーチャーレス・クラス）」といったように、本書の思想やメソッドを活用してきました。

　例を挙げると、探究学習プログラムの開発では、本書のメソッドに映像の制作を織り込むことで、言葉にしづらいものの見方の交換と共有が促進されました。空き家を多分野に開かれたセーフティネットに創り変えた際には、当事者の困りごととスキルをマッチングすることで能動的なチームビルディングをおこないました。いじめで悩む学校でいのちの意味をめぐる対話の場を開いた際には、タブー視されたテーマと自分の人生との関係を、自己検閲をゆるめて聞き合い、互いを知り合うことから始める場を立ち上げました。アートで社会を変える「アーティビズム」を紹介する活動では、社会課題を自分事化するために、アートを媒介して一見関係のなさそうな要素間にもつながりがあることを可視化し、抽象的とされたものの価値を切り捨てずにかけ合わせた解決策を

提示しています。

　本書の特徴は、プロセスを重視して自分の内側の声と他者によるフィード
バックからアウトプットを創造していくところにあります。そこで、活動がグ
ローイングしていくプロセスを、本書と出合ってからの私の歩みを事例として
振り返ってみます。

ベーシックな活用

　私と本書との出合いは、大学院のクリエイティブ・ライティング系コースに
在学中のことです。提出期限の定められた修士論文と小説の執筆に困り果て、
まとまった文章が書ける処方箋を求めて日本語の類書にあたり尽くした末に、
本書の原書にめぐりあったのです。

　実際に本書の内容を実践した結果、論文「イメージ・カタクレシス・人間
──想起される他者」と創作を書き上げて修了することができました（「カタ
クレシス」とは、それまでにない概念を表すために他の概念を借用することや、メ
タファーや単語を既存の意味とは異なる意味で使うことです。「創造的な誤読」も
解釈のもうひとつの選択肢となりうるという点は、本書の思想とも関連してきそう
です）。

　院を修了以降の私は、本書を貫く「ライティングの民主化」という考え方に
導かれるようにして、アーツカウンシル東京／（公財）東京都歴史文化財団に
て、専門的な芸術教育を受けていないさまざまな方や福祉分野から生まれてき
た、強い必然性を感じさせる表現活動のリサーチやキュレーションに携わりま
した。

ミディアムな活用（活動のフリーライティング／グローイング／クッキング）

　以降は、「ライティングの民主化」に２つの軸をかけ合わせて、キャリア自
体を「フリーライティング」していくことになります。つまり、目の前の活
動に没頭しながら自分の内面に深く潜り、願望や問題意識をすくい上げる段
階です。

　ひとつめの軸は「オルタナティブスペース」です。最初は、ライティングの
民主化を「自己表現の民主化」と誤読を怖れずに読み替え、自分が自分でいる

ための表現を活用してそのままの自分で居られる場である「寺子屋」を都内で運営し始めました。不登校状態の人はもとより、誰でも居られる開放した場です。そこに没頭するなかで「場」自体の意義を再定義する必要を感じて、「オルタナティブスペース」（自分たちに必要な場所を自分たちで作る実践）のリサーチとネットワーキングへとつながっていきました。オルタナティブスペースとは、まずひとりの心の声が可視化され、その声に賛同した仲間と一緒に、複数の声を自発的に実現させていった空間です。フリーライティング的な自己表現や対話によって個人の心の中から姿を現した願望や必要を、水平な立場のメンバーと共働することで具現化したものといえます。

　もうひとつの軸が「コレクティブ」。これは異なる専門性を複数持ったメンバーが自発的に集まったチームです。そのため、内部の立場に上下がなく、ティーチャーレス・クラスに通ずる水平な関係性が基本となっています。外部の他者と結びつきやすい性質を持つので、多領域のプロジェクト（社会課題やマイノリティに関連したものが多い）へと有機的に発展していくことになります。私自身も、2017年ごろから、いまの社会に選択肢を増やすために「VS?collective」（芸術表現をはじめとした領域横断の専門知を持ち寄ることで、既存の社会を再考して新たなビジョンを提出する有機的で離散的な共同体）を立ち上げ、国内外のコレクティブと行動をともにし、リサーチや記録とネットワーキングをおこなっています。

　個／共同体を包含して互いに活かし合う「コレクティブ」という主体と、マイノリティが当事者の小さな声を社会に体現する「オルタナティブスペース」は、個人の声を尊重する点や活動の機動性・柔軟性が高いといった点が共通しています。そのため、それらの要素が化学反応を起こしやすく、2つの活動軸が自然と結びついて、行き来することとなりました。コレクティブのメンバーとはともに時間を過ごしているだけでどんどんプロジェクトが立ち上がってくるため、インタビューするより一緒に行動したほうが本質的なリサーチになったのです。自分を含め国内外で活動するVS?collectiveのメンバー（オルタナティブスペースの運営者も多い）は、それぞれの領域で学んだ知恵を水平な関係で持ち寄った報告イベントや社会課題に関する「タブー持ち寄り会」を開催します。イベントやリサーチをきっかけに新メンバーも出入りするうち、異なる

分野の先端知が化学反応を起こしたり（クッキング）、新たなプロジェクトが複数進行するなかで磨かれ、グローイング（活動する中で交換された自他のフィードバックによって、活動の新たな側面が判明し、要素が成長）していくのです。

ミディアムからマキシマムへの有機的な移行

　それぞれの活動の中で本書のエッセンスを応用していくと、気づくと自分自身が空間や領域を大きく連続的に横断して導かれていくことがあります。このマキシマムな効用に至るプロセスに注目して考えるために、インドネシアでのお話を出してみます。

　以前からネットワークでつながっていた老舗コレクティブの「ルアンルパ」（南半球をはじめとしたコレクティブの助け合いネットワークの中心）から声がかかり、ジャカルタで日本の社会課題（高齢化、各種マイノリティの不可視化）に対してアートがどんな処方箋を提示してきたかをテーマにレクチャーしました。レクチャー後は、お茶を飲みながらホストの「グッドスクール」（ルアンルパを含んだ複合コレクティブ。人が集まるということや教育を研究実践）と、他者とともに生き直す方法について水平な立場の相互インタビューが始まります。そこで情報と感情の交換やアイデアのグローイングをして、次の都市バンドンに向かいます。当然のように訪れた新たな出会いをきっかけに、今度はジョグジャカルタへ。すでに中国から始まっていたオルタナティブスペースのリサーチツアーが今回のレクチャーツアーへ、そして新たなプロジェクト（ルアンルパによる難民をサポートするアプリの開発）へとバトンされていきました。日本に帰国してこのバトンをつないでいくと、さらに新たに出来事が連鎖していくといった具合です。リサーチ／ネットワーキング／レクチャー／プロジェクトなどの名称は、この有機的なプロセスの切り出し方次第で変わるのです。

　どうしてこんな生き物のような活動形態になったのか。それは、プロセスから生まれる有機性と発展性を私が面白いと感じながら動いているからだと思います。まさに本書の背骨と重なるところです。俯瞰して捉え直すと、「自己を確かめられる」フリーライティングと「他者によって自己が活かされる」ティーチャーレス・クラスが持つ要素の往還について、他のコレクティブと、自分のコレクティブのメンバーと、さらにその外とも、公私を分けずに「生きる」実

践をしてきたのでしょう。

　私が言語のみならず、アートや障害や医療といった非言語が優位な領域に関わるようになったことも、活動フィールドの拡張を後押ししたように感じています。これからも、本書やコレクティブの知見から、集合的な対話や創造的に規範を疑うアートの知恵を活用し、文脈の多層化した社会課題に対して多分野のエキスパートたちと協働することで、オーダーメイドの処方箋を提示していきます。今後の軸は「わからない」という感覚の活用になると考えていますが、それはまたの機会に。

＊　＊　＊

　以上のように活用を継続することで、本書は私に多くの新たな扉を開けてくれました。今後も新たな読み手から、時代に即応した本書の活用方法が見出されていくことでしょう。

　ベーシックに文章に活用するだけではなく、その延長線上にある人生もフリーライティング、さらにはクッキング／グローイングしていくことができます。フリーライティングで気づいた自分の声から始まる他者とのプロセスが、あなたの文章や活動の姿、そして歩むべき自然な方向を教えてくれるのです。

　ぜひ本書を実践することで、みなさんがご自身の声に触れて互いにフィードバックを与え合うことで、新たな人生の選択肢が生まれる醍醐味を味わっていただけたらと思います。

　ご意見・ご質問のご連絡、お待ちしています。以下の Web サイトに訪れていただくか、「Aki Iwaya / VS?collective 」で検索していただけたらと思います。監訳者の活動にご興味を持たれた場合も、お気軽にコンタクトください。

https://akiiwaya-vscollective.studio.site/

謝辞

これまで本書のメソッドを用いたワークショップに、対面やオンラインで参加してくださったさまざまな分野と関係性でつながった方々に。

出版に至るまでサポートくださった文学や福祉、教育や芸術や出版に携わる方々に。

本書の出版を決めてくれた英治出版およびプロデューサーの上村悠也さん、訳者の月谷真紀さんをはじめとした本づくりのすべての工程に関わった方々に。数々のフィードバックによって本書は生まれました。

原書『Writing Without Teachers』著者のピーター・エルボウ氏に。

時代を超えて私まで渡され、そしていま読んでくださっているあなたへ、あなたから未来に渡されていくバトンの存在に。

2023年12月
東京にて
岩谷聡徳 / Aki Iwaya

本書の理解を深めるブックリスト

本書をさらに深く理解し、活用していくヒントとなりうる本を
5つのテーマから監訳者が提案します。

Theme 1
「言葉が書けない」を理解する

ライティングの哲学
書けない悩みのための執筆論

千葉雅也、山内朋樹、読書猿、瀬下翔太著／星海社／2021年

専業作家でもこんなに書くことに苦労しているということを知って安堵するかもしれません。ときには絶望し、なげやりにもなり、それでも互いに励まし合って書いた軌跡です。苦労の持ち寄りがもたらす共感と、書くことへ向き合うときに楽になる普遍的で実践的な態度が示され、それは本書とも重なります。寄り集まって語り合うさまはティーチャーレス・クラスを想起させます。締め切りに対する態度も各人各様だと知って、安心したり感心したり、はたまた驚いて肩の力が抜けるかもしれません。

ピダハン
「言語本能」を超える文化と世界観

ダニエル・L・エヴェレット著、屋代通子訳／みすず書房／2012年

言葉を書かない状態を考えることによって、書くことの意義を見つめ直すことができます。そもそも言葉は書くだけでなく、語るものとして存在してきました。森で生き、書くことのないピダハンの人々の語る主語には「私」はなく、「ピダハン」。さらに過去形や未来形はなく、現在形のみで語ります。すると、私という一人称の主語や、過去や未来の持つ時間の概念が引き起こす「ネガティブ面」（独占欲や妬み）が薄くなっていきます。その反面、それを裏返した「ポジティブな面」（思い出や計画する力）までが消え去るのを物足りなく感じるかもしれません。ピダハンのコミュニケーションに触れることで、書くことが持つ効能や特有の性質を再考するきっかけとなりそうです。

新装版
ポール・オースターが朗読する
ナショナル・ストーリー・プロジェクト

ポール・オースター編・朗読、柴田元幸他訳／アルク／2019年

全米公共ラジオのホストを務める作家が、市井のリスナーに「あなたの実話」の投稿を呼びかけ、集まった文章を朗読します。「アメリカが物語るのが聞こえた」と作家は言います。書くことと聞くこと、聞くことと語ること。国家のように大きな共同体も、同時代を生きる無数のひとりの声と、それを聞く一人ひとりの思いでできているのです。それぞれが替えの利かない個人の声である限り、専業作家であるか否かは本質的な線引きではありません。共同で立ち上げた物語は、国家から個人までを包み込んで生の土台を規定しますが、同時にあなたの声が織りなす物語も共同体を更新し続けているのです。

傷ついた物語の語り手

身体・病い・倫理

アーサー・W・フランク著、鈴木智之訳／ゆみる出版／2002年

何かを語ることに特別な資格などありません。語ることがあなた自身という物語を作り、今度はその物語があなた自身を導いていくのです。本書は自己表現と自己の回復的な関係を、会話や文学の引用、そして著者自身の経験を交えて考察していきます。語りの複数の型（回復／混沌／探究）のそれぞれに、語り手と身体、そして倫理が協働した世界観が提示されます。あなたが語り手であるときは、誰か他者が聞き手を務めているということ。物語の聞き手には証人という大切な役割が与えられており、新たな物語には語り手のみならず、聞き手が必要とされているのです。

裸のランチ

ウィリアム・バロウズ著、鮎川信夫訳／河出書房／2003年

追いすがる自己検閲や社会規範を置き去りにするスピードでフリーライティングすること。そんな方法で書かれた小説です。さらに文どうしの断絶を効果的に用いるカットアップという技法で編集されることで、技法と意味内容の飛躍がシンクロして中毒性の高いライティングとなっています。友人で詩人のアレン・ギンズバーグの強い勧めとサポートによって世に出ることとなりましたが、同時代を生きた盟友ジャック・ケルアックも『オン・ザ・ロード』を21日間タイプライターを叩き続けて書き上げたといわれています。

夜露死苦現代詩

都築響一著／筑摩書房／2010年

「表現」にまつわる凝り固まったものの見方の枠を解放してくれる多種多様な実例。専門的スキルを持ったプロがおこなうものだけが表現ではありません。塀の中の声なき声から、居酒屋のトイレに掲げられたあの文句まで。ストリートどころか、いまこの文章を読むあなたの手から表現は生まれます。すでに書く前から力んでいた肩から、いつのまにか力が抜けていることに気がつくでしょう。思想家・鶴見俊輔の唱えた「限界芸術」（非専門的芸術家によってつくられ、非専門的享受者によって享受される芸術）の概念を現代に見出したものともいえそうです。人がライティングするにあたって、書く必然性がどれだけ重要となるのか。その役割を考えるヒントとして。

パルプ

チャールズ・ブコウスキー著、柴田元幸訳／筑摩書房／2016年

たとえ抽象的なアウトプットでも、それが絵画であれば抵抗がないのに、なぜ小説だと抵抗感が生まれるのでしょう？　もし言葉で構築された小説の中でも自由な抽象性が成立するとしたなら、その例を本書に見ることができます。物語は一見まぐれ。どこが脱線なのかすらわからない流れが進んでいきます。なのに不思議と読む経験の節々に納得が訪れます。人は表現を構造やテーマとしてだけ読むのではありません。一文ごと、瞬間ごとの納得感に導かれて読んでいるのです。書く者と読む者が納得する幸福な出合いが、プロセスを味わう者どうし＝共犯としての表現が、ここにあります。技法ではなく書くという運動がもたらす開かれたエンディングが、あなたを作品のはじまりへ何度でも誘うことでしょう。

Theme 4
「他者と応答し合うということ」を理解する

プリズン・ブック・クラブ
コリンズ・ベイ刑務所読書会の一年

アン・ウォームズリー著、向井和美訳／紀伊國屋書店／2016年

人生に影響を与える読書会。人がともに文章を読み、言葉と向き合うときに立ち上がる変化とは何でしょうか。集団で文章を読むときに発生する個々の反応が生々しくレポートされ、他者の書いた文章を読むことで起こる変化が劇的に描かれます。自身の人生を総動員し、集団でひとつの文章に向き合って、どう読んで何を感じたのかを持ち寄ることで化学反応が生まれます。そうして互いの反応がフィードバックされるとどんな影響を及ぼし合うのか。ダウティング・ゲームとビリービング・ゲームの交錯する場面や、自分とは異なる感想から学びを得る様子が描かれます。ひとりでありながらも、ともにその場に居ること。言葉や表現を通して互いが影響を及ぼし合う場のダイナミズムを考えるために。

ナラティヴと共同性
自助グループ・当事者研究・オープンダイアローグ

野口裕二著／青土社／2018年

「共同性」をキー概念として、ナラティブや物語る行為が現代に切り開いてきた「自助グループ」「当事者研究」「オープンダイアローグ」といった新たな選択肢を整理した論考集。特筆すべきは「関係性の構築＝ネットワークは、手段ではなく目的」との気づきです。ゴールよりもプロセスを重視することが、あなたを他者につなぎとめることになります。目的（書き上げること）を達したか否かではなく、その手段（集まること）を続けることがもたらす恩恵は、ピアグループのような親密圏のみならず会社や学校にも必要とされています。感情の個人化から感情の共同化へ。「解放の物語」と「共同の物語」といった議論とともに共同性に注目する本書は、近代特有の主体概念を拡張／転換する可能性を考えるヒントになりそうです。

＜責任＞の生成
中動態と当事者研究

國分功一郎、熊谷晋一郎著／新曜社／2020年

あなたはいつから「意志」を持ったのでしょうか。明確で自明なものとしての主体を想定し、そこから演繹された意志にすべての責任を帰する──そうではない主体はありうるでしょうか。能動／受動の二項対立ではなく「中動態」を導入すること。自分の病気は医師に診断されるものではなく、自分で研究できるということ。主体の決定権を自分に取り戻すには、他者からのフィードバックが必要になるというメカニズムを考えるヒントが提示されます。主体のコントロールに依存しないライティングと、独断に陥らない編集をおこなうことは、本書のメカニズムの実践といえそうです。

Theme 5
フィードバックをどう扱うか──ティーチャーレス・クラス実践のヒント

カール・ロジャーズ 静かなる革命

カール・R・ロジャーズ、デイビッド・E・ラッセル著、畠瀬直子訳／誠心書房／2006年

本書でも献辞がなされるアメリカの臨床心理学者、カール・ロジャーズ。相手の無条件の受容と尊重が、自分の受容と尊重を促すというカウンセリングの理論で知られ、本書の有機体としての人間のメタファーやビリービング・ゲームにも影響を与えました。エンカウンターグループや非指示的療法といった理論面のみならず、収録された晩年のインタビューからは彼の人間性や人間観が垣間見えます。相手の言葉を受容することについて考えるヒントに。

オープンダイアローグ 私たちはこうしている

森川すいめい著／医学書院／2021年

オープンダイアローグ（開かれた対話／対話を開く）はフィンランド発祥の対話主義による精神ケア手法。この手法は、その人のいないところでその人の話をせず、1対1で話さないというところから始まりました。本書ではどうしたら実際にオープンダイアローグを日本の現場で実践できるかを念頭におき、具体的な声のかけ方からさまざまなアイデアまでを共有して実践者に寄り添う姿勢に特徴があります。治癒はゴールではなく対話を続けるプロセスの中に存在し、実践が効果を上げるためには続ける必要があります。実践と継続をリンクさせるヒントに。

トム・アンデルセン 会話哲学の軌跡

リフレクティング・チームからリフレクティング・プロセスへ

トム・アンデルセン著、矢原隆行著・訳／金剛出版／2022年

「自分と相手の間を行き交うことばを受け取るための教育」を受けたことはあるでしょうか。リフレクティング・プロセスは、「他者が自分について率直に語る言葉」を受け取ることで、内的対話がうまれ、自分を立体的に捉えられるようになるカウンセリング手法です。その実現のために、目の前で自分について語られる言葉を安全に受け取り、観察できる場の条件が重視されます。そして、自己の変化と形成は「個人であれ、家族であれ、組織であれ、生きているシステムというものは、内側からのみ、自身の理解と強さによってのみ」可能になるといいます。メッセージのバトンが受け渡されるには言葉を発する人の存在に対するあなたの態度が大きな影響を及ぼしています。著者の考える倫理的なあり方とは、「協働を開始する前に、いかにわれわれが協働しうるのかを他者と話し合う」ところから始まっていました。それがリフレクティングの実践は「平和活動の一環」なのだという考えにつながっていったのかもしれません。そんな本書はティーチャーレス・クラスやフィードバックをより深めるエッセンスに満ちています。

総合編
書くプロセスを習得するために必要なこと

Writing With Power
Techniques for Mastering the Writing Process, 2nd Edition

ピーター・エルボウ著／オックスフォード大学出版局／1998年

本書の続編にあたる書籍です。自分の文章と向き合う方法について、書き手自身がさまざまなテクニックを試し、自分に最適なものを見つけることを提案します。アイデアの創出から推敲・編集にいたるライティングの全プロセスにわたって、書く現場で起こるトラブルや悩み＝「失敗」とその活用方法が示されます。一般にネガティブとされる要素（書けない状況、脱線、自分が読んでも良いと思えないアウトプット、書く目的自体のブレ）こそ書くために必要なプロセスと捉え、その状況をどう扱えばよいか具体的に示しています。本書の底に流れる共感的であたたかい読者へのまなざしからも力を得ることでしょう。

283

Ashton-Warner, Sylvia. *Teacher*. New York: Bantam, 1964.

Berlin, James. "Rhetoric and Ideology in the Writing Class." *College English* 50.5 (September 1988): 477-94.

Booth, Wayne. *Modern Dogma and the Rhetoric of Assent*. Chicago, IL: University of Chicago Press, 1974.

Bruner, Jerome. *The Process of Education*. New York: Random House, 1960.〔『教育の過程』J. S. ブルーナー著、鈴木祥蔵・佐藤三郎訳、岩波書店、1986年〕

―. *Studies in Cognitive Growth*. Cambridge, MA: Harvard University Press, 1966.〔『認識能力の成長――認識研究センターの協同研究』上下巻、J. S. ブルーナーほか著、岡本夏木ほか訳、明治図書出版、1968年〕

Bruner, Jerome, J. Goodnow, and G. A. Austin. *A Study of Thinking*. New York, 1956.〔『思考の研究』J. S. ブルーナー著、岸本弘ほか訳、明治図書出版、1969年〕

Calkins, Lucy McCormick. *The Art of Teaching Writing*. Portsmouth, NH: Heinemann, 1986.

Dennison, George. *The Lives of Children*. New York: Random House, 1969.〔『学校ってなんだ――ミニ・スクール実践記録』ジョージ・デニスン著、武田尚子訳、サイマル出版会、1977年〕

Dewey, John. *Democracy and Education*. New York: MacMillan, 1919.〔『民主主義と教育』J. デューイ著、金丸弘幸訳、玉川大学出版部、1984年〕

Elbow, Peter. *Embracing Contraries: Explorations in Learning and Teaching,* New York: Oxford University Press, 1986.

―. "Methodological Doubting and Believing: Contraries in Inquiry." In *Embracing Contraries*.

Goodman, Paul. *Compulsory Mis-Education and The Community of Scholars*. New York: Vintage, 1966.

Graves, Donald. *Writing: Teachers and Children at Work*. Portsmouth, NH: Heinemann, 1983.

Harris, Joe. *A Teaching Subject: Composition Since 1966*. Upper Saddle River, NJ: Prentice-Hall, 1997.

Hashimoto, I. "Voice as Juice: Some Reservations about Evangelic Composition." *College Composition and Communication* 38.1 (February 1987): 70-9.

Herndon, James. *The Way it Spozed To Be*. New York: Bantam, 1965.

Kohl, Herbert. *36 Children*. New York: New American Library, 1967.

Macrorie, Ken. *Telling Writing*, 3rd. ed. Rochelle Park, NJ: Hayden, 1970.

Maslow, Abraham. *Motivation and Personality*. NY: Harper and Row, 1970.〔『人間性の心理学――モチベーションとパーソナリティ』A. H. マズロー著、小口忠彦訳、産業能率大学出版部、1987年〕

Medawar, Peter. *Induction and Intuition in Scientific Thought*.〔『発見から創造へ』P. B. メダウォー著、桜井邦朋編、地人書館、1987年〕 同著者の *Pluto's Republic*. New York: Oxford University Press, 1982に再録。

Miller, George A. "The Psycholinguistics: On the New Scientists of Language." *Encounter* (1964).

Neisser, Ulrich. *Cognition and Reality: Principles and Implications of Cognitive Psychology*. San Francisco, CA: W. H. Freeman, 1976.〔『認知の構図――人間は現実をどのようにとらえるか』U. ナイサー著、古崎敬・村瀬旻共訳、サイエンス社、1978年〕

―. *Cognitive Psychology*. New York: Appleton-Century-Crofts, 1967.〔『認知心理学』U. ナイサー著、大羽蓁訳、誠信書房、1981年〕

Polanyi, Michael. *Personal Knowledge: Toward a Post-Critical Philosophy*. New York: Harper and Row, 1958.〔『個人的知識――脱批判哲学をめざして』マイケル・ポラニー著、長尾史郎訳、ハーベスト社、1985年〕

Rogers, Carl. "Communication: Its Blocking and Its Facilitation." *On Becoming a Person*. Boston: Houghton Mifflin, 1961.

Rosenthal, Robert, and Lenore Jacobson. *Pygmalion in the Classroom*. New York: Holt Rinehart Winston, 1968.

Schön, Donald A. *The Reflective Practitioner: How Professionals Think in Action*. New York: Basic Books, 1983.〔『省察的実践とは何か――プロフェッショナルの行為と思考』ドナルド・A・ショーン著、柳沢昌一・三輪建二監訳、鳳書房、2007年〕

Skinner, B. F. *The Technology of Teaching*. New York: Appleton-Century-Crofts, 1968.〔『教授工学』B. F. スキナー著、村井実・沼野一男監訳、慶応義塾大学学習科学研究センター訳、東洋館出版社、1969年〕

Vygotsky, Lev. *Thought and Language*. Trans. Eugenia Hanfman and Gertude Vakar. Cambridge, MA: M.I.T. Press, 1962.

原注

1. Ken Macrorie, *Telling Writing*, Hayden Press, 1970.

2. ウィリアム・ペリーらが大学生の発達プロセスに関して良書を書いている。 *Intellectual and Emotional Development in the College Years*, 1970.

3. これは *Themes, Theories, and Therapy*, the Report of the Dartmouth Study of Student Writing, Albert Kitzhaber, McGraw Hill, 1963で報告されている発見のひとつである。

4. 運動感覚トレーニングのアレクサンダー・テクニークは、この抑制の発展的分析に基づいている。*The Resurrection of the Body: Selected Writings of F. Matthias Alexander*, Edward Maisel, editor, New York, 1969を参照のこと。

5. 例えばJ. S. Bruner, *Studies in Cognitive Growth*, Wiley, 1966〔『認識能力の成長──認識研究センターの協同研究』上下巻、J・S・ブルーナーほか著、岡本夏木ほか訳、明治図書出版、1968年〕を参照のこと。

6. *Journal of General Education*, XXIII, #2, July, 1971収録の私のエッセイ "Real Learning" を参照のこと。

7. 科学とは反証しようとする組織的な営みに他ならないという見方──カール・ポパーの名が浮かぶ──については、ノーベル賞受賞者ピーター・メダワーによる非常にわかりやすい次の2冊を参照のこと。Peter Medawar, *Induction and Intuition in Scientific Thought* (The Jayne Lectures, 1963)〔『発見から創造へ』桜井邦朋編、地人書館、1987年〕、*The Art of the Soluble* (London, 1967)。これと対立する、「科学とは命題を反証するだけでなく肯定する営みでもある」とする見方については、Carl Hempel, *The Philosophy of the Natural Sciences*〔『自然科学の哲学』カール・G・ヘンペル著、黒崎宏訳、培風館、1967年〕を参照されたい。

8. 例えばC. E. Osgood, *The Measurement of Meaning*, Urbana, 1957を参照のこと。

9. *The Structure of Scientific Revolutions*, Chicago, 1962.〔『科学革命の構造』トマス・S・クーン著、青木薫訳、みすず書房、2023年〕

10. Ulrich Neisser, *Cognitive Psychology*, New York, 1967〔『認知心理学』U・ナイサー著、大羽蓁訳、誠信書房、1981年〕を参照のこと。

11. Victor Zuckerkandl, *Sound and Symbol*, Princeton, 1956を参照のこと。

12. *Personal Knowledge*, New York, 1958.〔『個人的知識──脱批判哲学をめざして』マイケル・ポラニー著、長尾史郎訳、ハーベスト社、1985年〕

13. *Cognitive Psychology*, New York, 1967, pp. 1181f.〔『認知心理学』U・ナイサー著、大羽蓁訳、誠信書房、1981年〕

14. Gertrude Hendrix, "A New Clue to Transfer of Training," *Elementary School Journal*, Dec. 1947, pp. 198-200; Morris L. Bigge, *Learning Theory for Teachers* (New York, 1964), p. 283に引用。

15. これはコリン・ターベインの重要な著書のテーマである。Colin Turbayne, *The Myth of Metaphor*, University of South Carolina Press, 1970.

著者

ピーター・エルボウ

Peter Elbow

マサチューセッツ大学アマースト校英語名誉教授。

今日の学際的な教育の先駆けであるフランコニア・カレッジとエバーグリーン州立大学の創設時の教員を務め、ニューヨーク州立大学ストーニーブルック校とマサチューセッツ大学アマースト校ではライティング・プログラムのディレクターとして10年以上勤務。

「書くことの民主化」を掲げ、ライティングに関する著書や論文を数多く執筆している。フリーライティングの使用法を発展・拡大させ、広く教師やライターたちに普及させた。代表作に本書『Writing Without Teachers』や『Writing With Power』があり、小学校から大学まで、ライティング指導のあり方に大きな影響を与えた。

監訳者

岩谷聡徳
Aki Iwaya

「異なる価値観の翻訳家」として、映像制作や居場所づくり、文化芸術コンサルティングや探究学習を国内外で展開する。

早稲田大学文学研究科 現代文芸コース修了後、(公財) 東京都歴史文化財団／アーツカウンシル東京のフェローや寺子屋運営を経て、社会課題への新たな向き合い方を芸術や対話を介して提案する「VS?collective」を立ち上げる。オルタナティブスペース (マイノリティ当事者がつくる居場所) やコレクティブ (多分野協働チーム) のリサーチ／ネットワーキングで培った知見を領域横断して活用する。

https://akiiwaya-vscollective.studio.site/

訳者

月谷真紀
Maki Tsukitani

翻訳者。

主な訳書に、デヴィッド・オーターほか『The Work of the Future —— AI 時代の「よい仕事」を創る』(慶應義塾大学出版会)、ジョナサン・ゴットシャル『ストーリーが世界を滅ぼす——物語があなたの脳を操作する』(東洋経済新報社)、キース・ソーヤー『クリエイティブ・クラスルーム——「即興」と「計画」で深い学びを引き出す授業法』(英治出版) などがある。

● 英治出版からのお知らせ

本書に関するご意見・ご感想をE-mail(editor@eijipress.co.jp) で受け付けています。
また、英治出版ではメールマガジン、Webメディア、SNSで新刊情報や書籍に関する記事、
イベント情報などを配信しております。ぜひ一度、アクセスしてみてください。

メールマガジン	▷	会員登録はホームページにて
Webメディア「英治出版オンライン」	▷	eijionline.com
X / Facebook / Instagram	▷	eijipress

自分の「声」で書く技術

自己検閲をはずし、響く言葉を仲間と見つける

発行日	2024 年　2 月 18 日　第 1 版　第 1 刷
著者	ピーター・エルボウ
監訳者	岩谷聡徳 (いわや・あきのり)
訳者	月谷真紀 (つきたに・まき)
発行人	原田英治
発行	英治出版株式会社 〒 150-0022 東京都渋谷区恵比寿南 1-9-12 ピトレスクビル 4F 電話　03-5773-0193　　FAX　03-5773-0194 www.eijipress.co.jp
プロデューサー	上村悠也
スタッフ	高野達成　藤竹賢一郎　山下智也　鈴木美穂　下田理　田中三枝 平野貴裕　桑江リリー　石崎優木　渡邉吏佐子　中西さおり 関紀子　齋藤さくら　荒金真美　廣畑達也　木本桜子
印刷・製本	中央精版印刷株式会社
装丁	HOLON
校正	株式会社聚珍社